ASYL

ASYL

AV

Liza Marklund

OCH

Maria Eriksson

Av Liza Marklund och Maria Eriksson:

Gömda 1995, reviderad upplaga 2000

Asyl 2004

Av Liza Marklund och Lotta Snickare:

Det finns en särskild plats i helvetet för kvinnor som inte hjälper varandra 2005

Av Liza Marklund:

Sprängaren 1998

Studio sex 1999

Paradiset 2000

Prime time 2002

Den röda vargen 2003

Nobels testamente 2006

Livstid 2007

En plats i solen 2008

ISBN 978-91-642-0311-3

Utgiven av Piratförlaget

Omslagsfotografi: Joseph Poberiskin/Getty Images

Omslagsform: Eric Thunfors / Thunfors Design

Tryckt i Danmark hos Norhaven A/S 2009

Den berättelse som följer är en dokumentär roman. Det innebär att historien är baserad på verkliga händelser, men dramatiserad och gestaltad via mig som författare.

Liza Marklund
Stockholm i juni 2009

Prolog

MARIA ERIKSSON växte upp i en svensk småstad tillsammans med sina föräldrar och syster. Hon gick ut gymnasiet med höga betyg och skaffade sedan en egen lägenhet i närheten av sin familj, med vilken hon hade en tät kontakt. Tillsammans med sin syster hade hon ett stort socialt umgänge. Hon var bland annat engagerad i föreningslivet där hon deltog i kommunens mångkulturella evenemang och festligheter. Det fanns en flyktingförläggning i närheten av staden. Eftersom Maria talade flera språk, bland annat spanska, kom hon att hjälpa många av flyktingarna med praktiska frågor.

Hennes dröm under uppväxtåren var att bli läkare. När hon kom in vid Karolinska Institutet i Stockholm beslöt hon sig ändå för att tacka nej till utbildningsplatsen. Hon trivdes så bra i sin hemstad att hon inte ville flytta från sin familj och sina vänner.

I stället fick hon ett bra jobb på en bank i staden, och det var där hon arbetade när hon träffade mannen som kom att förändra hennes liv. Till en början var hon mycket förälskad. Mannen, som var flykting från Mellanöstern, var så olik alla andra män hon träffat: artig, uppvaktande, spännande och kärleksfull. De förlovade sig på ettårsdagen av sitt första möte.

Första gången han slog henne var han mycket ångerfull och lovade att aldrig göra om det, och Maria trodde honom. Något senare visade det sig att Maria var gravid.

De enstaka slagen övergick under graviditeten till regelbunden misshandel. Ofta riktades sparkarna mot Marias mage där det ofödda barnet låg.

Flickan, som döptes till Emma, föddes för tidigt och var liten för sin ålder. Den misshandel som drabbat Maria kom nu även att innefatta det nyfödda barnet. Maria gjorde klart att deras relation var avslutad, vilket mannen inte accepterade. Trots att de inte levde tillsammans längre inleddes en alltmer systematisk förföljelse. Maria våldtogs, fick ta emot slag och sparkar med benbrott och revbensbrott som följd, hon utsattes för knivhugg och strypförsök. Alla försök att ha Emma på daghem fick avbrytas på grund av mannens hot och skadegörelse.

Vid denna tidpunkt träffade Maria en man, Anders, som kom att bli hennes make. Tillsammans fick de sonen Robin som föddes när Emma var två år.

Äktenskapet förändrade inte situationen. Tillsammans med sina vänner bedrev mannen en alltmer aktiv och utstuderad förföljelse mot familjen.

De svenska myndigheterna stod handfallna. Polis och åklagare hade stora svårigheter att utreda brotten mot familjen, av flera skäl. Mannen och hans vänner gav ständigt varandra alibi, vilket gjorde att skadegörelse och anonyma hot var och förblev outredda. Vittnen skrämdes till tystnad. Mannens vänner hotade att döda Marias föräldrar om hon berättade i rätten om de övergrepp hon utsatts för.

Terrorn fortsatte. Familjens radhus kom att bli deras fängelse. Myndigheterna satte galler för fönstren och förbjöd familjen att gå ut utan sällskap av personal från socialtjänsten. Maria och barnen, och så småningom även Anders, kom att skickas bort från staden under längre perioder.

Marias dotter Emma tog stor skada av isoleringen. Hon blev allt tystare och åt allt mindre. Efter ett överfall när mannen tryckte en kniv mot flickans hals slutade hon helt att tala.

Efter detta beslöt myndigheterna att familjen inte kunde bo kvar i sin hemstad. De tvingades lämna sitt hem och gå under jorden.

Under det följande året visste Marias föräldrar inte om familjen levde eller var död.

Det första året som gömda bodde de på tolv olika platser. Mannen som förföljde familjen Eriksson letade efter dem hela tiden. Två gånger hittades familjen av förföljarna och tvingades fly vidare.

Efter ett år på flykt installerades familjen i en trerumslägenhet i Smedjebackens kommun i södra Dalarna. Eftersom de fortfarande inte fick röra sig utomhus innebar det egna hemmet inte någon större förändring av deras livssituation. Hela familjen for illa av isoleringen. Under en period gick Maria in i en psykos. Emma hamnade slutligen i koma och undkom döden med en hårsmån.

Våren 1991, när flickan skulle fylla fem år, var hon så instabil att en psykiatrisk utredning inte var genomförbar. För att kunna undersöka Emmas mentala hälsa var det nödvändigt för familjen att leva i total frihet under en period, vilket enbart bedömdes möjligt i en annan världsdel.

Den 19 maj 1991 skickades därför familjen Eriksson iväg på en sju månader lång vistelse utomlands.

DEL 1

FLYKT

JUMBOJÄTTENS HJUL slog i marken med en smäll. Jag kastades framåt av stöten, plötsligt klarvaken, iskall om fötterna och alldeles stel i nacken. För ett ögonblick gick sömn och verklighet ihop, dånet från drömmen fortsatte när jätteplanet slog till bromsarna.

– God morgon, sa Anders och log lite. Du har sovit som en gris.

Förvirrat tittade jag ut genom den lilla frostbitna rutan och såg det gnistrande svenska vinterlandskapet svepa förbi därutanför.

– Är vi redan framme?

Tungan var tre nummer för stor i min mun, jag var väldigt törstig. Robin grät till vänster om mig, Anders böjde sig över honom och tröstade. Pojken brukade alltid få värk i öronen vid landningarna. Bredvid mig till höger satt Emma, stilla och blanködg. Hon hade fortfarande sina lackskor på sig, sandalerna hon vägrat ta av sig trots att vi försökt förklara att det var vinter dit vi skulle resa.

– Jag vill alltid ha lackskor, hade hon sagt och jag hade inte bråkat.

Stum och torr i svalget såg jag Arlandas utrikesterminal glida förbi bakom rimfrosten. Vände sedan blicken rakt fram och stirrade in i det hopfällda brickbordet i ryggen på stolen framför mig.

Jag kunde nästan inte tro att det var sant.

Efter sju månader på andra sidan jordklotet var vi äntligen hemma igen.

Jag klev ut i ankomsthallen med jetlagens yrsel och en total känsla av overklighet. Robin och Emma hängde mig i var hand, Anders gick bakom mig med allt vårt handbagage. Runt omkring oss porlade det svenska språket, rann som vattenfall i vårdiken, dialekter och uttryck och skratt som fick mig att flämta. Med ens var världen på riktigt igen, det märkliga avståndet mellan mig och tillvaron var utraderat.

Någonstans i en dold högtalare spelades en version av Sankta Lucia med svenska textrader, natten var stor och stum, nu hörs dess vingar, och jag insåg att jag stod mitt i luciadagens morgon, mitt i julhögtidens egentliga avspark, fredagen den trettonde från vilken allt skulle vara glitter och tomtar och snötyngda granar.

Försiktigt tog jag de sista stegen över stengolvets blankpolerade yta, fram till det rasslande bandet med sina mörkgrå gummiplattor.

Räven raskar över isen, räven raskar över isen.

– Titta mamma, nu kommer våra väskor!

Kylan var kristallklar och bitande, fick dieselångorna från bussen att dröja kvar vid marken. Barnen blinkade förvånat, ovana vid kyla, jag såg att deras ögon tårades. Emma trampade klumpigt i de ytterskor hon under protester dragit på sig i vestibulen, lackskorna ordentligt nedpackade i hennes lilla ryggsäck. Robin höll sig tätt intill Anders, hostade i avgaserna. Han var känslig för dålig luft.

Jag steg på flygbussen sist av alla passagerare, blev stående ett kort ögonblick med vänstra foten i marken, lät kylan tränga igenom mina tunna lädersulor.

Så här kändes riktig jord. Benhård, stenfrusen, hal och knarrande av snö. Så bekant det var, så alldeles och fullständigt normalt.

Ledbussen gled iväg med ett långdraget pustande, trängde sig ut i den nysnötröga trafiken med de välbekanta nummerplåtarna, jag såg Volvobilar igen, Scania och Saabar, de rullade med försiktiga rörelser och rykande avgasrör upp på motorvägen in mot Stockholm. Nattens snöfall låg fortfarande tämligen oanfrätt längs mittlinjer och vägvallar, ett svepande mjukt täcke som glittrade i morgonljuset.

Jag lutade pannan mot den kalla glasrutan, glesa förorter flimrade förbi, så mycket träd och små, låga hus så nära staden. Ekots signatur anades svagt i en högtalare och chauffören drog upp ljudet.

En lettisk fiskebåt med tretton mans besättning gick vid midnatt, natten till fredagen, på grund inne på svenskt skyddsområde strax utanför Karlskrona. Det rapporterar Sjöräddningscentralen i Stockholm.

Pappersprassel fyllde högtalaren, ekomannen harklade sig lite, förhandlingarna om Sveriges och Österrikes inträde i EG bör inledas i början av 1993. Det framhöll Tysklands förbundskansler Helmut Kohl när han på fredagen försvarade resultatet av EG-toppmötet i Maastricht inför det tyska parlamentet.

– Mamma, jag är törstig.

Jag räckte Emma min nästan urdruckna Ramlösa och lyssnade intensivt vidare på de meningslösa nyheterna.

Svenska folket kan inte lita på ord från statsminister Carl Bildt som vilseleder journalister och allmänhet. Det skriver socialdemokraternas ordförande Ingvar Carlsson i ett öppet brev om neutralitetspolitiken till statsministern…

Jag var tvungen att blunda, det brusade i mitt huvud, hade jag någonsin lämnat Sverige? Hade jag varit borta överhuvudtaget? Alltsammans hade bara pågått, livet i Sverige hade fortsatt som om inget hänt, Bildt hade blivit statsminister och jag var knappt medveten om det.

Bussen stannade vid ett trafikljus, innerstadens skyltfönster glittrade tillbaka på mig från andra sidan rutan.

Jag var så trött och lycklig att det gjorde ont i bröstet.

Vi hämtade vår bil, den fina Toyota som vår hemkommun hyrt åt oss. Den stod i ett garage på Kungsholmen. Hela bilen var täckt av damm, den såg mer grå än grön ut.

Batteriet hade laddat ur, startmotorn bara rasslade när Anders vred på nyckeln. Trots tröttheten blev ingen av oss irriterad, glädjen över att återse den gamla bilen var större än besväret att få igång den. Vi hade haft den så länge att den nästan kändes som en familjemedlem, lilla fina Toyotan!

Från en telefonkiosk ringde vi en servicefirma som kom och startade bilen med startkablar, körde bort den till verkstan och bytte olja, satte på vinterdäck och bytte batteri.

Vi kom iväg strax efter lunch. Det hade börjat snöa igen, små lätta flingor som virvlade omkring, nästan viktlösa. Barnen somnade i baksätet innan vi ens hunnit ut på Ulvsundaleden.

– Hur är det? frågade jag och strök Anders på armen. Är du jättetrött?

Han gned sig i ansiktet med handen, blinkade mot snöfallet.

– Det är ingen fara, sa han.

Snart kändes det som om vi körde rakt in i en kvast, högre och högre upp, längre och längre in. Förbi Rinkeby, Tensta och Hjulsta med deras skog av trafikljus, som alla glimmade och blinkade mot oss i olika färger, insvepta i mjuka vita halsdukar av snö. Sedan vidare på E18, det var trångt på motorvägen.

Hemma igen, tänkte jag när fordonen långsamt rullade framåt i snöovädret.

– Det här är Sverige, sa jag till Anders samtidigt som det blåste och ryckte i bilen när vi passerade de stora broarna över Mälaren.

Inne i vår kupé var det varmt och skönt, min trötthet hade sjunkit undan till en obestämbar värk i bakhuvudet. Jag satte på radion, ett nöjesprogram i P3, skratt och musik och skämt som jag inte orkade uppfatta.

Vi passerade Upplands-Bro och Bålsta, efter Enköping tunnades trafiken ut. Vid Västerås började det redan skymma. Det skulle ta tid att vänja sig vid de korta svenska vinterdagarna efter månaderna i solen.

Så svängde vi av och körde den välbekanta väg 66 upp mot Fagersta, förbi Surahammar och Virsbo, vidare och vidare upp mot Dalarna. Barnen sov som lamm i baksätet, jag och Anders satt tysta bredvid varandra, till sist stängde jag av radion.

När vi passerade länsgränsen slutade det plötsligt att snöa. Himlen blev klarare ovanför oss, sjön Barken bredde ut sig till höger. Den var knappt skönjbar i skymningen, med en svart remsa i mitten som visade att den inte frusit till helt och hållet.

Nu var det inte långt kvar.

Skyltar som visade vägen till platser med historiska, vackra namn flög förbi, först förstås Västanfors och sedan Viksberg, Söderbärke, Korsheden och Vibberbo.

Plötsligt var den bara där, den oansenliga avtagsvägen till höger som utgjorde vårt mål, vår plats på jorden. Järnhandeln, bensinmackarna, och nere till höger blänkte och pyste det från stålverket.

– Ska vi åka till lägenheten direkt eller ska vi handla lite först? frågade Anders.

– Jag kan handla senare, sa jag och tittade ut genom bilrutan, jag kunde inte hjälpa att jag blev tjock i halsen.

Det var sig så likt, precis så här såg det ut när vi kom hit första gången.

Var det här jag skulle leva mitt liv? Skulle mina barn växa upp bredvid järnvägen? Lära sig cykla på de här gatorna, bli kära här, få sin första kyss i dessa portar?

Jag vände mig mot baksätet och ruskade försiktigt liv i dem.
– Ungar, sa jag, vi är framme nu.

Hyreshuset som inrymde vår trerumslägenhet var en mycket ordinär sextiotalsbyggnad inte så långt från järnvägsstationen: platt tak, rött tegel, inbyggda balkonger.

Barnen kinkade när vi drog dem uppför trapporna, Robin tjöt av protester och det slutade med att jag fick bära honom.

Trots att vi inte hade någon namnskylt på dörren, bara en lapp med "ingen reklam, tack!" rann berget av direktreklam över våra fötter och vidare ut på golvet i trapphuset när Anders låste upp dörren. Luften som slog emot oss var unken och dammig.

– Välkommen hem, sa han till mig och jag såg att han var glad.

Vi baxade ihop all reklam i en hög innanför dörren och klev in. Barnen piggade genast på sig, de kände igen sig och de var glada att vara tillbaka. Robin hittade en röd bil som man kunde sitta och sparka sig fram på som han omedelbart började köra omkring med, från rum till rum.

Vi gick runt och tände lamporna, och jag letade efter glädjen inom mig. Den ville inte riktigt infinna sig. Inte för att det på något sätt var en dålig bostad, men det var inte, ja, *hemma*.

Möblemanget var minimalt och väldigt enkelt. Sängarna, köksbordet och de fyra stolarna hade vi köpt på en stormarknad i Borlänge när vi flyttade in, gardinerna hade vi fått av socialförvaltningen.

I vardagsrummet fanns min stolthet, den fina vita skinnsoffan som mina föräldrar kört ända till Dalarna från mitt förra hem, vårt riktiga hem, vårt radhus.

I köket fanns ytterligare spår av vårt tidigare liv, några kristallglas, ett halvdussin kaffekoppar, några tallrikar och två besticklådor.

Vi placerade barnen framför den begagnade tv-n och videon som vi köpt på loppis och bar upp resten av packningen.

Det hade hunnit bli kväll innan jag kom iväg till mataffären.

Jag gick viadukten över järnvägsspåren och upp mot centrum. Det hade blivit kallare, snön knarrade under mina skor. Luften var mörkblå och klar, fick gatlyktorna att skimra.

På Vasagatan sipprade julsång ut från dolda högtalare, några frusna tomtenissar sålde kort och krimskrams i ett stånd utanför bokhandeln.

Här fanns allt man kunde önska sig, alla typer av affärer man behövde för att leva och dö ordentligt, fotohandel och frisör, bibliotek och fastighetsmäklare, banker och Fonus. Man hade satt upp stjärnor med glödlampor i lyktstolparna längs affärsgatan och dekorerat skyltfönstren med glitter och röda julgranskulor. Jag gick långsamt, såg upp på de låga husen i puts, trä och plåt, försökte i mörkret urskilja deras matta kulörer i gult, ockra och rött. Blomsteraffären, sport och fritid, optikern, tandläkaren och datadoktorn; behövde man något mer?

Jag gick in på Ica, som låg lite bakom de andra affärerna.

När jag dragit ut kundvagnen och var på väg fram mot knäckebrödet drabbades jag av en plötslig och isande vaksamhet. Jag vet inte vad som utlöste känslan, kanske var det språket, att höra svenskan omkring mig igen, kanske var det ryggen på en man som snabbt försvann ur mitt synfält, men när jag närmade mig änden av bröddisken ökade min puls, kanske stod han bakom hörnet, kanske väntade han på mig bakom chipsen. Rädslan var irrationell, men jag styrde inte över den.

Jag handlade så snabbt jag kunde, hela tiden med känslan av att vara granskad och iakttagen.

Jag var alldeles svettig på ryggen när jag äntligen tagit mig genom kassan och snubblade ut på parkeringen.

När jag kom hem med varorna låg barnen och sov. Skräcken hade ännu inte riktigt släppt greppet om mig, jag märkte att mina händer skakade. Efter att jag packat in i kyl och skafferi slog jag upp kaffe som Anders hittat och gick ut till honom i vardagsrummet.

Det kändes märkligt att se honom där, som om ingen tid förflutit sedan vi lämnade lägenheten i maj. Månaderna i solen var som en avlägsen dröm. Allt vi flytt ifrån var tillbaka, järngrindarna hade åter slagit igen omkring mig, väggarna trycktes mot mig och luften blev tjock. Min man såg upp på mig, hans blick var full av ångest.

– Hör du, sa jag lågt och sjönk ner bredvid honom. Hur mår du egentligen?

– Bra, hurså? sa Anders, men han vände ner blicken i golvet.

Tystnaden mellan oss växte, lika ödslig som vår torftiga lägenhet.

– Jag önskar jag kunde göra något, sa jag hjälplöst. Jag vet ju att alltsammans egentligen är mitt fel. Om jag inte hade...

– Sluta, sa Anders tyst men bestämt. Jag vill inte höra. Det där är bara trams, och det vet du.

– Om jag inte hade trott att han kunde förändras. Om jag bara hade sagt ifrån i tid så hade jag kunnat stoppa honom. Om jag begripit hur sådana där människor fungerar så hade jag ju...

Anders reste sig med kaffekoppen och fatet i vardera hand och gick ut ur rummet.

– Vart ska du? sa jag. Hallå, gå inte...

Han vände sig om i dörren, ansiktet var vitt.

– Vart tror du jag är på väg? sa han. Vart skulle jag kunna gå?

– Förlåt, sa jag och reste mig, sträckte ut min hand mot honom men han drog sig undan, han gick ut i köket och ställde ner porslinet så det klirrade i diskhon. Jag gick efter honom och lade mina armar runt hans midja, kinden mot hans axel.

– Förlåt, viskade jag igen.

Han suckade tungt.

– Jag ska sluta klandra mig själv, fortsatte jag. Jag vet att jag har lovat.

Han svarade inte, jag höll kvar mina armar om honom, vaggade honom sakta.

– Jag har alltid utgått från ett logiskt och civiliserat sätt att hantera honom, sa jag, och idag vet jag ju att det inte fungerat. Jag har litat på lagar och myndigheter, men det har inte hjälpt. Anders, jag vet allt det här, det känns bara så hopplöst ibland…

Äntligen vände han sig om och höll om mig.

– Det kommer att bli bra, sa han och blåste värme i mitt hår. Det kommer att lösa sig, ska du se. Vad är det du brukar säga? Inget är för evigt, och inte det här heller.

Jag lät mig vaggas i hans famn.

– Du har rätt, sa jag tyst. Allt ordnar sig.

Jag lutade mig bakåt och tittade upp på honom.

– Fast det här måste få ett slut snart, sa jag. Jag orkar inte ha det så här, att se mig över axeln varje gång jag går ut.

– Vi pratar med socialtjänsten om de olika alternativen, sa Anders. Det finns ju ingen anledning att förhasta sig.

Jag drog mig ur hans famn.

– Vi måste orka prova, sa Anders. Vi måste våga leva. Poängen med allt det här måste ju vara att komma i ordning någonstans, att kunna slå oss till ro och bygga upp ett hem och skaffa jobb och dagis och skola till barnen.

– Om det inte går då? sa jag. Om vi aldrig kan känna oss säkra någonstans?

– Det vet vi ju inte, svarade han. Vi måste ju ge Smedjebacken en verklig chans. Kanske kan vi bo här för evigt, barnen kan växa upp här, va, Mia? Bli dalmasar?

Han tog om mig igen men jag gjorde mig loss.

– Det kanske är bäst att flytta utomlands för gott, sa jag. Att släppa det här och bli trygga en gång för alla.

– Tryggheten kan inte bara bestå i att inte bli jagad, sa Anders. Det är ju så mycket annat man behöver för att vara trygg och trivas, språk och kultur och vänner och allt sådant...

– Om man ständigt hotas till livet så spelar inget annat någon roll, sa jag. Och om jag inte kan få bo i min hemstad och träffa mina vänner och föräldrar så kan det lika gärna vara. Smedjebacken kan kännas lika långt bort som Rio de Janeiro.

– Nu är du dum.

– Nej, sa jag. Jag menar vad jag säger. Jag är hellre glad och säker i Sydafrika än rädd och ledsen i Sverige.

– Det är ju verkligen att ge upp, sa han, med ens sårad.

Nu var det min tur att krama om honom.

– Det är inte ditt fel, viskade jag och kysste honom. Tvärt om. Det är du som gör framtiden möjlig. Jag älskar dig.

Och jag drog av honom kläderna och älskade med honom på golvet i köket.

JUL- OCH NYÅRSHELGEN passerade ganska obemärkt. Vi åt, sov, sjöng lite julsånger, såg på tv och video. Barnen var påtagligt glada att vara tillbaka bland sina böcker, skivor, leksaker och filmer. Det var roligt att se dem återupptäcka gamla kramdjur de glömt eller böcker de en gång älskat.

Men samtidigt såg vi att de blivit mer rastlösa än tidigare, särskilt Robin. Det kunde hända att han rusade runt i lägenheten som ett jehu, tjutande och ylande tills han sprang in i något hörn eller ramlade och slog sig. Hans kropp hade fått muskler och styrka, den rymdes inte riktigt i de trånga rummen.

Med Emma var det annorlunda, hon var mycket mer stillsam och satt helst och pysslade dagarna i ända.

Det krävde ganska stor påhittighet att fylla tillvaron i vår trånga värld. För att få struktur och mening med dagarna delade vi upp tiden i ett inrutat schema. Där rymdes väckning, dusch, tandborstning och sedan frukost med en sorts samling inför dagen. Därefter kom aktiviteterna då vi läste, ritade, sjöng och spelade, och frampå eftermiddagarna brukade barnen få titta på tv eller någon film.

De hade fått Disneys Askungen när vi vistades utomlands och där hade man ett annat färgsystem, vilket innebar att de inte kunde se den på vår svenska video. Efter stor gråt och tandagnisslan föll vi till föga och Anders lyckades hitta ytterligare en Askunge, en med svenska färger, och ordningen var därmed återställd.

Eftersom vi hade det kärvt ekonomiskt tänkte vi noga över alla nya inköp. Vår prioritering var glasklar: barnen först, sedan hushållet, sist oss själva. Jag köpte inte ett enda klädesplagg åt mig själv den där vintern.

Däremot köpte vi en del kläder åt barnen, de hade vuxit ur sina vintersaker och även om Robin kunde ärva en del efter Emma så var vi tvungna att skaffa lite nytt. Vi passade på under mellandagsrean då vi gjorde en utflykt till Falun där vi köpte nya overaller i bävernylon.

Jag och Anders gav inte varandra några julklappar, men efter nyår slog vi till och köpte en fin gammal ekbyrå som vi hittade i en prylannons. Den kostade bara hundrafemtio kronor, och det var först när vi skulle bära upp den i lägenheten som vi började förstå varför den varit så billig.

Den vägde ett ton! Eller ett halvt, åtminstone.

Ut ur bilen gick det hyfsat bra, men när vi skulle uppför trapporna tog det stopp. Först provade vi med mig längst fram, men då kom vi ingen vart alls. Jag orkade inte lyfta upp den så mycket som krävdes, därför ställde jag mig baktill vilket var ännu dummare. Halvvägs uppe i trappan förlorade jag greppet och höll på att få hela möbeln över mig.

– Hjälp, Anders, ropade jag förskräckt, jag tappar den!

I nästa stund kom en ung man upp bredvid mig och tog tag i gaveln.

– Det är lugnt, sa han på tryggt dalmål. Det här ordnar jag.

Tacksamt lämnade jag över bördan till mannen som visade sig vara vår närmaste granne, Pettersson, enligt dörrskylten.

– Hasse heter jag, sa han lite blygt när vi kommit upp på vår trappavsats, svettiga och darriga i både armar och ben. Vi har inte setts, är ni nyinflyttade?

Han sneglade på vår dörr där det inte fanns något efternamn och inte skulle komma att göra det heller. Jag såg hans blick och tvekade några sekunder.

– Vi har bott här ett tag, sa jag och log lite ursäktande, men vi har skyddade personuppgifter.

– Ojdå, sa mannen. Vad betyder det?

– Att du ska ringa polisen om du hör något underligt från vår lägenhet, sa jag och log mot honom igen. Tack för hjälpen med byrån.

Det smällde till och blev riktigt kallt de följande veckorna. På sätt och vis var det en lättnad, det blev mycket enklare att hålla barnen inomhus när det var minus 25 där ute. Vi gick praktiskt taget aldrig ut, utom när jag tog bilen till Ica och veckohandlade.

En gång de där första veckorna åkte jag upp till kommunalhuset i korsningen Torggatan och Vasagatan och talade igenom vår situation med vår kontaktperson, socialsekreterare L.

Personalen på socialkontoret i Smedjebacken ville oss allt gott, men de hade egentligen ingenting med vår situation att göra. Vi hade bara råkat hamna där, och därför var vi plötsligt deras ansvar.

Socialsekreterare L. hade vi haft kontakt med ända sedan vi först kom till kommunen. Hon hade varit med och ordnat både vår bostad och pengar till utlandsvistelsen.

Hon var inte direkt glad över att vi var tillbaka.

– Ni måste hålla er inomhus, inpräntade hon när vi satt oss i hennes rum och stängt dörren. Om ni ska vara ute måste ni åka iväg härifrån, för er vistelseort får inte röjas.

Det var opraktiskt och besvärligt, men jag nickade och såg ner i knät.

– Hur länge ska det här hålla på? undrade jag och granskade mina nariga händer. Vi kan ju inte ha det så här resten av livet.

– Först och främst måste Emmas psykiatriska utvärdering genomföras, sa socialsekreterare L. Sedan kommer hon nog att behöva en lång och ordentlig behandling. Och därefter har vi huvudförhandlingen i vårdnadstvisten.

Hela rummet gungade till vid hennes ord, jag tog ett krampaktigt tag om stolskarmarna.

Åh Gud, rättegången om Emma, den hade jag förträngt. Jag skulle tvingas sitta mitt emot mannen som försökte mörda oss och lugnt förklara varför jag inte tyckte han var en bra förälder. Hur skulle jag klara det?

– Har du hört från min advokat? fick jag fram.

– Inte ännu, men vi kan nog räkna med ett datum för huvudförhandlingen någon gång under våren.

På vägen tillbaka svalde jag mitt illamående och beslöt mig för att inte tänka på vårdnadstvisten förrän jag var tvungen, och den dagen var inte här än.

Det kändes nästan som ett äventyr att gå ut till bilen och åka iväg till PBU i Ludvika på eftermiddagen den 22 januari. Vår kära Toyota startade på första försöket, tack Gud för att du uppfann motorvärmaren.

Solen låg precis ovanför horisonten, spred guld över det tunga, vintervita landskapet. Allesammans var lite uppspelta, Emma satt med näsan tryckt mot rutan hela vägen.

Barnpsykologen N.N. tog emot oss med ett stort leende, hälsade hjärtligt, och koncentrerade sig sedan helt på Emma.

– Jag vill träffa henne ensam, sa läkaren lågt till oss. Det tar en timme ungefär.

Anders och Robin gick mot utgången för att hitta en kiosk, jag sjönk ner i landstingets hårda soffa, fingrade rastlöst på tidskrifterna. Planlöst bläddrade jag i en Året Runt från i juli, läste recept på jordgubbstårta och en beskrivning på hur man sydde ett stiligt grillförkläde.

Jag slängde den ifrån mig, vad gjorde psykologen där inne med Emma egentligen?

Det låg en tummad och lite sönderriven kvällstidning på bordet, minsann, dagens tidning. Jag tog upp den och bläddrade bakifrån, korsordet var halvt ifyllt med många ändringar. Raskt rev jag igenom nyhetsdelen, på sidan åtta fastnade min blick på en stor bild av en ung kvinna. Hon hette Carolina, och bredvid henne fanns en annan bild, på en liten pojke, hennes son.

Pojken hade förts bort av sin muslimske far när han var tre år och sedan dess vistats hos sin farmor och farfar i Tunisien. Nu var han tretton.

Jag slätade ut tidningssidan och började läsa, historien drog åt ett band runt mitt bröst. Carolina hade blivit hotad och misshandlad av sin arabiske man, när hon ville skiljas skickade mannen ner pojken till hans farföräldrar i Tunisien.

Jag var tvungen att lägga ner tidningen en stund och samla mig.

Det hade varit ohyggligt nära att Emmas far lyckats göra precis samma sak med henne en gång för ett par år sedan. Han beställde ett pass till flickan precis före ett obevakat umgänge, det var rena slumpen att jag fick reda på det och lyckades stoppa honom. Biljetten till Beirut som han bokat i hennes namn var bara en semestertripp, sa han.

Det kom in några andra patienter i väntrummet, jag vände ner blicken i tidningen igen.

I tio år hade Carolina kämpat för att få ha kontakt med sitt barn. I både tingsrätt och hovrätt hade hon tilldömts vårdnaden om sitt kidnappade barn, och nu skulle Högsta domstolen besluta vem av föräldrarna som skulle få vårdnaden om pojken.

Jag baxnade där jag satt. Carolina hade fast jobb, fast bostad och hade alltid bedömts som en stabil och ansvarstagande förälder. Hon hade dessutom enskild vårdnad om parets andra barn.

Mannen, som bodde i Stockholm och alltså inte med sin son i Tunisien, hade dömts för en hel rad brott i Sverige: stöld, flera fall av misshandel, egenmäktighet med barn och olaga hot.

Hur kunde Högsta domstolen ens ta upp ett sådant fall? Vanligt sunt förnuft sa väl vem som var mest lämpad som förälder?

– Maria, sa psykologen ovanför mitt huvud, kan jag få tala med dig ett ögonblick?

Emma kom ut med sin docka i famnen, hon såg glad ut.

– Gå till pappa, raring, sa jag och pussade henne på kinden. Jag kommer snart.

Läkaren gick in på sitt kontor, slog sig ner bakom skrivbordet och visade på besöksstolen.

– Jag vill bara kort informera dig om Emmas fortsatta bedömning och behandling, sa hon. Vi är ett team med mottagningssköterska, konsultläkaren och så jag som kommer att diskutera och utvärdera arbetet. Vi kommer också att ta in expertis från Stockholm i bedömningen, bara så att du verkligen vet att vi kommer att göra allt i vår makt för att hjälpa din flicka. Jag vill träffa henne snart igen för att se hur hon reagerar på våra tester.

– Vad för tester? frågade jag.

– Framför allt vill jag prova Ericas sandlådematerial, sa läkaren. Har du hört talas om det?

Jag skakade på huvudet, även om jag hört det nämnas tidigare.

– Det är en svensk metod som utarbetats för att bedöma barns grundläggande personlighetsdynamik. Barnet ges tillfälle att leka i en sandlåda med ett särskilt framtaget material, leksaker och dockor som föreställer deras familj, bland annat. Sedan studerar vi deras reaktioner och beteendemönster, det ger oss en grund för att kunna gå vidare. Sedan vill jag prova Goodenough's också, det är ett utvecklingstest där barnet uppmanas att rita en figur som vi sedan tolkar och utvärderar. Det finns andra också, Machovers och Spiqs...

Jag kramade tidningen som jag ännu höll i mina händer.

– Är de... obehagliga, de här testerna?

Läkaren log.

– Inte alls, sa hon. Vi ska bara observera Emmas lek och skapande under förhållanden där vi kan studera och utvärdera henne.

Så jag nickade och såg ner i mitt knä, såg på bilden av den unga kvinnan som kämpat i tio år för att få träffa sitt barn.

Läkaren reste sig.

– Ni får en ny tid hos mottagningssköterskan, sa hon och räckte fram sin hand mot mig.

Jag reste mig också, märkte att jag var lite svettig i näven.

– Får jag behålla tidningen? frågade jag.

– Visst, sa läkaren och var redan på väg till de andra patienterna.

Jag gick ut till min man och mina barn med en viss förtröstan. Jag hade ändå Emma hos mig. Vi var tillsammans, hela familjen. Det fanns de som hade det mycket värre.

BJÖRSJÖ HETER EN LITEN BY i Södra Dalarna, i utkanten av ett väldigt skogsområde. Där finns en modern konferensanläggning som ursprungligen varit en gammal skogsbostad. Med sina fjorton rum och fyrtio bäddplatser, restaurang och friluftsaktiviteter var det ett litet men ändå välutrustat hotell. Vi hade själva sökt oss dit under vårt första år som gömda, och efter det hade vi ofta återvänt. Ägarna var helt införstådda med vår situation men gjorde aldrig något väsen av den. Vi blev alltid välkomnade och mottagna precis som alla andra gäster, trots att våra räkningar skickades till socialtjänsten i den kommun som senast fått oss på halsen.

En gång hade våra förföljare hittat oss där, vi hade jagats från platsen och undkommit med hjälp av ägarna. Ändå åkte vi tillbaka. Det var någonting i skogens sus, de rofyllda omgivningarna, som gjorde att vi kände oss trygga där.

På somrarna fanns här minigolfbana och fina vandringsleder, på vintern var snön och backarna runt omkring det verkliga dragplåstret för oss.

I mitten av februari åkte vi dit på inrådan av Emmas läkare och socialsekreterare L. Det blev ett kärt återseende med ägarna, med många skratt och kramar.

Återigen fick vi bo i den fina trerummaren ovanpå restaurangköket. Barnen kände igen sig och sprang jublande och jagade varandra genom rummen.

Vår ambition var att vara ute så mycket som möjligt de följande veckorna, och vi satte igång direkt. Ägarna hade några tefat vi fick låna att åka kana på, och sedan gick vi ut för att leta upp lämpliga backar. Barnen skrek och tjoade och blev både våta, iskalla och utmattade.

På kvällen åt vi middag i restaurangen, Robin höll på att somna över bordet. När de slocknat som stenar i sina sängar satt jag och Anders hopkurade intill varandra och såg en gammal långfilm på tv-n ute i vardagsrummet.

Livet kunde faktiskt vara så här, man åkte och besökte gamla vänner, man busade i snön med sina barn och såg på tv på kvällen.

Det borde inte vara en utopi.

Dagen därpå var det nollgradigt och snöade. Vi var ute en stund på förmiddagen, barnen och Anders byggde en snögubbe. Efter lunch, när de gått upp för att läsa och köra tåg, gick jag långsamt ner till Marres livs. Närbutiken låg ett stycke nedåt vägen, jag följde plogkammen med ansiktet lyft mot himlen, lät flingorna fastna och smälta i mitt ansikte. Jag gick inte direkt in utan tog omvägen runt baksidan. Där stod den, telefonkiosken där jag första gången ringt min mamma och berättat att vi tvingats gå under jorden. Det hade varit sommar den gången, midsommar, och vi hade varit borta i fem månader. En eon av tid, tyckte jag då, ofattbart länge.

Nu hade jag inte talat med mina föräldrar på närmare nio månader. Jag träffade min mamma och min syster precis innan vi åkte utomlands, de vinkade av oss på Arlanda, men jag hade fortfarande inte ringt och talat om att vi var tillbaka i Sverige. Jag drog mig för samtalet.

Där hemma stod vårt radhus kvar. Det var egentligen där vi bodde, det var där min samling av konstglas och kristall fanns, våra mattor och krukväxter, gardinerna jag låtit sy upp, vår stora fina tv och den nya videon. I alla dessa månader hade socialtjänsten ställt upp och betalat hyran för att vi skulle kunna ha radhuset kvar, en sorts försäkran om att allting skulle lösa sig och vår mardröm en dag ta slut.

Jag tittade på telefonkiosken, mindes min mors reaktion när jag äntligen hörde av mig. Hon blev så häpen att hon lade på luren. När jag sedan ringde upp igen grät hon rakt ut i flera minuter. När vi lämnade min hemstad hade vi bara fått tillåtelse av myndigheterna att säga till mina föräldrar att vi skulle på semester i två veckor, och sedan kom vi aldrig tillbaka. Ingen talade om för dem vart vi tagit vägen, själva fick vi inte.

I över två år hade min mamma skött om huset precis som om vi skulle komma hem vilken dag som helst. Jag såg framför mig hur hon vattnade blommorna, planterade om dem på våren, städade och tömde brevlådan på reklam och andra erbjudanden, pappa klippte gräsmattan och höll efter häcken mot gatan.

Jag älskade dem så innerligt, och jag hade gjort dem så oerhört illa.

Kall om fötter och händer gick jag in i närbutiken och köpte frukt och kvällstidningar. Kvinnan bakom disken log som om hon kände igen mig, men jag slog ner blicken och återgäldade inte igenkännandet.

På vägen tillbaka frös jag, och jag tog tacksamt emot den kopp rykande kaffe Anders räckte mig när jag kom innanför dörren. Barnen satt och hörde på ett kassettband, vi slog oss ner i vardagsrummet med koppar och tidningar.

När jag kommit till sidan tretton i tidningen stannade mitt hjärta.

Där var hon, den unga kvinnan som kämpat så för sin kidnappade son, Carolina, en stor bild på henne där hon grät och torkade bort tårarna.

”Efter tio års kamp har Högsta domstolen tagit ifrån Carolina vårdnaden om sonen och gett den till kidnapparen”, läste jag.

– Vad är det? sa Anders.

Jag tittade upp och såg på honom.

– Du flämtade, sa Anders, har det hänt något?

Jag räckte honom tidningen utan ett ord.

– Är det någon du känner? frågade Anders förvirrat.

Snabbt ryckte jag tillbaka tidningen och började läsa.

"Jag är helt förkrossad av sorg", sa mamman som hette Carolina. "Nu är alla dörrar stängda. Jag kommer aldrig mer att se mitt barn."

Rätten trodde på mannen som sa att han skulle ta hem pojken ibland, om han bara fick vårdnaden.

Jag var tvungen att lägga ner tidningen och blunda, oh herregud, oh herregud, tänk om det var detta som väntade oss nu, åratal av vårdnadsrättegångar där Emma slutligen skulle överlämnas till honom?

Jag började frysa så att jag skakade.

– Men Mia, sa Anders och satte sig bredvid mig, vad är det med dig? Känner du den där tjejen?

Jag skakade på huvudet.

– Nej, sa jag, men jag har läst om henne förut, och jag känner igen mig själv. Du minns när Emmas pappa försökte föra ut henne ur Sverige? Om han lyckats hade jag suttit i exakt samma sits. Och i den förra artikeln stod det att han misshandlat och förföljt henne...

Jag märkte att jag inte var sammanhängande längre, så jag lade ner tidningen i knät och höll handflatorna mot kinderna tills jag lugnat ner mig.

– Låt mig läsa också, sa Anders.

Jag reste mig upp.

– Det är det här som väntar, sa jag. Nu ska vi ha det här helvetet också.

Det fanns en liten bild på reportern som skrivit artikeln, en annan ung kvinna som hette Hanna Lindgren. Reportern skrev att hon haft kontakt med och följt Carolina i flera år och att hon förundrades över att Carolina orkade kämpa vidare.

Jag tittade länge på mammans förgråtna ögon.

– Man orkar, sa jag lågt. Vad skulle man annars göra?

Dagen därpå köpte jag tidningen igen, där fanns fler artiklar om hotade kvinnor och kidnappade barn. Där var Lillemor som fått sina två småpojkar bortförda till Tunisien, och i kampen för att få dem tillbaka hade hon själv hållits fången, misshandlats och flytt. ”För sina barn är man beredd att göra precis vad som helst”, sa hon.

Så sant, tänkte jag.

Där fanns också en text om reaktionerna kring Högsta domstolens dom. Många människor hade hört av sig till Carolina och till ordföranden i Bortrövade barns förening, stod det.

Bortrövade barns förening?

Den bestod av ett femtiotal mammor som gått samman för att ingen annan orkat stödja dem, läste jag. Alla hade det gemensamt att deras barn rövats bort eller levde under konstant kidnappningshot. Själva levde de i den skuggtillvaro som kommer av ett liv i ständig skräck.

De har det nästan som jag, tänkte jag förundrat och såg på kvinnorna i tidningen. Och de stöttar och hjälper varandra.

Jag gick och tänkte på den där föreningen och mammorna som gått samman resten av dagen. Faktum var att jag hade svårt att koncentrera mig på leken och spelen, mina tankar gled iväg.

Bara någon att tala med, någon annan som förstod.

Sent på eftermiddagen gick jag bort till telefonen utanför Marres livs. Ordföranden i Bortrövade barns förening fanns hos nummerbyrån under Stockholms riktnummer.

Det var iskallt i telefonkiosken, mina händer darrade när jag slog numret.

Hon svarade efter fjärde signalen, lite andfådd.

Jag sa som det var, att jag läst om henne i tidningen och undrade om hon hade möjlighet att prata. Det hade hon.

Jag sa ingenting om vad jag hette, varifrån jag ringde, var jag kom ifrån, var vi varit gömda, ingenting alls som kunde identifiera oss eller spåra oss.

Däremot berättade jag om misshandeln och hoten, terrorn och vår flykt, myndigheternas välvilliga men okunniga inställning, vårt liv under jorden, hur våra förföljare letade efter oss, och hur de hittat oss.

Kvinnan i luren blev väldigt bestört över min berättelse.

Hon frågade flera gånger om det verkligen var sant, och när jag slutat sa hon:

– Det var det förfärligaste jag hört. Finns det ingen som kan hjälpa er?

Jag var tvungen att le.

– Det är många som försökt, sa jag, men hittills har jag inte hittat någon med trollspö. Fast jag förväntar mig ingen hjälp, det var inte därför jag ringde. Jag ville mest prata med någon…

– Men du måste få hjälp! sa kvinnan. Så här kan du ju inte ha det!

Hon lät riktigt upprörd.

– Vi måste nog försöka ta oss utomlands så småningom, sa jag. Om han nu inte plötsligt slutar upp att förfölja oss och lämnar oss i fred.

– Utomlands? sa kvinnan, med ens lite gladare. Har ni någon som hjälper er med det?

Nej, det hade vi ju inte.

– Jag har hört talas om en organisation, sa hon, som hjälper hotade människor att flytta utomlands.

Hon tystnade som om hon funderade.

– Vad? sa jag. Vad är det för organisation?

– En stiftelse, sa ordföranden. Det jag har hört låter väldigt avancerat, men jag har inte de rätta kontakterna.

– Vad gör den här stiftelsen? frågade jag och värmen började stiga genom min kropp, från magen och upp genom halsen, fick kinderna att blossa.

Det fanns någon, det fanns någon som kanske kunde hjälpa oss!

– Den utraderar och gömmer undan hotade människor, och så kan de ordna så att man får bo utomlands, det är allt jag vet.

– Hur? frågade jag.

– Jag vet inte, det är inte jag som vet.

– Vem? sa jag. Vem kan jag prata med?

Ordföranden tvekade igen.

– Det är en journalist, sa hon. En reporter på en kvällstidning.

– Som står bakom stiftelsen? sa jag förvånat.

– Nej, som har kontakten med den. Du kan ringa henne, om du vill.

En reporter? En journalist?

– Jag förstår vad du tänker, sa ordföranden. Du undrar om du kan lita på henne. Det måste du själv bedöma.

– Var jobbar hon?

– Hon heter Hanna Lindgren. Vad heter du?

Jag tvekade en sekund.

– Du kan kalla mig Mia.

Den kvällen berättade jag för Anders om mitt samtal. Han blev inte särskilt entusiastisk, och när jag nämnde vem som stod i kontakt med stiftelsen blev han direkt avståndstagande.

– Du kan ju inte dra in en reporter i vårt liv, det fattar du väl? Vi som är de mest undangömda och osynliga människorna i hela landet, skulle vi plötsligt börja prata med journalisterna på Sveriges största kvällstidning?

Forcerat travade han runt, runt i vardagsrummet.

– Mia, sa han, jag fattar att du börjar bli desperat, men för helvete, det här är korkat!

Han böjde sig ner så att hans ansikte kom nära mitt, lade händerna på mina överarmar.

– Vi löser det här på något sätt, sa han. Vi ska inte agera i panik och ringa första bästa slaskreporter, hör du det?

Jag kysste honom lätt, tog varligt bort hans händer och gick ut i badrummet och borstade tänderna.

Morgonen därpå, sedan Anders och barnen gått ut, bredde jag ut alla artiklarna om de kidnappade barnen som jag rivit ur och sparat den senaste månaden. Om igen läste jag om de misshandlade, hotade och förföljda mammorna och deras kamp för sina små.

Alla artiklarna var skrivna av samma journalist, kvällstidningsreportern Hanna Lindgren.

Hon hade tydligen följt och haft kontakt med flera av kvinnorna under många år, alla ställde upp och lät sig intervjuas av henne gång på gång.

De här mammorna litade i alla fall på henne.

Vad hade jag att förlora?

Samtalet från telefonkiosken utanför Marres livs gick inte att spåra för en lekman. Jag tänkte inte säga vem jag var eller varifrån jag kom. Visserligen kunde min dialekt röja mig, men eftersom mina föräldrar inte var från den trakt där jag vuxit upp så var mitt uttal ganska neutralt.

Om jag kunde hålla mig från att nämna något som riskerade avslöja oss så var jag säker.

I gengäld hade jag nu chansen att få reda på något om en stiftelse som möjligen, möjligen kunde hjälpa oss.

När Anders och barnen kom in hade jag stoppat undan tidningsurklippen och sa att jag skulle gå ner till Marres och köpa lite lunch.

– Vi är hungriga som vargar, sa Anders och vände Robin upp och ner ute i hallen, pojken tjöt av skratt.

Jag skyndade mig till affären och köpte ytterligare ett telefonkort med hundra nya pigga markeringar. När jag sedan lyfte luren började jag darra i hela kroppen. Svett bröt fram på mina kalla händer, herregud, vad håller jag på med? Pulsen slog i mina öron, var jag inte riktigt klok?

Ändå slog jag numret till tidningen.

– Hon är ledig idag, sa växeltelefonisten.

Antiklimax!

Jag lade på och ringde nummerupplysningen, och verkligen, hon stod faktiskt i katalogen.

Ny handsvett, nya darrningar.

Och jag ringde hem till en ledig kvällstidningsreporter som jag inte hade en aning om jag kunde lita på.

– Hanna Lindgren, svarade en ung kvinna.

Mitt hjärta bankade så att jag knappt hörde min egen röst när jag talade.

– Jo, sa jag, jag heter Mia Eriksson. Jag behöver hjälp med en sak.

– Mia Eriksson, sa journalisten lite förvånat. Jag har hört talas om dig, men jag visste inte om du fanns på riktigt.

Jag blev förvånad.

– Har du? sa jag.

– Sverige är mindre än man tror, sa reportern.

– Jag finns, sa jag och bytte öra.

– Okey, sa journalisten. Vad behöver du hjälp med?

Hon lät lugn och sansad, på gränsen till avmätt, talade en lätt norrländska.

Jag tvekade i några långa sekunder, visste inte vad jag skulle göra eller säga.

– Om vi säger så här, fortsatte reportern. Jag känner redan till delar av din historia, men jag har inte skrivit om dig hittills och jag tänker inte göra det nu heller. Kan du vänta ett ögonblick?

– Visst, sa jag, genast orolig.

Vad skulle hon göra nu? Starta en bandspelare? Spåra samtalet?

Men sedan hörde jag henne prata i bakgrunden.

– Vet du, gubben, mamma ska prata med en tjej i telefonen en stund, kan du vara hos Julia där ute är du snäll?

Ett litet barn protesterade.

– Okey, sa journalisten. Du får se på film och äta chips.

Det slamrade i en dörr, sedan kom Hanna Lindgren tillbaka till luren.

– Mutor, sa hon. Funkar alltid.

Hennes lakoniska tonfall fick mina axlar att falla ner, jag kände hur jag slappnade av i hela kroppen. Den som hade småbarn och lockade dem med video och friterad potatis kunde man lita på.

– Vi behöver hjälp, sa jag. Nu har vi levt under jorden i två år. Vi är förföljda av mitt första barns far och får inte vistas utomhus. Två gånger har vi fått nya identiteter och personnummer av regeringen, och vi måste flytta hela tiden. Barnen tar skada av det, särskilt min dotter.

– Kan du berätta hur det började?

Journalisten lät varken upprörd eller intresserad, bara artigt korrekt.

Jag stampade med fötterna i den kalla telefonkiosken.

– Det är en ganska lång historia.

– Jag har tid tills chipsen är slut.

Och jag berättade ganska kortfattat om vårt liv och vad vi varit med om, om min förälskelse i den mörke mannen som kom från Libanon, han hade inga papper som styrkte hans identitet. Om Emmas födelse, hur hans maktbehov tog sig allt mer våldsamma uttryck, hur han började hota, förfölja, slå och våldta. Försöket att få ut ett pass till Emma för att kunna skicka bort henne utomlands, hur han vägrade erkänna faderskapet och samtidigt krävde vårdnaden. Att jag träffat Anders och gift mig med honom och trott att allt skulle bli bättre, hur vi fick Robin, hur allting bara blev värre och värre och värre tills vi inte kunde gå ut utan att bli utsatta för det ena mordförsöket efter det andra. Jag berättade om myndigheternas successiva krympande av vårt livsrum, till dess vi satt inne hela dagarna i ett larmat hus med galler för alla fönster. Hur han ändå tagit sig in och försökt skära halsen av flickan så att hon blev stum. Vår flykt, hur dåligt jag själv mått, Emmas sjukdom, vår vistelse utomlands, livet under jorden.

Ibland tystnade jag och tvekade, och då ställde reportern olika frågor. Efter en stund märkte jag att hon ställde om vissa av frågorna, fast på ett annat sätt. Jag svarade så uppriktigt jag kunde utan att röja oss.

– Kan du belägga det här? frågade sedan journalisten lite kyligt.

Jag var alldeles svag i knäna av ansträngningen att berätta.

– Jag har en bunt med dokument som är tjugo centimeter hög, sa jag. Kan du hjälpa oss på något sätt?

– Du skulle knappast vara hjälpt av en tidningsartikel, sa reportern, så mycket är då säkert. Dessutom har du ju redan de juridiska ombud du behöver och kontakt med läkare och socionomer. Så jag vet inte riktigt...

– Stiftelsen, sa jag. Ordföranden i Bortrövade barns förening sa något om en stiftelse.

Nu var det reporterns tur att tveka.

– Nja, sa hon, jag har varit i kontakt med föreståndaren för den här stiftelsen i ett par månader, men det har varit extremt svårt att kontrollera hennes uppgifter. Organisationen är rätt ordentligt gömd, så jag har inte lyckats få bekräftat att verksamheten fungerar som det påstås. Men om de lyckas med hälften av vad de säger så kanske de kan hjälpa er.

– Vad är det de gör som är så speciellt? frågade jag och hörde hjärtat dunka.

– Enligt verksamhetsplanen jobbar de på regeringsnivå, och de hävdar att de kan flytta folk utomlands. Jag måste erkänna att det låter bra, men som sagt...

– Hur kommer jag i kontakt med dem?

Efter en kort tvekan bestämde sig tydligen journalisten.

– Det kan möjligen vara värt ett försök i ert fall, sa hon, för ni kan ju faktiskt inte få det särskilt mycket värre. Har du papper och penna?

Och så fick jag ett telefonnummer till stiftelsen Evigheten, där jag skulle tala med Katarina.

Vi lade på, och sedan stod jag kvar någon minut i telefonkiosken. Fötterna var iskalla, benen skakade, min andedräkt hade frusit till is på insidan av rutorna. I handen höll jag de darriga siffrorna, ingången till stiftelsen Evigheten.

Kanske detta var svaret på våra böner.

– Var har du varit?

Anders var vit i ansiktet av oro när jag kom tillbaka. Det var först då jag insåg att jag inte köpt med mig någon lunch.

– Du har ringt, eller hur? Du har pratat med den där journalisten? Fan, Mia!

Jag gick förbi honom, bort mot rummet vi använde som kök, han följde efter mig medan han talade.

– Hur kunde du? Förstår du inte vad som kan hända?

Jag stannade till i dörröppningen.

– Vi måste försöka hitta en lösning, sa jag så lugnt jag kunde. Jag har inte röjt oss på något sätt, det finns inget i det jag sa som kan skada oss.

– Att dra in en reporter i vårt liv, Mia, vad tänker du med?

– Hon gav mig numret till stiftelsen Evigheten, sa jag och plockade fram en burk ravioli med köttfyllning från ett skåp. Jag tycker vi ska hålla alla dörrar öppna, undersöka alla möjligheter.

– Ännu mer folk som kan röja oss!

Jag letade efter konservöppnaren i burken med bestick, hittade den inte.

– Mamma, sa Robin, jag är hungrig.

Jag ställde ner den oöppnade burken på ett bord.

– Vet du, sa jag till Robin, vi ska äta i restaurangen idag. Kul, va?

Och så föste jag ut både honom och hans far i hallen och drog på mig skorna igen.

DEN 3 MARS, en tisdag med underkylt regn och hårda vindbyar, hade Emma den sista tiden hos barnpsyk i Ludvika. Jag var lite nervös på vägen dit, satt med händerna knäppta i en ostrukturerad bön.

Måtte det gå vägen. Käre Gud, låt henne ha blivit så frisk att hon kan behandlas!

Jag ville inte sitta i väntrummet och hoppas, i stället tog jag med Robin till baksidan av sjukhuset där jag lät honom bli genomblöt i de iskalla vattenpussar som snabbt växte sig större. Själv försökte jag hålla mig någorlunda torr under ett gammalt paraply.

När vi kom in stod redan psykologen N.N. där och pratade med Anders, trots att behandlingstimmen inte var slut.

– Så bra att du kommer, sa hon när hon såg mig, och jag lämnade över den kinkande pojken till Anders.

– Jag vill leka ute! tjöt pojken.

– Han är ju alldeles dyngsur, sa Anders.

– Emma, sa jag till flickan, gå med pappa.

Vi gick in på läkarens rum, jag försökte gnida upp lite värme i mina iskalla fingrar.

– Vi kommer inte längre nu, sa N.N. och visade på sin besöksstol samtidigt som hon sjönk ner i sin egen. Vi har gjort det vi har kunnat.

Jag satte mig och koncentrerade mig på kvinnan, vad var det hon sa?

– Faktum är att hela teamet farit illa av att arbeta med Emma, men det är bara ett av skälen att vi inte kan fortsätta.

Sa hon att hon mådde så dåligt av att se Emma så sjuk att hon inte ville hjälpa oss? Att Emma var ett hopplöst fall? Att hon var skadad för livet?

– Vad? sa jag. Hur...?

– Vi har testat Emmas utvecklingsnivå så gott det går, både emotionellt och personlighetsmässigt.

– Och vad har det visat? Är hon... normal?

Jag kände med ens att jag mycket snart skulle börja gråta. Läkaren drog efter andan.

– Vi har aldrig sett dess like, sa psykologen. Emma gömmer dockfamiljen i sandlådan, i lager på lager, utan ände. Hon slutar inte förrän vi bryter leken, hon kan aldrig gömma dockorna tillräckligt djupt. Emma törs inte gå till botten med saker och frågeställningar, hon vet att det är farligt för henne. Därför värjer hon sig mot kontinuitet och sammanhang, hon kan helt enkelt inte koncentrera sig på en given uppgift.

Jag slog ner blicken, stirrade på mina nariga händer som varit utan handskar hela vintern.

– Men det värsta är hennes bilder, sa psykologen och sänkte rösten. Alla i teamet är djupt gripna och bekymrade. De bottnar helt och hållet i hennes upplevelser, de är hennes sätt att bearbeta sina trauman. Emma har många oroande och aggressiva tankar. Vi har faktiskt svårt att hantera det.

Jag svarade inte, och efter några sekunder fortsatte psykologen:

– Hennes språkutveckling ligger ett par år efter, men det betyder inte att hon är skadad på något sätt. Hon har helt enkelt talat med för få människor. Att hon är klumpig beror bara på att hon ständigt hålls instängd, hon har helt enkelt rört sig för lite.

– Så hon... är inte hjärnskadad?

– Såvitt vi kan se har Emma inga fysiska skador vare sig kroppsliga eller på hjärnan.

Jag sjönk samman, luften gick ur mig.

– Men ni kan inte behandla henne?

– Hon måste få bli trygg innan vi kan börja röra upp hennes förflutna. Det kan vara direkt farligt att utsätta henne för en behandling när traumat fortfarande pågår.

Läkaren reste sig, lade en hand på min axel och lutade sig mot sitt skrivbord.

– Maria, sa hon, lova mig att säga till om du någon gång behöver min hjälp. Jag kan inte åstadkomma mer för Emma just nu, men jag ska tala med kommunen och understryka vikten av att ni får resa bort och vistas ute så mycket som möjligt.

Jag nickade, oförmögen att tala, reste mig och gick ut.

Den natten grät jag i flera timmar. Känslorna flöt samman tills jag inte visste vad som var vad, lättnad över att min flicka inte var hjärnskadad, förtvivlan över att jag inte förmådde hjälpa henne.

Anders somnade till slut med ryggen mot mig. Han hade haft svårt att förlåta mitt telefonsamtal med journalisten, det var som om han väntat sig att hela svenska presskåren skulle komma instormande på Björsjö skogshem.

Men när dagarna gick och inget hände sjönk händelsen undan, både för honom och mig. Jag förvarade lappen med telefonnumret till stiftelsen Evigheten i myntfacket i min plånbok, men jag drog mig för att ringa. Delvis för att Anders inte ville, men också på grund av min egen tvekan. Jag ville inte dra in fler människor i vår situation innan alla andra möjligheter var uttömda.

Jag vände mig om och stirrade ut i mörkret bakom persiennerna. Vi var tillbaka i Smedjebacken, jag kunde höra takdroppet ända in i min säng. På dagarna såg vi hur snön drog sig tillbaka, anade hur krokus och snödroppar tittade fram vid husgrunder och gångvägar. Genom fönster på glänt hörde vi fåglarna jubla.

När jag slutligen föll i en orolig sömn var det med en enda förvissning i huvudet: Emma skulle bli frisk, om det så skulle ske över min döda kropp.

Redan nästa dag bestämde vi oss för att göra precis som psykologen sagt.

Vi skulle se till att barnen fick röra sig fritt, kosta vad det kosta ville. Det kunde ta livet av dem att hålla dem inlåsta som vi gjort hittills.

Tillsammans med kommunen beslutade vi oss för att åka iväg till Örebro. De hade ett litet tivoli i stan, och vi skulle vara ute hela tiden.

Med packade väskor och nya sånger på kassettband gav vi oss iväg. På vägen ut till bilen träffade vi grannen Hasse, som hjälpt oss med ekbyrån, och Robin sjöng en liten stump för honom i trapphuset. Så fortsatte det, och vi sjöng ända tills vi var framme i Örebro.

Var bor du lilla råtta?
I en hatt!
Vad gör du klockan åtta?
Jagar katt!
Hur många ungar har du?
Sjuttiotvå!
Hur mår din gamle far då?
Si och så…

Vi sjöng om mamma haj, pappa haj, mormor haj och mini haj, simmade med så gott det gick och slog händerna i biltaket.

Sjörövarfabbe förstås, Robins stora favorit, *Du ska inte tro det blir sommar*, som var Emmas, och så *Imse Vimse* och *Blinka lilla* och alla de andra.

Jag var andfådd och sårig i halsen av sång när vi äntligen parkerade utanför pensionatet där vi skulle bo i tre dygn. Det låg nästan mitt i stan och såg gammalt och mysigt ut. Vi fick ett stort rum mot ett litet torg, fick hjälp med vårt bagage och visades till frukostmatsalen och det gemensamma tv-rummet.

Sedan gick vi ner till stan.

Det hade blivit kallare igen, strax under noll, och barnen hade sina overaller på sig. Jag tvekade en sekund, men stoppade sedan ner en liten halsduk av filtmaterial i väskan om någon av dem skulle börja frysa. Emma hade ovanan att binda snaror och försöka strypa sig eller sin lillebror så snart hon fick tag i ett rep eller något liknande, så vi höll alltid halsdukar och skärp gömda högst upp i skåp hon inte nådde. Samma sak gällde knivar och vassa föremål.

Bara några gator bort fanns ett större torg, och där var det lilla nöjesfältet. Eller nöjesfält och nöjesfält, där fanns en karusell och ett litet tåg som gick runt, runt. Robin skrek av förtjusning när han fick syn på det och jag och Anders log mot varandra.

Den här resan var redan en succé.

Det var under barnens tredje åktur som jag första gången drabbades av de mycket karaktäristiska krypningar i nacken som jag brukat få i min hemstad.

Jag kände mig iakttagen.

Snabbt snurrade jag runt och såg mig omkring.

Ingen där.

Eller rättare sagt: några pensionärer, en barnfamilj, fyra högljudda tonåringar. Det var fredag eftermiddag och människor var på väg ut och in i affärerna längre bort, jag såg dem som ett mörkt gytter i den tilltagande skymningen.

Ingen såg åt mitt håll. Ingen brydde sig om oss överhuvudtaget. Vi var en familj som alla andra där barnen lekte lite på väg hem från fredagsshoppingen.

Jag skakade av mig obehaget, så tramsig jag var.

– Vad kallt det är, sa Anders och kom fram till mig och värmde sin näsa i min halsgrop, jag skrattade och höll om honom.

Den kvällen åt vi middag på en pizzeria i city, Robin ville bara ha ananas på sin, Emma insisterade på fläskfilé och bearnaisesås. Det slutade med att Anders och Emma delade, och jag och Robin.

Den kvällen låg jag länge vaken medan barnen sov i extrasängarna vid våra fötter. Rummet hade två höga, gamla fönster, där ute svävade månen bakom tunna skyar. Jag drog hårt efter andan, med ens uppfylld av en stor och omedelbar lyckokänsla.

Världen var, trots allt, alldeles underbar.

Vi åt frukost i den fina matsalen, barnen fick själva gå och plocka vad de ville ha. Robin hittade ananas även här och skulle inte ha ätit något annat, om vi tillåtit det. Emma ville ha gröt, havregrynsgröt med lingonsylt och mjölk.

– När det finns röd kaviar, viskade Anders och pekade på den diskreta lilla bunken intill sillen och gräddfilen.

Själv tog jag en croissant med ost och marmelad, och så te med mjölk och citron.

Strax efter klockan tio var vi ute på stan igen, det hade blivit mildare, himlen var grå. Det kanske skulle bli för varmt för barnen med overallerna, men jag bestämde mig för att inget säga förrän de protesterade.

Vi hade hunnit fram till det lilla tåget när håret plötsligt ställde sig rakt upp i nacken på mig. Samma krypande känsla som dagen före tog över min kropp, jag hörde mig själv flämta och snurrade runt.

– Vad är det? sa Anders och hjälpte Robin in i vagnen.

Jag stirrade ut över torget, där var fortfarande ganska folktomt. Ett äldre par med några små barn, kanske deras barnbarn, några pensionärer som talade högt och skrattade.

– Inget, sa jag och såg ner i marken.

Jag ville verkligen inte förstöra den här dagen.

Robin åkte runt i tåget tills han var alldeles vimmelkantig, sedan satte han igång att jaga Emma runt karusellen så att vi fick säga till dem, de störde de andra barnen. Långsamt började torget fyllas med människor, det var lördag förmiddag och folk drog sig ut för att helghandla. I ögonvrån såg jag mig omkring, jag kunde inte skaka av mig känslan av att vara förföljd.

– Har du sett något underligt? frågade jag Anders.

Han såg förvånat på mig.

– Som vad då?

Jag försökte le lite, gick sedan bort mot Emma som höll på att klättra upp på en häst på karusellen.

– Kom så ska jag hjälpa dig.

Plötsligt stod han framför mig. Han stirrade på mig med sotsvarta ögon och jag märkte hur färger och ljud försvann, jag öppnade munnen för att skrika men inget ljud kom, åh nej, det är inte sant, det är inte sant, det är bara en mardröm, bara en mardröm, åh Gud nej!

Men det var verkligen han, han stod där, precis som han alltid hade stått där och han såg precis likadan ut som han alltid hade gjort. Och han talade till mig och sa samma ord som han alltid sagt, att han skulle ta flickan och döda oss alla.

Och han vände sin blick mot Emma och sträckte ut händerna mot henne och förlamningen släppte, jag vrålade rätt ut.

– Anders!! Anders!!

Emmas förvånade blick gled först upp i mitt ansikte och sedan i hans, och jag såg hur hennes ögon stannade i huvudet, hur hennes medvetna jag försvann långt in bakom de skyddsmurar ingen psykolog kom igenom.

– Anders!! Hjälp!!

Vi fick tag i barnet samtidigt, mannen och jag, och vi slet i henne från var sitt håll, jag tänkte aldrig aldrig släppa, och då såg jag de båda andra, hans blodsbröder, de skrek och skrek och skrek att de skulle döda oss, döda döda döda oss, skära halsen av oss, alla dessa ord och uttryck som förföljde mig i mardrömmar och tvångsmässiga återupprepningar.

Åh Gud, han är ett spöke, han hittar oss alltid, han är allomfattande…

Jag märkte hur jag höll på att tappa taget, förlora greppet om Emma och verkligheten, och plötsligt steg en klar och nykter tanke fram i min hjärna.

Nej. Nej! Han är bara en människa som tycker att han har för lite makt. Han kan bara vinna om jag låter honom.

Och jag tvingade mig fram mot Emma och sa lågt:

– Det är ingen fara, gumman. Vi ska åka härifrån nu.

Med ens kom smärtan och viljan tillbaka i hennes ansikte, hon vände ögonen mot mannen som hon inte visste var hennes far och hon kastade sig framåt och bet honom.

Han tjöt och jag märkte i ögonvrån hur människor rörde sig omkring oss, ingen ingrep men de cirkulerade runt oss, han tjöt och plötsligt hade han ett tillhygge och så började han slå, han slog och slog och jag skrek, han slog och slog mot Emmas huvud, med vad? En hammare? En sko? Och jag försökte skydda hennes huvud med mina händer och jag hörde mig själv vråla men jag förstod inte orden, var får man all sin styrka ifrån?

Jag vet inte hur lång tid som förflöt, men plötsligt hände något, det blev ljust omkring oss, människomassan skingrades, han släppte Emma så att hon ramlade i min famn och framför mig stod två uniformerade poliser.

– Vad är det som har hänt här? frågade de, jag hörde deras röster långt borta, deras konturer var suddiga och avlägsna.

– De hittade oss, sa jag och min röst hackade, den lät som en cd-skiva som hakat upp sig. De hittade oss igen.

– Vem?

– Han, hörde jag mig själv säga med min underliga röst, han och de andra. De letar alltid efter oss.

– Är ni skadade?

Jag såg ner på Emma, strök henne över håret och märkte att mina händer var alldeles kladdiga, jag sköt henne ifrån mig och såg blod rinna nedför hennes kind, jag tittade ner på min ljusa jacka och den var alldeles brunröd och blank.

– Hon blöder i huvudet, sa jag.

Jag slet fram min väska och fick upp filthalsduken, tryckte den mot hennes hjässa med skakande händer. Och Emma sjönk ihop i mina armar och en av poliserna drog mig upp, man banade väg för oss genom människohavet och in i en polisbil.

– Anders, sa jag, min man och min son, var är de?

– De kommer efter i er bil, sa polisen.

Bilen gled iväg, jag tittade in i sätet framför och vägrade se på människorna som stirrade där ute. Emma satt alldeles stilla i min famn, tyst och kall. Den ljusblå halsduken färgades långsamt alldeles brun.

– Hon måste ha ett stort jack i huvudet, sa jag, och polisen körde ännu fortare.

På akutmottagningen var man förberedd på vår ankomst. Två läkare och en sköterska tog emot oss vid ambulansintaget, de gjorde en hastig kontroll av flickans vitala värden och lotsade snabbt in oss i ett undersökningsrum.

– Hon måste ges något lugnande, sa en av läkarna och jag nickade bara.

Men när de skulle lägga ner flickan på britsen stelnade hela hennes kropp och hon vägrade släppa taget om min hals.

De fick raka en del av hennes hår och sy ihop hennes sår medan hon satt i min famn, ett sex centimeter långt och en och en halv centimeter brett hål i hennes huvud.

Anders och Robin väntade utanför. Utan ett ord gick vi ut på parkeringen alla fyra med poliserna bakom oss.

– Fick ni fatt i dem? undrade Anders när han låste upp bilen.

– Nej, sa en av polismännen. De försvann i det allmänna tumultet. Men vi måste göra en rapport på det här, ni måste komma med in på stationen och...

– Nej, sa jag och mötte polisens blick. Ingen anmälan. Vi ska åka hem. Kan ni kontrollera så att vi inte är förföljda?

– Det är klart att vi måste rapportera det här, sa den andra polisen, och jag tyckte han verkade skakad.

– Det gör ni som ni vill, sa jag och satte mig i baksätet med Emma fortfarande i famnen. Men tro mig, det är helt poänglöst.

Jag drog igen dörren.

Poliserna följde oss en bra bit på vägen, och de garanterade att ingen körde efter oss innan de vände tillbaka ner mot Örebro. Vårt bagage blev kvar på pensionatet, vi fick aldrig tillbaka det.

Det var först när vi kommit hem och placerat barnen framför Askungen som jag insåg att jag fortfarande inte tvättat mig. Jag var blodig upp till armbågarna, som ett par stela och levrade handskar i brunt.

Med händerna lyfta såg jag rakt på Anders och sa:

– På måndag ringer jag till stiftelsen Evigheten.

Han nickade kort och tittade bort.

– Jag kan inte försvara er, sa min man rakt ut i mörkret när vi lagt oss den kvällen.

Jag vände mig mot honom, förvånad över kommentaren.

– Jag trodde du sov, sa jag.

– Vad är jag för en karl egentligen, som låter en idiot som han förfölja oss på det här sättet?

Jag suckade och lade min hand på hans bröst, han sköt den åt sidan.

– Jag menar allvar, sa Anders och tittade i taket. Hur kan jag låta min familj vara med om det här utan att stoppa honom. Va?

Han såg på mig med stora, ångestfyllda ögon.

– Jag är en liten jävla skithög, sa han, en kuklös jävla fegskit som inte törs stå upp för det enda som betyder något, jag törs ju för helvete inte ens försvara mina barn!

– Men Anders, sa jag och försökte stryka honom över kinden, men han satte sig upp och vände ryggen mot mig. Hans mjuka hud skimrade i nattljuset, jag lät min hand långsamt följa ryggradens rundning.

– Du tog hand om Robin, sa jag lågt. Det var det viktigaste, och det fanns ingenting annat du kunde göra. De var tre stycken. Du måste sluta anklaga dig själv, du också.

Han reste sig upp med ett tvärt ryck.

– Jag borde döda honom, sa Anders och såg ner på mig i sängen, och det fanns någonting i hans ögon som var bekant, jag kände igen de där orden och det där hatet och jag flög upp i sängen.

– Nej, väste jag. Jag vill inte höra det där från dig också! Jag har fått nog av våld och dödshot. När vi sjunker till deras nivå har vi förlorat.

Men min man vände sig bort från mig, han gick ut ur vårt sovrum och stängde igen dörren, hårt.

DAGEN DÄRPÅ GJORDE vi det enda som kändes vettigt i en vansinnig värld, vi åkte tillbaka till Björsjö skogshem. Där fanns människor vi kunde tala med och som brydde sig om oss, där kunde vi känna någon sorts trygghet. Jag grät och berättade för ägaren och hans fru vad som hänt.

De satt uppe med oss den kvällen.

På måndag morgon gick jag bort till Marres livs. Det hade snöat lite under natten men höll på att klarna upp. Jag köpte ett nytt telefonkort inne i butiken och barrikaderade mig i telefonkiosken.

Lappen med telefonnumret hade trasats sönder i kanterna, jag var osäker på om en av siffrorna var en nia eller en fyra. Pulsen slog hårt och regelbundet, fyllde hela det kalla, trånga utrymmet.

Jag tryckte ner telefonkortet och slog numret, chansade på en fyra.

– Stiftelsen Evigheten, Katarina Nilsson Strömlund.

Hennes röst var mörk och melodisk, uttalet välutbildat och lite nasalt.

– Jo, sa jag, det är så här att jag inte kan berätta vad jag heter, men jag har fått ditt namn av en person som känner till er verksamhet.

En solstrimma bröt igenom molntäcket och träffade en ros av rimfrost på glasrutan.

– Jaha? sa Katarina Nilsson Strömlund. Vad kan jag göra för dig?

Jag blundade och kände hur allting vällde upp inom mig, blodet och flykten, vår vistelse i solen och läkarnas uppgivenhet.

– Jag behöver hjälp, sa jag. Min familj är hotad, mitt barn är sjukt...

Och i nästa sekund brast det, utan att jag kunde hejda mig började jag storgråta i telefonen, jag bara grät och grät så att snoret rann ner i munnen och tårarna kladdade fast i håret.

– Han letar efter oss hela tiden, tjöt jag, han hittar oss, och hittar oss, och en vacker dag lyckas han garanterat ha ihjäl oss, det är bara en tidsfråga innan vi är döda allihopa och Emma, min flicka...

Och så grät jag igen, högt och ylande, och solen sken in genom telefonkioskens frostiga glasrutor och gjorde världen till kristall.

Den främmande människan i telefonluren väntade tålmodigt tills mina tårar ebbade ut och jag kunde snyta mig ordentligt.

– Förlåt, fick jag fram, alldeles täppt i näsan.

– Du verkar vara i en förtvivlad situation, sa kvinnan mjukt och deltagande. Jag önskar verkligen att jag kunde hjälpa dig. Men säg mig, vem är det som har berättat för dig om vår verksamhet?

Jag blinkade till mot solljuset, med ens alldeles ställd.

– Hrm, sa jag, jag kan inte säga det.

– Vad är det du har hört?

– Att ni kan hjälpa hotade kvinnor och barn, sa jag, lugnare nu. Att ni jobbar på regeringsnivå. Att ni kan ordna så att man kan få flytta utomlands.

– Du är välinformerad, sa hon vänligt. Men tyvärr kan jag inte hjälpa dig. Vi arbetar inte med privatpersoner, utan enbart på uppdrag av myndigheter.

Jag blev alldeles iskall, någonting rann ur mig, ett hopp som knappt hade tänts och nu släcktes, det upplöstes runt omkring mig och jag skrek: nej!

– Du måste, ropade jag. Snälla, kan du inte lyssna på oss! Vi har alla myndigheter som finns bakom oss, vi är utredda in och ut i minsta detalj. Alla inblandade parter vill bli av med oss, alla är överens om att vi måste flytta utomlands. Åh, snälla, hjälp oss!

Och jag började gråta igen, men kvinnan i telefonen verkade inte ta illa upp.

– Säg mig, sa kvinnan, var befinner ni er nu?

– Det kan jag inte säga, snyftade jag.

– Nej, givetvis, men befinner ni er i trygghet?

Jag försökte samla mig några sekunder.

– Inte direkt, sa jag. Han hittade oss i lördags igen.

– Och socialtjänsten i din hemkommun är informerad om er situation?

Jag var tvungen att skratta till.

– Om de är, sa jag. Jag är deras mardrömsföljetong. Och inte bara i min hemkommun, förresten. Min nya kommun, där jag lever gömd, de vet inte heller vad de ska göra av mig. Och läkarna inom barnpsykiatrin, de är beredda att göra vad som helst för att hjälpa oss. Problemet är att de inte kan behandla min dotter förrän vi är i trygghet, flickan är för sjuk...

– Vi kanske kan ha en ingång där, sa kvinnan. Tror du att barnpsykologen kan skriva ett intyg om er dotters behandling?

– Visst, sa jag och strök mig över håret. Varför det?

– Vi kan tyvärr inte ta på oss att hjälpa människor som ringer hit utan stöd av kommuner, landsting eller någon statlig myndighet. Men om du har ett intyg från myndigheterna som på något sätt visar på ert behov, så ska vi se vad vi kan göra.

– Okey, sa jag. Vart ska jag skicka det?

– Faxa det på det här numret, och skriv var jag kan nå dig.

– Du kan inte nå mig, sa jag. Jag ringer tillbaka till dig.

– Vad sa du att du hette?

Jag tystnade ett ögonblick.

– Det sa jag inte, sa jag, men du kan kalla mig för Linda.

– Linda, sa hon, lycka till.

Så snart vi lagt på och linjen brutits ringde jag upp barnpsyk och bad N.N. skriva ett papper som beskrev Emmas behandling och hennes slutsatser kring flickans mentala och fysiska status.

På fredagen den 13 mars hämtade vi det i receptionen på sjukhuset.

Det var med darrande fingrar jag öppnade kuvertet och läste innehållet:

13 mars 1992

Barn- och ungdomspsykiatriska mottagningen Ludvika

Psykologutredning angående patient född oktober 1986.

Utredningen görs på moderns uppdrag.
Familjen har haft kontakt med mottagningssköterskan och konsultläkaren samt undertecknad sedan 920122.

Modern och styvfadern ger följande information om familjens mycket speciella levnadsomständigheter. Familjen håller sig gömd av rädsla för patientens biologiska fader, som misshandlat modern redan före graviditeten. Denne flyttade från familjen då patienten var två månader. Styvfadern finns i familjen sedan patienten var åtta månader.

Patienten var tre år gammal när biologiske fadern försökte strypa modern och hade kniven mot patientens hals. Patienten talade inte på sex månader efter denna händelse. Under året som följde flyttade familjen tio gånger för att ej nås av den biologiske fadern.

Flickan blev vittne till att styvfadern misshandlades av den biologiske fadern och några landsmän till denne. Biologiske fadern har själv försökt köra på flickan med bil. Sedan tre års ålder har flickan och hennes familj varit helt gömda. Patienten vet ej de rätta förhållandena kring sin isolering eller att den mörke mannen är hennes far.

Modern och styvfadern håller sig inne tillsammans med patienten och dennes tre år gamla halvbroder. Familjen går bara ut när det är absolut nödvändigt. Modern har ej vågat läkarundersöka barnen. Genom barnpsyks försorg är de därför helt nyligen vaccinerade. Före tre års ålder har patienten gått några månader på dagis. Sedan dess har hon inte lekt med andra barn eller kunnat röra sig fritt ute ens med föräldrarna. På grund av isoleringen har hon periodiskt haft enures och encopres.

Utredning av patienten:

Utredningen grundar sig på fyra besök under tiden 920122–920303 då jag träffat patienten ensam. I anslutning till dessa besök har jag talat med modern och styvfadern.

Använda metoder:

Ericas sandlådematerial. Machover minneskomplettering, Spiq performancetest på intelligens, CAI och Goodenough's utvecklingstest och målning och lek. Patienten har således prövats med avseende på utvecklingsnivå och emotionell- och personlighetsutveckling.

Bedömning:

Genom sin isolering ligger patienten efter i språkutvecklingen 1-2 år. Hennes teckningsförmåga är däremot inte påverkad där hon visar normal begåvningsutveckling. Hon vill gärna skriva bokstäver och längtar efter att gå i skolan och få skolväska. En allsidig språklig stimulering behövs mycket snart, genom ett utbyte med flera människor än dem hon just nu träffar. Också hennes kontaktförmåga är präglad av isoleringen. Hon är mjuk och behaglig i sitt första närmande. Men hon visar snart ett omättligt behov av andra människor. Kontakten präglas också av hennes tal som nu inte är tillräckligt stimulerat. Det är svårt att förstå vad hon säger. Genom sitt instängda liv i en grupp på fyra personer har hon inte behövt anstränga sig tillräckligt för att göra sig förstådd.

Hennes grovmotorik är klumpig. Hon kan missa att sätta sig rätt på barnstolen när hon är inne hos mig. Modern har berättat om hennes aviga rörelsemönster i hemmet varför vår konsultläkare har undersökt henne. Denne bedömer henne möjligen något sen i koordinationsutvecklingen. Begränsad träning är troligtvis den avgörande orsaken.

I sitt sandlådebyggande är hon tydligt präglad av sin osäkra situation. Hon gömmer föremål i sanden och täcker över dem med flera lager där hon varvar sand och andra föremål ovanpå vartannat. Oron väcks och hon har inte ro att avsluta en lådbild utan gör en ny framställning om och om igen. Patienten visar rastlöshet och brist på sammanhang som påverkar hennes förmåga att koncentrera sig. Det är för patienten helt enkelt farligt att gå till grunden med frågor och utreda förhållanden i sin omgivning.

Hon visar också i berättelse till bilder och teckningar att hon är störd av mycket oroande tankeinnehåll och aggressivitet. Det är både egna oförlösta känslor och rädsla för minnen som stör henne. Tyvärr är det omöjligt genom familjens nuvarande situation att bearbeta patientens känslor, vilket är skadligt för hennes känslomässiga utveckling.

Modern och styvfadern beskriver också hur aggressiv hon kan vara mot brodern och att hon förstör föremål där hemma. Föräldrarna har behövt gömma undan knivar och skärp för att patienten inte skall skada sig själv eller de andra. Hon har under de senaste åren rivit av huvudena på de flesta dockor hon fått. Jag ser också detta som ett tecken på obearbetade känslor (själv mordhotad). Hon kommer förmodligen att upprepa detta destruktiva mönster tills hon befinner sig i frihet.

Sammanfattning:

Denna femåriga flicka hämmas i sin utveckling av den isolering som familjen tvingas leva i. Därtill har hon stort behov att bearbeta sina mycket traumatiska upplevelser. Denna bearbetning kan göras först när hon och familjen befinner sig under säkrare förhållanden. Patienten blir allvarligt störd i sin utveckling om hon inte snart får möjligheter att leva mer öppet och därmed möjlighet att bearbeta sina trauman.

Hon behöver, när familjen kommer i större säkerhet, hjälp att bearbeta sina svåra upplevelser. Eventuellt kan det visa sig att denna hjälp behöver ges av en professionellt kunnig person.

Jag vill därmed med kraft intyga att patienten länge farit illa av att leva gömd.

Ludvika som ovan

N.N.
Leg barnpsykolog

Jag fick låna faxen i receptionen på lasarettet och skickade över intyget till Katarina Nilsson Strömlund på stiftelsen Evigheten.

Ingen av oss sa någonting i bilen på vägen hem. Båda barnen hade somnat i baksätet när vi var framme i Smedjebacken.

Det sista kvällsprogrammet tog slut, Anders sträckte sig efter fjärrkontrollen och stängde av tv-n. Det blev alldeles mörkt i vardagsrummet, bara en strimma ljus från hallen letade sig in genom dörröppningen. En lång stund satt vi kvar bredvid varandra i soffan utan att röra oss, mina tankar flög och var överallt och ingenstans, på den soliga stranden där vi fått en tids andrum, på torget i Örebro, i telefonkiosken utanför Marres livs.

– Hur kunde han hitta oss? sa Anders så plötsligt att jag ryckte till av hans röst.

Hur kunde han veta att vi var i Örebro? Hur i all sin dar bär han sig åt? Han kan inte vara överallt samtidigt, det är ju faktiskt inte möjligt.

Jag lade huvudet lite på sned och blundade.

– Bilderna, sa jag. Det cirkulerar kort på oss. Någon såg oss, någon kände igen oss, någon visste att han letar efter oss, och någon ringde.

Anders reste sig upp och gick ut ur vardagsrummet.

Jag satt kvar och lyssnade till bruset i mitt eget huvud.

Man hade kopplat ur telefonabonnemanget i vår lägenhet under vår utlandsvistelse och vi hade inte brytt oss om att skaffa ett nytt, så på måndag förmiddag gick jag ner till telefonkiosken i Smedjebackens centrum för att ringa till stiftelsen Evigheten. Jag var uppriven och nervös och märkte därför inte att någon tryckt in ett stort rosa tuggummi i skåran för telefonkortet, inte förrän kortet fastnade och jag insåg att hela apparaten var igenkorkad.

Efter en stunds letande hittade jag en telefonautomat i vestibulen till ett litet kafé i centrum. Den stod illa till, precis där mammorna parkerade sina barnvagnar, och det var omöjligt att tala ostört.

Jag trängde mig fram och slog numret, och till min oerhörda lättnad svarade Katarina Nilsson Strömlund efter första signalen.

– Så bra att du ringde, jag har möjlighet att träffa er idag, sa föreståndaren och lät mycket stressad. Men då måste ni komma till Scandic hotell i Skärholmen klockan femton i eftermiddag, ska vi säga så?

Jag flyttade mig för att släppa fram en ung kvinna med en bebis i famnen och tänkte febrilt.

– Öh, sa jag, Skärholmen?

– I Kungens kurva, mitt emot Ikea.

Hon pratade om Stockholm, tvåhundra kilometer söderut. Jag tittade på klockan och räknade snabbt i huvudet. Om vi körde direkt och åt något längs vägen så skulle vi hinna.

– Visst, sa jag. Scandic hotell?

– I baren innanför lobbyn. Ta med alla handlingar du har. Nu måste jag tyvärr gå, vi har fått ett mycket svårt jourfall under helgen och vi måste ägna all vår kraft åt den här kvinnan och hennes barn…

– Visst, sa jag och så lade vi på.

Jag trasslade mig ut ur barnvagnarna och kände mig märkligt upprymd.

Samtidigt kunde jag inte hjälpa att jag avundades kvinnan och barnen som redan fått komma till stiftelsen Evigheten.

Jag ville att någon skulle ägna all sin kraft åt mig och min familj.

Anders satt med fjärrkontrollen i näven och läste nyheter på text-tv när jag kom inrusande i vardagsrummet med andan i halsen.

– Vi måste åka direkt, sa jag och började rota efter alla mina handlingar i botten av en av flyttkartongerna i hörnet.

– Vad? sa Anders och stirrade på mig, fortfarande med fjärrkontrollen i högsta hugg, orakad och med fötterna på vardagsrumsbordet.

– Evigheten, sa jag och konstaterade att jag letade i fel låda. Föreståndaren tar emot oss klockan tre i Skärholmen söder om Stockholm. Vi måste åka på en gång.

Anders stängde av tv-n, släppte ner fötterna på golvet och reste sig upp.

– Jag tänker inte åka någonstans, sa han, utan att veta vad det handlar om.

Mina händer stannade, liksom hjärnan, och jag tvingade mig att inte brusa upp. Utan att se på min man förklarade jag tyst vad Katarina Nilsson Strömlund sagt, att hon kunde ta emot oss och att vi skulle ha alla våra handlingar med oss.

– Om du visar handlingarna, sa Anders, så röjer du allting. Där står ju allt, våra gamla identiteter, nya namn och personnummer, vår hemkommun, var vi bor nu, allting! Tänk om hon inte är att lita på!

Jag hittade bunten med myndighetspapper och vände upp min blick i hans.

– Vad har vi för val? sa jag och reste mig hetsigt. Va? Kom upp med något bättre om inte mina förslag duger!

– Mia, sa han lågt och varnande, du skriker.

– Än sen! skrek jag. Jag klarar inte det här om du bara sätter krokben för mig hela tiden. Jag orkar inte!

Jag märkte att jag börjat gråta, barnen stod i dörröppningen in till vardagsrummet och tittade på mig båda två.

– Varför är du ledsen? sa Robin.

Jag drog hastigt efter andan och torkade tårarna i en enda rörelse.

– Det blev lite stressigt bara, sa jag. Vi ska ut och åka bil, ser ni, vi ska åka ända till Stockholm.

– Där är det juleljus, sa Emma.

Jag var tvungen att rusa fram och krama och kyssa henne och krama Robin och hålla dem båda intill mig.

– Du har så rätt, sa jag lågt och smekte deras hår. I Stockholm finns det många ljus.

Vi var framme tio minuter före utsatt tid. Scandic hotell i Skärholmen var ett mycket ordinärt motorvägshotell med trafiken dånande bara något hundratal meter längre bort.

Resan hade varit spänd och ganska ansträngd. Anders var fortfarande tyst och tvär, han vägrade att träffa föreståndaren. I stället för att själv bilda sig en uppfattning om henne tog han barnen med sig och åkte iväg till ett McDonald's som skymtade på andra sidan en rondell. Jag valde att inte protestera utan tog min väska med all dokumentaion och klev in i hotellfoajén.

Lobbyn var nästan tom. I baren längre bort satt ett par män med papper och portföljer och gestikulerade. Jag gick in bland borden, kisade lite i den skumma belysningen. Det fanns ingen där som kunde vara Katarina Nilsson Strömlund, men så var jag ju lite tidig.

Jag beställde en kopp kaffe och ett glas vatten av bartendern och slog mig ner vid bordet längst in, satte mig till rätta och koncentrerade mig på att granska alla som kom och gick.

Fyrtio minuter senare var jag alldeles gråtfärdig.

Katarina Nilsson Strömlund kom inte. Hon ville inte hjälpa mig och mina barn. Anders hade haft rätt. Det var ett värdelöst misstag att åka hela denna väg för att vänta på någon som inte brydde sig om oss.

Just när jag begärt in notan för att gå därifrån såg jag henne komma. Jag visste direkt att det var hon, för hon såg ut exakt som sin röst. Vacker, vänlig och välklädd gled hon fram till mitt bord och log ursäktande mot mig.

– Förlåt, sa hon och tog i hand samtidigt som hon ställde ner en stor läderportfölj, vårt jourfall har tagit stora resurser och jag är mycket ledsen att du fått vänta.

– Åh, sa jag och log nervöst, det gjorde ingenting.

Jag menade det med hela mitt väsen, så oändligt tacksam för att hon dykt upp.

– En räksallad, tack, sa hon till servitören som just kom med min nota, och mineralvatten med is och citron.

Jag noterade att ett litet guldkors dinglade i en kedja runt hennes hals.

Katarina Nilsson Strömlund knäppte upp sin portfölj och tog fram en liten bunt dokument. Mina händer var kalla och fuktiga av nervositet, jag lade dem diskret under låren för att få dem varma.

– Jag vet inte vilken information du fått om vår organisation, sa föreståndaren, men här har du några programförklaringar och verksamhetsbeskrivningar som vi utarbetat tillsammans med våra samarbetspartners.

Hon räckte mig några enkla papper med punktvis information om stiftelsen Evigheten och dess arbetsområden, jag tog emot dem och ögnade igenom dem samtidigt som hon letade vidare i sin stora portfölj.

– Som du förstår kan jag naturligtvis inte avslöja alltför mycket, sa hon och stängde portföljen när jag lade ner papperna på bordet. Vår organisation är mycket väl dold, vilket är en förutsättning för att vi ska kunna fungera. Klienterna kommer till oss, passerar och försvinner, och stiftelsen är i sin tur omöjlig att spåra. Tack!

Hon tog emot vattnet från servitören, pressade lite citron över isbitarna.

– Hur fungerar det? undrade jag försiktigt.

Kvinnan drack och knäppte händerna i knät.

– Vi har fastigheter över hela Sverige, sa hon, och flera kontor som vi alternerar emellan. Vi har tillgång till psykologer, kontaktläkare och socionomer dygnet runt. Alla våra telefoner är kopplade över försvarets stationer, så de går aldrig att spåra. Vi kan ordna skyddat boende, skyddade skolor, läkarvård, advokathjälp, rättshjälp, och framför allt så finns vi ju till hands dygnet runt.

– Vilket enormt arbete det måste innebära, sa jag. Hur många är ni som jobbar på stiftelsen?

Katarina tog emot salladen från kyparen, en stor tallrik nyskalade räkor med ägg, isbergssallad och majonnäs, och satte igång att äta med god aptit.

– Just nu är vi sju heltidsanställda, sa hon, och alla i personalen är också raderade.

– Genom skyddade personuppgifter? frågade jag. Eller kvarskrivning?

– Du får ursäkta, sa hon och åt medan hon talade, men jag har inte hunnit få i mig någon lunch idag. Om vi tar det här fallet med den kvinna vi fick in nu i helgen, hennes situation verkar vara i paritet med din. Det vi går in och gör initialt är att ge henne ett referensnummer som i stort sett tar över funktionen av personnummer. Inte ens skattemyndigheten eller försäkringskassan ska veta var hon finns. Alla kontakter med samhället går via referensnumret. Hon och hennes barn är helt skyddade, nu och för alltid.

– Är det verkligen möjligt? sa jag.

Föreståndaren tuggade ur munnen och lutade sig fram emot mig.

– Det skulle naturligtvis inte vara genomförbart utan förankring på absolut högsta nivå, sa hon mycket lågt. Alla våra åtgärder är sanktionerade av regeringen. Tillsammans med utrikesdepartementet har vi utarbetat en plan för att lösa alla de riktigt svåra fallen, de som inte kan bo kvar i Sverige överhuvudtaget. Jag har förstått att du hör dit.

Hennes ord fyllde mina lungor med så mycket luft att bröstet ville sprängas, det började sticka i mitt huvud, åh Gud, det är sant! Det är verkligen sant! Det finns hjälp att få!

Jag kände hur jag började le, från öra till öra, varma tårar skymde mitt synfält.

– Det är ju helt fantastiskt, viskade jag.

– Så nu handlar det bara om det rent praktiska, sa Katarina Nilsson Strömlund och lutade sig tillbaka. Vi måste naturligtvis gå den formella vägen via myndigheterna i din hemkommun, som du förstår är vi noggranna med att följa protokollet.

– Finns det något jag kan göra? frågade jag, min röst var så egendomligt lätt.

– Vi måste få tillgång till dina handlingar, och sedan kan vi börja agera tämligen omgående.

Jag tog upp en utvald del av den tjocka lunta myndighetsdokument som jag förvarade i flyttlådan i vardagsrummet.

– Jag tror det här är allt ni behöver, sa jag samtidigt som Katarina Nilsson Strömlund torkade sig på servetten och kastade en blick på sitt armbandsur.

– Jag har ett möte inne på departementet, sa hon och reste sig. Jag skulle rekommendera att du tar kontakt med din socialsekreterare och dina läkare och informerar om att vi överväger möjligheterna att gå in och ta över ert fall från och med nu. Vi måste förstås granska era handlingar, men om vi anser det möjligt kommer socialtjänsten på er vistelseort att få en skriftlig hemställan från mig som nämnden får ta ställning till och intyga att de släpper ansvaret till oss.

Jag reste mig också, svag och darrande i knäna.

– Linda, sa hon och skakade min hand så att guldkorset gungade, lycka till!

– Tack, sa jag. Och jag heter inte Linda. Jag heter Maria.

Sekunden senare var hon borta, kyparen lade ytterligare en nota på mitt bord. Etthundraåttionio kronor för räksallad med mineralvatten och is.

Lättnad och skratt bubblade ur mig som kolsyra och jag gav honom tvåhundra kronor jämnt.

Jag gick ut genom lobbyn på Scandic hotell i Skärholmen utan att riktigt nå ned till golvet, beredd att omvärdera hela min syn på det svenska rättsväsendet. Tänk, att de i hemlighet utverkat ett sådant fantastiskt system att rädda människor! Tänk, att vårt utrikesdepartement äntligen tagit människor i min situation på allvar och faktiskt skapat en lösning tillsammans med andra nationer!

Jag föll Anders om halsen, jag viskade vad som sagts och hörde hur Anders svalde, med ens var det möjligt att andas i vårt instängda liv.

– Du tror på henne? viskade han och jag nickade.

– Hon kan inte hitta på allt det där, sa jag. Det är inte möjligt. Det här kan faktiskt vara vår räddning. Åh Gud, jag hoppas de tar sig an vårt fall!

Jag såg mitt eget hopp i hans ögon, och vår färd tillbaka till Smedjebacken var mycket annorlunda än nerresan.

På natten älskade vi länge och febrigt, för första gången på länge.

Redan dagen därpå begärde jag att få träffa socialsekreterare L. för att berätta för henne om den möjlighet som öppnats för oss. Hon såg mycket frågande ut när jag berättade om stiftelsen Evigheten.

– Har jag aldrig hört talas om, sa hon och flackade med blicken.

– Verksamheten är väldigt väl dold, sa jag. De arbetar bara med mycket svåra fall, och de granskar vår akt just nu.

– Jaha, sa hon och fingrade på en penna. Ja, om de kan hjälpa er så är det naturligtvis värt att pröva.

– Föreståndaren sa att hon skulle ta kontakt med dig.

– Nå då så.

EN VECKA GICK utan att jag fick besked från något håll, och det vakuum jag plötsligt upplevde var mer frustrerande än allt annat vi varit med om tidigare. Lägenhetens väggar hotade att kväva mig varenda sekund, jag fick behärska mig hela tiden för att inte skrika rakt ut.

Till slut gick jag ner till fiket med telefonautomaten, för tuggummitelefonen var fortfarande inte lagad, och ringde till Katarina Nilsson Strömlund.

– Allt fortgår enligt planerna, sa föreståndaren mycket entusiastiskt. Nu väntar vi bara på nämndens beslut.

– Jaha, sa jag förvirrat. Om vad då?

– Betalningen, sa Katarina. Vi är överens med dina läkare att enda chansen för familjen att få en värdig livssituation är att omplacera er utomlands, och enligt våra beräkningar kommer en sådan operation, med komplett skydd och en säkerhetsmässig grundnivå, att gå på en komma sex miljoner kronor, ge eller ta ungefär femtontusen.

Tanken svindlade, jag var tvungen att ta tag i en barnvagn för att få stöd.

– Vad?

En komma sex miljoner? Miljoner? Kronor?

– Så snart nämnden har godkänt beloppet kan vi sätta igång med förarbetet. Vi beräknar att det kommer att ta cirka två och en halv månad, möjligen med en veckas fördröjning på grund av omständigheter i andra länders administration som vi inte kan styra över.

– Men, sa jag och kände knäna vika sig. Vart ska vi åka?

– Det blir en ren formalitet att bestämma i ett senare skede. Vi har möjligheter att medverka till utverkande av arbets- och uppehållstillstånd i ett flertal stater. Ta och fundera över vart ni helst skulle vilja åka, så kan vi sätta upp en prioriteringslista.

Jublet steg upp inom mig som ett plötsligt och oväntat fyrverkeri och tog andan ur mig, jag hörde mig själv flämta, eller kanske snyfta.

– Är det sant?

– Absolut. Så snart nämnden godkänt utbetalningen kan ni börja packa era väskor.

Drygt en vecka senare hade socialnämnden sitt ordinarie månadsmöte, och jag bet ner alla mina naglar medan jag väntade på deras besked.

Det blev ett antiklimax.

– Nämnden kan inte ta ett sådant beslut själva, förklarade socialsekreterare L. Beloppet är för stort. De måste vända sig till länsrätten för att få ett avgörande.

– Länsrätten? Måste vi upp i en rättegång?

Socialsekreterare L. såg allvarligt på mig.

– Nej, sa hon, inte när det gäller detta. Det är bara ärendet som ska behandlas, och där behöver ni inte närvara. Däremot har rätten satt ett datum för slutförhandlingen i vårdnadstvisten om Emma.

Jag kände hur golvet öppnade sig under mig och jag föll ner i ett djupt, svart hål.

– Åh nej, fick jag fram.

– I mitten av juni. Din advokat vill att du kontaktar honom.

Katarina Nilsson Strömlund var lite irriterad över beskedet från nämnden, men inte uppgiven.

– Det kommer att ordna sig, sa hon segervisst. Länsrätten går aldrig emot ett läkarintyg. Snart har vi pengarna på väg in.

– Men vad ska vi göra tills beskedet kommer? frågade jag.

– Det finns inte så mycket annat att göra än att vänta. Vi har inga platser lediga på Evigheten just nu, det är alldeles fullt överallt.

– De där platserna, frågade jag, vad innebär de? Vad gör man?

– Åh, sa Katarina och suckade lite, för många är det som att komma till himlen. Fastigheterna finns ju över hela Sverige, men verksamheten är uppbyggd enligt samma princip. Där finns läkare och tillgång till stödpersoner dygnet runt, kokerska förstås, och så fritidspedagoger om det behövs. Vår administrativa personal jobbar på kontorstid med att bygga upp skyddet kring den enskilda personen. Numera har de blivit så effektiva att det inte tar särskilt många dagar.

Jag blundade och tryckte fingertopparna mot pannan.

Måtte vi snart få komma dit.

Ett par dagar senare hade jag bokat tvättstugan på andra sidan gården och travade fram och tillbaka i snögloppet hela förmiddagen. Anders försökte spela spel med barnen, men de gnällde mest eftersom de inte fick följa med mig ut, särskilt Robin.

– Jag vill leka ute! skrek han och stampade med sin fot, enbart iklädd gummistövlar och en urvuxen t-shirt.

Jag ställde ner tvättkorgen och böjde mig ner bredvid honom, kittlade hans mjuka mage.

– Älskling, sa jag, var har du tagit av dig byxorna? Ska du inte ta på dig dem? Och vi ska inte gå ut idag. I morgon kanske, då kanske vi ska åka bort. Vart vill du åka?

Men pojken bara vände sig om och gick in i vardagsrummet med sina stövlar på.

Jag suckade och lyfte upp tvättkorgen igen, den sista maskinen med fintvätt: Emmas fina klänning, ett par nylonstrumpor, Anders stickade tröja och Robins Batman-dräkt i syntetmaterial.

På väg tillbaka från tvättstugan konstaterade jag att jag började få slut på tvättmedel. Jag hälsade på Hasse Pettersson som klev in i porten samtidigt som jag. Han hjälpte mig med korgen med ren tvätt medan jag låste upp vår ytterdörr.

Jag stod ute i köket för att laga lunch när det plötsligt började knacka ute i trapphuset.

Knack knack knack, knack knack knack.

Jag kände igen det efter ungefär tre sekunder.

Knack knack knack, knack knack knack.

Min hand slutade att fungera och jag släppte spagettin och den frysta köttfärsen i slasktratten. Utan att veta hur jag burit mig åt befann jag mig i hallen och stirrade ut genom titthålet.

Det var han, och minst två andra.

De höll på att knacka ut sprintarna i ytterdörren, och vi hade inga säkerhetsbultar.

– Anders! vrålade jag allt jag kunde. De är här! De är här! Ta ungarna!

Med ett ryck fick jag Robin med mig, fortfarande i stövlar och t-shirt och bar stjärt, Anders kom utrusande ur vardagsrummet med Emma i famnen.

– Vad är det? sa han men jag såg i hans ögon att han redan visste, han förstod precis.

Ett kort ögonblick såg vi på varandra och tänkte samma sak.

– Sovrummet, sa han. Det går att låsa.

Vi kastade oss mot sovrumsdörren samtidigt som de forcerade ytterdörren och stormade in i hallen.

– Vrid om! skrek jag med Robin klängande som en igel runt min hals, åh Gud Anders, vrid om nyckeln!

Han fick runt den ögonblicket innan handtaget trycktes ner från andra sidan. Snabbt ställde han ner Emma på golvet, hennes ben vek sig under henne.

– Våningssängen, sa han, och jag grep tag i ena karmen, han i den andra.

Vi drog den för dörren samtidigt som slagen började.

– Ekbyrån, sa Anders, och med gemensamma krafter lyckades vi skjuta den för dörren, den också. Jag såg på möbeln några sekunder och sprang sedan fram till väggen där våningssängen stått.

– Hasse, vrålade jag och bankade med knytnäven i väggen, sparkade allt jag orkade. Ring polisen, Hasse!

Slagen mot sovrumsdörren haglade, de måste ha haft något verktyg att slå med men knappast en yxa, då hade de redan varit igenom.

Jag fick tag i en lådhurts med Emmas ritsaker, och med gemensamma krafter fick vi in den under dörrhandtaget.

– Tidsfrist, sa Anders och såg på mig och hans blick var ångestfylld.

Vad gör vi om de får tag i oss? for det genom mitt huvud och jag såg samma fråga bakom min makes ögon.

Vad gör de om de får tag i oss? Dödar de oss? Eller nöjer de sig med att ta Emma? Skickar henne till Libanon? Eller kommer de att döda henne? Dödar de mig? Får Anders och Robin leva?

Sovrumsdörren bågnade, låset började ge vika.

– Bäddmadrasserna, sa Anders, och tillsammans vräkte vi upp dem ovanpå ekbyrån. I detsamma gav dörrkarmen vika, träet splittrades och hela muren av möbler flyttades ett par centimeter.

– Mia, håll emot!

Jag tog spjärn med strumplästen mot plastmattan, märkte hur jag gled.

I ögonvrån fick jag plötsligt syn på barnen. De satt på golvet båda två, tätt intill varandra, Emma med tummen i munnen och Robin med armarna om sina nakna knän. Ingen av dem sa något, de bara såg på oss med tefatsstora, blanka ögon.

Männen på andra sidan dörren kastade sig mot den, möblemanget åkte ytterligare ett par centimeter in i rummet.

Jag slet av mig strumporna för att få bättre fäste mot golvet, och tillsammans sköt vi muren tillbaka någon tum innan nästa stöt kom.

– Det går inte, flämtade Anders. Vi kommer inte att orka hålla emot.

Jag svarade inte, oförmögen att tala, såg trävirket runt dörren splittras allt mer, en flisa flög iväg och träffade mig under ögat, jag höll emot med armar och ben som var alldeles stumma och ryggen värkte, stötarna kom och kom, männen där bakom började bli arga och högljudda, de satte igång att skrika åt oss, vad de skulle göra med oss när de fick tag i oss och jag hörde orden men jag förstod dem inte, de gick inte in i min hjärna, jag vägrade lyssna för jag höll emot, jag tog emot stötarna med underarmarna och axeln, jag tänkte aldrig flytta mig.

Så såg jag hans fot komma emellan, han fick in sin svarta sko i öppningen mellan dörrkarmen och våningssängen, någonting släppte och jag tumlade bakåt och tänkte att nu är det slut, nu är de här, och sedan insåg jag att bankandet slutat och det blivit alldeles tyst.

Jag såg på barnen, sedan såg jag på Anders, och jag visste inte om jag drömde. Vad hade hänt?

Det dröjde en minut, två minuter, jag började darra i hela kroppen, vad höll de på med nu? Väntade de på oss där ute? Satt de i bakhåll och bidade sin tid tills vi tog bort muren av möbler och steg fram?

– Hallå? ropade en okänd röst ute i hallen. Är det någon här? Hallå?

Vi såg på varandra ett par sekunder, Anders och jag.

Rösten talade dalmål.

– Finns någon här? Det är polisen.

Vi sköt undan möbelberget och klev ut i hallen.

Fyra uniformerade poliser stod där utanför och såg vaksamma

ut, och bakom dem skymtade jag Hasse Pettersson.

– Jag ringde direkt när det började smälla härinne, sa han försiktigt.

– Har ni fått fatt i dem? frågade jag.

En av poliserna skakade på huvudet.

– De måste ha haft en vakt och smitit ut bakvägen när vi kom.

– Vill ni följa med ner på stationen och göra en anmälan? frågade en annan polisman.

Jag skakade på huvudet.

– Jag vill bara härifrån, sa jag. Hjälp mig bara bort.

Poliserna gick runt och tittade lite på förödelsen men jag brydde mig inte om dem. De fick göra vad de ville med sin utredning, det skulle aldrig gå att fälla någon för intrånget. Några fingeravtryck skulle aldrig hittas och allesammans skulle ha alibi, de hade naturligtvis varit någon helt annanstans den här eftermiddagen, det fanns det drösvis med folk som intygade.

Sömngångaraktigt gick jag tillbaka till sovrummet, hämtade några bagar ur en garderob, fyllde den första med Emmas ritsaker och Robins tåg, gick ut i vardagsrummet och vräkte ner den osorterade tvätten i en annan, tömde innehållet i hallgarderoberna i en tredje.

Anders stod i köket och slängde ner lite husgeråd i en plastkasse.

– Strunta i det, mumlade jag, satte byxor på Robin och en jacka på Emma, och sedan lämnade vi lägenheten i Smedjebacken för att aldrig någonsin komma tillbaka.

– Är det säkert att ni inte vill göra en anmälan? frågade polisen när de följde oss till bilen.

Jag skakade bara på huvudet.

– Hjälp oss bara att lämna stan utan att vara förföljda, sa jag.

Först långt senare kom jag ihåg att jag haft en maskin med Emmas finklänning och Robins Batman-dräkt igång uppe i den gemensamma tvättstugan på andra sidan gården.

Den natten bodde vi i en lägenhet som kvinnojouren i Västerås disponerade. De gjorde ett undantag, det första någonsin, och lät också en man stanna över.

Hur konstigt det än kan låta så somnade jag som ett barn den kvällen.

En lång period av katt- och råttalek i vårt liv var över, något nytt hade börjat och jag såg fram emot det med glädje.

Morgonen därpå ringde jag till Katarina Nilsson Strömlund och sa precis som det var.

– Vi har varit tvungna att lämna Smedjebacken. Vi har ingenstans att ta vägen, överhuvudtaget. Kan du hjälpa oss?

Hon tvekade.

– Nja, sa hon, jag har en plats, men den brukar vi bara nyttja som reserv.

Så beslutade hon sig tydligen.

– Ni kan ta den.

Hon gav oss en adress i södra Stockholm.

HUSET VAR GRÅTT och klätt i eternitplattor. Våren hade kommit mycket längre här än i Dalarna och trädgården var redan vildvuxen. Fjolårslöven låg i drivor runt huset, ogräset frodades i trädgårdsgången. Det hängde gardiner i ett rum på bottenvåningen, i övrigt var fönstren kala.

– Kan det här vara rätt? sa Anders. Det ser ju alldeles övergivet ut.

Vi såg på lappen jag skrivit ner, på skylten med gatunamnet och siffrorna som satt fastspikade på husväggen.

– Jo, sa jag. Om jag uppfattade adressen rätt så är det här.

I detsamma körde en röd Mercedes upp och stannade vid infarten, Katarina Nilsson Strömlund hoppade ut.

– Välkomna! ropade hon. Var det svårt att hitta?

Vi skakade hand, Anders presenterade sig, Katarina hälsade på barnen som blygt gömde sig bakom mina ben.

– Det här är vårt huvudkontor, sa hon, gick bort till entrén och låste upp ytterdörren. Vanligtvis har vi inte människor boende här, men i ert fall är vi beredda att göra ett undantag.

Vi klev in i en dunkel hall med en sliten plastmatta på golvet, gick runt och tittade. På nedervåningen fanns kök, två rum och ett tredje som användes som kontor, och en liten toalett. En trappa upp fanns tre sovrum med snedtak. Möblemanget var mycket enkelt, flera rum stod helt tomma.

– Badrummet ligger i källaren, sa Katarina och log. Det här blir väl fint?

Jag såg på de trasiga tapeterna i det rum vi fått oss tilldelat på nedervåningen och log tillbaka.

– Jättebra, sa jag.

Vad spelade inredningen för roll när vi stod på tröskeln till ett nytt liv?

Det fanns nästan inget köksgeråd i huset, så de första dagarna hos stiftelsen Evigheten ägnade vi åt att tänka ut vad som behövdes för att vi skulle kunna bo där ett tag. Vi hittade en stormarknad i närheten och köpte mat, en kastrull och en skurhink.

– Sa du inte att det fanns kokerska för de boende? frågade Anders en kväll när barnen somnat. Och fritidspedagoger och läkare?

– Jo, sa jag, men det är för dem som bor i de andra fastigheterna, de ordinarie platserna. Det här är bara en reservplats.

I vårt rum på nedre botten fanns en våningssäng i barnstorlek och två enkelsängar med träramar och sviktande resårbottnar. Rummet var så litet att enkelsängarna måste stå med gavlarna mot varandra, annars kunde man inte gå i rummet.

Men efter att ha legat med hjässorna mot varandra i två nätter beslutade jag och Anders att möblera om varenda kväll. Vi var så vana att ligga tätt tillsammans, att känna varandras hud hela tiden, att vi inte sov ordentligt annars. Träramarna gjorde det omöjligt att ligga lika intrasslade som vi brukade, men vi kunde åtminstone hålla om varandra.

Katarina kom till huset då och då och satt inne på kontoret och pratade i telefon. Det hände att någon av de anställda följde med henne, en äldre kvinna som hette Ebba eller en äldre man som hette Konrad, men oftast var det en ung man som hette Erik. Ibland kom Erik ensam och använde faxen eller telefonen. Ofta satt Katarina och läste en tjock bok därinne på kontoret, och en dag såg jag att det var Bibeln. Andra gånger gick hon runt från rum till rum med ett drömmande uttryck i ansiktet och läste mumlande bibelcitat högt för sig själv.

– Jag är så glad att jag kan hjälpa människorna, sa hon och log mot mig när hon ställde tillbaka Bibeln bland pärmarna på kontoret.

Jag tog sats och frågade om jag fick använda telefonen, bara om det var något alldeles särskilt, och efter viss tvekan gick hon med på det.

– Men inga utlandssamtal, sa hon och jag lovade.

Det nummer som jag hade till stiftelsen gick just till telefonen inne på kontoret. Ibland ringde den, länge och ihärdigt, men vi svarade aldrig.

I början av maj när den ringt särskilt intensivt i två dygn frågade jag Anders om han tyckte att vi skulle svara.

– Det där är säkert ett växelnummer, sa han. Det ringer förmodligen på deras andra kontor också, och det finns säkert ett skäl till varför de inte svarar.

Nästa dag upphörde telefonsignalerna, och jag andades ut.

Första gången jag använde telefonen var för att ringa till mina föräldrar för första gången på över ett år.

Det var min pappa som svarade. Hans röst var sig så lik, så trygg och vänlig att jag blev alldeles matt. Långsamt sjönk jag ihop i kontorsstolen och sa:

– Hej, det är jag.

Det blev tyst, precis som det brukade bli när jag hörde av mig efter mycket lång tid.

– Mia, sa han sedan. Hur har ni det?

Jag drog djupt efter andan, mina ögon fylldes av tårar.

– Vi har det mycket bra, sa jag och rösten bar inte riktigt. Vi har äntligen kommit i säkerhet. Det finns en fantastisk organisation som ska hjälpa oss att flytta utomlands, ser du…

– Så ni är i Sverige nu?

– Ja, sa jag, just nu är vi här, men vi hoppas kunna åka härifrån så snart som möjligt.

Min pappa blev alldeles tyst, och med ens förstod jag vad mina ord innebar för honom.

Mina föräldrar hade alltid hoppats att jag skulle kunna flytta hem, och nu hade jag dödat hoppet med några obetänksamma ord.

– Pappa, sa jag och reste mig upp som för att komma närmare honom, pappa förlåt, det var inte meningen att säga det på det viset, snälla pappa...

Men jag hörde att pappa grät i luren, korta förtvivlade snyftningar.

– Du får prata med mamma, sa han och lämnade över luren.

– Vad är det? sa mamma gällt och oroligt. Mia, är det du? Har det hänt något, vad har hänt?

– Mamma, sa jag, snälla mamma, allt är bra med oss, jättebra!

– Men varför gråter pappa? Varför är han ledsen?

– Mamma, sa jag, vi har det jättebra, men vi kommer att flytta utomlands.

– För gott?

– För gott.

Min mamma tystnade, jag hörde bara hennes tunga andhämtning.

– Vart? sa hon.

– Jag vet inte än, sa jag. Det spelar inte så stor roll.

– Men huset då? sa hon. Radhuset! Jag har hållit det så fint, jag har vattnat alla blommor hela tiden och pappa har redan klippt gräsmattan...

Jag sjönk ihop i stolen igen och gömde ögonen i handflatan.

– Förlåt, viskade jag. Förlåt för allt jag har gjort er.

– Mia, sa min mamma, Mia, var är du någonstans?

– Jag kan inte berätta det, sa jag tyst, men både jag och Anders och barnen har det bara bra. Hälsa min syster.

Och sedan lade jag på utan att vänta på svar.

Den första tiden hos stiftelsen Evigheten levde vi ungefär som vi gjort uppe i Smedjebacken. Vi åkte ut så lite som möjligt, men barnen kunde leka på baksidan av huset och det var en stor lättnad.

En dag i mitten av maj kom Katarina och Erik till huset, Katarina tog mig genast åt sidan.

– Jag har en god vän, sa hon, en väninna som är journalist. Hon ska skriva om stiftelsen Evigheten i tidningen, och det kommer att vara väldigt bra för verksamheten. Tänk så många vi kan hjälpa om fler känner till oss!

– Men, sa jag, är det inte farligt?

Katarina sträckte på sig.

– Det är ingen fara, sa hon. Vi är så väl dolda. Och skulle någon av våra fastigheter röjas så flyttar vi bara till någon av de andra. Men det viktigaste är förstås att reportern som skriver är pålitlig, och det är den här tjejen. Nu vill hon intervjua någon som gått igenom vår verksamhet och blivit helt raderad. Jag vill att du träffar henne och berättar din historia.

– Men, sa jag, ska det stå om mig i tidningen då?

– Inte så mycket om dig, utan om stiftelsen, sa Katarina och tog tag med bägge händerna om mina axlar.

– Jag vill att du gör det här för mig, sa hon, och jag nickade.

En solig lördag förmiddag körde vi till Skärholmen och parkerade vid Scandic hotell, vår Toyota bredvid Katarinas röda Mercedes.

Det stod en kvinna i solglasögon intill ingången, lutad mot ett räcke. Katarina gick fram till henne och hälsade entusiastiskt, jag följde tveksamt efter. Anders och barnen dröjde sig kvar på parkeringen.

– Mia, sa Katarina och vände sig mot mig, det här är Hanna Lindgren.

Reportern tog av sig solglasögonen och tittade ingående på mig med mörk och ganska kall blick. Vi hälsade och gick in i dunklet i lobbyn, jag kastade ett öga över axeln och såg att Anders gick bort mot lekplatsen vid Ikea med barnen.

Vi satte oss vid ett bord, jag sneglade på journalisten men sa ingenting om att jag kände till henne, att jag redan talat med henne en gång. Skulle hon känna igen mig?

Katarina började prata, hon berättade om stiftelsen, nya fakta jag inte hört förut.

Organisationen hade grundats av en ung kvinna som varit hotad av några ekonomiska brottslingar, och i sin förtvivlan hade hon upptäckt att samhället inte hade någon hjälp att ge henne. Därför insåg hon att hon måste rädda sig själv, och när hon väl utarbetat en metod för detta beslutade hon sig för att hjälpa andra människor. I dagsläget hade femtiotvå personer raderats genom stiftelsen Evighetens försorg, femtiotvå fall som samtliga hade varit fullständigt lyckade. Själva processen tog ungefär tre månader, och idag levde alla försökspersoner helt fria och trygga liv, antingen i Sverige eller utomlands. Organisationen arbetade helt ideellt och tog enbart betalt för sina utgifter, vilka uppgick till femtonhundra kronor per person och dygn. Alla anställda gick på minimilön för att hålla nere omkostnaderna, men ändå såg man till att hålla bemanning dygnet runt, med ständig kontakt med läkare, psykologer, advokater och vaktbolag.

– Så ni har läkare anställda? undrade reportern.

– Nej oh nej, sa Katarina, det skulle bli alldeles för dyrt. Dem kallar vi bara in vid behov.

– Från landstinget? frågade journalisten.

– Ja, just det.

– Och den avgift ni tar, täcker den advokatkostnaderna?

– Nej, sa Katarina, till det finns det ju rättshjälp. Vi tar bara betalt för de rent administrativa kostnaderna kring skyddet, och jag måste säga att vi blivit riktigt bra på det vi gör. Därför finns det utrymme nu att utvidga vår verksamhet, och därför känns det särskilt viktigt och angeläget för oss att presentera dig för Maria Eriksson.

Katarina vände sig mot mig och log och jag blev alldeles iskall.

Hon hade precis röjt min identitet för den här kvällstidningsreportern.

– Berätta, sa Katarina, varför det är så viktigt att du får hjälp av stiftelsen Evigheten.

Jag harklade mig lite och började försiktigt berätta. Jag visste ju att reportern redan hört det mesta den gången vi talades vid i telefonen från hytten i Björsjö, och hon måste ha känt igen historien, annars var hon korkad. Men hon röjde inte med en min att hon redan kände till mig och min berättelse.

Det blev ett märkligt möte. Det kändes som om vi talade förbi varandra alla tre, jag blev inte riktigt klok på varför jag var där.

Det var med stor lättnad jag åkte därifrån tillsammans med Anders och barnen.

DATUMET FÖR HUVUDFÖRHANDLINGEN i vårdnadstvisten om Emma närmade sig, och i början av juni började jag bli riktigt nervös. Jag åkte in till Stockholm och träffade min advokat på hans kontor inne i city för att gå igenom vad som skulle hända. Vi enades om att vår strategi skulle vara densamma som vid den förberedande förhandlingen för ett par år sedan, det vill säga lugn och faktabaserad.

Innan jag gick ställde jag de frågor jag egentligen kommit för att vädra:

– Måsta jag verkligen vara med? Måste jag åka tillbaka till min hemstad och träffa honom?

Min advokat såg på mig och nickade sakta.

– Jo, sa han, det måste du. För Emmas skull.

När jag kom tillbaka till stiftelsens hus lånade jag telefonen inne på kontoret en andra gång och ringde till polisen i min hemkommun. Jag uppgav min gamla identitet, den jag haft när jag en gång bodde där, förklarade att jag skulle upp i ett vårdnadsärende, att jag och min familj var förföljda av mannen jag skulle möta i rätten, och att jag nu undrade om jag kunde få någon form av polisskydd under tingsrättsförhandlingen.

Polismannen lät måttligt engagerad.

– Vad heter mannen som du säger hotar dig?

Jag uppgav hans namn och personnummer.

– Vänta lite, sa polisen.

Och jag väntade och väntade så länge att jag trodde att linjen brutits.

– Förlåt att det tog sådan tid, sa polismannen när han kom tillbaka. Jag kan väl säga så mycket som att jag förstår din oro, och jag har nu vidtagit samtliga nödvändiga åtgärder för att du ska kunna känna dig fullständigt trygg under förhandlingen.

– Samtliga? sa jag. För att jag ska kunna känna mig fullständigt trygg?

– Garanterat, sa polisen. Ring och meddela oss registreringsnumret på ditt fordon dagen före förhandlingen.

Katarina erbjöd sig på stående fot att följa med mig till rättegången. Jag blev oerhört tacksam, Anders kunde inte, för någon måste ju ta hand om barnen, och att ta Emma tillbaka till vår hemstad var helt uteslutet.

– Klart jag åker med, sa Katarina. Fattas bara annat. Vi är ju här för att stödja och hjälpa dig.

Vi hade en särskild hyrbil den dagen, och när vi närmade oss kommungränsen började mitt hjärta att slå, hårt och okontrollerat.

– Jag klarar inte det här, sa jag.

– Jodå, sa Katarina bakom ratten. Det kommer att gå bra…

I detsamma vinkades vi in av en polisbil med blåljus.

– Maria Eriksson? sa den uniformerade polisen när vi stannat och han kikade in genom min nedvevade ruta. Kan du och din väninna vara vänliga att komma med mig?

Förstummade klev både jag och Katarina ut ur bilen och följde polismannen bort mot blåljusen.

– Vi har fått order att stå för din säkerhet under dagens tingsrättsförhandling, sa polisen och öppnade bakdörren till bilen. Därför kommer vi att tillhandahålla eskort och fullt personskydd tills du lämnar kommunen igen.

Samtidigt som jag sjönk ner i baksätet körde ytterligare två polisbilar och en rad motorcykelpoliser fram, och under blåljus och sirener färdades vi den sista biten in till själva staden.

Hela konvojen körde ner i polishusets garage, och där fick vi vänta en stund medan en annan grupp poliser sökte igenom hela tingshuset och avlägsnade alla obehöriga personer, som man uttryckte det. De kastade helt enkelt ut hans kompisar.

Därefter fick vi byta bil, till en civil polisbil med mörktonade rutor, och så körde hela eskorten ut på gatan igen.

Känslan var helt surrealistisk, helt absurd. Här var jag tillbaka för första gången på många år, och jag såg hela världen som genom en svartvit gammal film.

Vi stannade utanför tingsrätten och väntade medan motorcyklisterna klev av. Jag hann räkna till fjorton polismän runt om mig, en del i uniform, andra civilklädda, några i skottsäkra västar med synliga vapen i hölster.

– Byggnaden genomsökt, allt klart, kom, sa en sprakig röst på polisradion och sedan fick vi gå in.

Jag fördes in i ett rum där förhandlingen skulle hållas, min advokat var redan där och jag satte mig bredvid honom, Katarina fick sitta på kortsidan av bordet.

Domaren och notarien bänkade sig, och sist anlände vår förföljare och hans advokat. Han gick genom rummet, jag kände hans ögon bränna och stirrade envist ner i bordet. Mitt hjärta bankade så att det borde ha dånat i hela rummet.

– Vi stänger nu, sa en polis som höll i dörren, och vi finns här utanför hela tiden.

Jag såg på polisen och nickade, och sedan drogs min blick obevekligt till mannen mitt emot och fastnade i hans. Han log mot mig, ett hånfullt, skadeglatt leende, nu har jag dig, sa hans ögon, nu ska du krossas.

Jag tyckte hela rummet gungade, som om jag befann mig i en ond och galen dröm.

Först talade advokaterna, förklarade parternas ståndpunkter. Och hela tiden satt mannen som förföljde oss och hånlog med sina brinnande ögon.

Precis som vid den förra förhandlingen redogjorde min advokat kort för vår ståndpunkt, att flickan skulle vara kvar hos mig och att något umgänge inte skulle förekomma. Skälen var min före detta fästmans totala ointresse för flickan, hans försök och hot att skada henne, hans misslyckade försök att få ut ett pass och skicka iväg henne till Mellanöstern, hans bristande samarbete under de gångna åren och alla de tillfällen som getts honom att ha umgänge med flickan, hans nekande till faderskapet och hans misshandel och konstanta förföljelse av mig. Sedan tre år tillbaka levde vi, på myndigheternas begäran, under jorden på grund av förföljelsen.

Hela tiden medan min advokat talade brände mannens sarkastiska blick på min hud och gjorde mig illamående, jag trodde att jag skulle kräkas.

Sedan talade hans advokat och förklarade att alltsammans var ett misstag. Hans klient krävde omedelbar vårdnad om flickan, och om inte rätten godkände det, krävde han att få umgänge med flickan Emma varannan helg från fredag klockan sexton till söndag klockan sexton.

Det är bara så att du ska kunna skicka henne till Mellanöstern, tänkte jag och såg rakt in i hans blick.

Vårdnadsutredningen gicks igenom, och sedan sa domaren:

– Maria Eriksson, kan du formulera för mig varför du anser att du är den bästa vårdnadshavaren för Emma?

Mannen mitt emot mig lutade sig fram över bordet och log segervisst, han lade sina händer nära mina, händerna jag fortfarande kände runt min hals i mina mardrömmar, händerna som slagit hål i Emmas huvud för bara några månader sedan.

– Jag vet inte om jag kan, sa jag tyst och drog snabbt bort mina händer och lade dem i knät.

Domaren böjde sig fram emot mig.

– Jag är ledsen att jag måste utsätta dig för det här, sa han lågt, men vi måste gå igenom alltsammans. Ta god tid på dig, och så talar du om precis vad du anser.

Jag började stapplande berätta vad som hänt, hur vi haft det och hur vi levde. Jag grät, och min röst verkade avlägsen och frånvarande, hela tiden brände hans ögon vid mina läppar.

När jag tystnade var det hans tur att tala, och han beskrev överlägset allt jag upplevt som ett enda stort, banalt missförstånd. Visserligen hade han hotat och slagit mig tidigare, men det var bara för att han inte förstått de svenska lagarna. Nu gjorde han det, och han skulle aldrig göra oss illa mer, tvärt om. Enda skälet att umgänget inte redan fungerade var för att jag var så hysterisk. Men trots detta var han, om han inte fick hela vårdnaden själv, beredd att dela den.

– Jag kan köra henne till dagis varje dag, erbjöd han sig och slog storsint ut med armarna.

Jag lutade mig mot min advokat och viskade:

– Han har inget körkort.

– När fick du svenskt körkort? frågade min advokat och mannen på andra sidan bordet blev alldeles sotsvart i ögonen, han reste sig upp och började skrika okontrollerat, svor åt min advokat, svor åt domaren, han kallade det svenska rättsväsendet för onämnbara saker, han levde om så att jag trodde poliserna därute skulle rusa in, men hans egen advokat lyckades till slut få tyst på honom.

Och i nästa sekund var rättegången över, för där och då fattade domaren sitt beslut. Han gav mig vårdnaden om Emma och han beslutade att något umgänge inte skulle förekomma.

Pang!

Klubban i bordet!

Jag såg förvirrat upp på min advokat samtidigt som mannen mitt emot oss vrålade rakt ut, hade jag vunnit? Var det över nu?

– Jag ska överklaga! Jag ska mörda dig, din jävla hora!

Dörren öppnades och några av poliserna bar iväg med honom, de släpade ut honom genom dörröppningen och vidare genom entréhallen, och hela tiden skrek och svor han att hämnas på mig och hela världen.

– Mia, sa min advokat och lade handen på min axel, jag tror det här är över nu.

Jag reste mig upp på vingliga ben och höll mig stadigt i bordsskivan.

– Tack, mumlade jag.

Det visade sig att han hade rätt. Mannen som förföljde oss försökte visserligen överklaga domarens beslut till hovrätten, men de tog inte upp målet, och någon mer vårdnadsförhandling ägde aldrig rum.

Jag och Katarina kördes sedan ut ur staden med samma poliskonvoj som vi åkt in med, bort till hyrbilen på andra sidan kommungränsen, och sedan rullade vi långsamt och i tankar tillbaka till stiftelsen Evighetens kontor.

Lättnaden när vårdnadsrättegången väl var över var enorm. Det var egentligen först då jag insåg hur fruktansvärt rädd och pressad jag varit inför förhandlingen. Utslaget innebar ett stort steg på vägen mot ett nytt liv för oss. Hade han fått umgängesrätt eller delad vårdnad hade vi aldrig kunnat flytta utomlands, men nu var det hindret undanröjt.

Märkligt nog fick det luften att gå ur mig lite grann. Jag sov väldigt mycket de följande dagarna, hade lätt till gråt.

En natt drömde jag den gamla vanliga mardrömmen igen, men tydligare och klarare än på länge.

Jag låg i en säng, det var mörkt och natt. Jag slog upp ögonen och tittade på väggen framför mig, kände igen gatlyktans karaktäristiska spel genom björkens nakna grenar. En monumental glädje sköljde över mig, tårar steg upp i mina ögon, åh Gud, jag var hemma! Jag hade fått komma hem!

Sedan kom skräcken och gjorde det omöjligt att andas.

För där var han, han stod framför mig igen. Hans ansikte låg i skugga, men jag visste att det var han. Förskärarens knivblad glimmade i hans hand.

Han har lyft av min ytterdörr, tänkte jag, och med ens kände jag luftdraget utifrån trapphuset.

– Jag börjar med dig, sa hans röst fastän jag inte kunde se hans läppar. Sedan tar jag ungen.

Mina fötter blev tunga som bly, jag förmådde inte röra mig. Munnen var alldeles kruttorr, jag försökte skrika men kunde inte. Han böjde sig över mig och hans händer var lika torra som förr.

Ett ögonblick senare svävade jag under taket och såg mig själv ligga livlös på sängen. Han stod lutad över Emma, hon var bara en baby, en liten flicka i rosa pyjamas med hundvalpar på.

Det här händer inte, tänkte jag. Det här har hänt förut. Det är inte sant.

Jag vaknade med ett ryck, svettig och törstig, solen stod högt och sken rakt in på mitt ansikte. Anders säng var redan inskjuten mot väggen igen, barnen satt på Emmas underdel av våningssängen och lekte med lego. Hjärtat bankade så hårt att det ekade i kroppen.

Mina underbara barn, de var värda allting i världen.

Emma tittade upp och mötte min blick. Genast släppte hon legobitarna bland lakanen och kröp över till min säng.

– Mamma, sa hon och kröp ihop intill mig med tummen i munnen.

Jag kysste hennes hår och vaggade henne sakta.

– Snart, sa jag. Snart är allting över.

DET BLEV SOMMAR och varmt, gräsmattan bakom huset såg snart ut som en vildvuxen äng. Barnen älskade att jaga humlor och plocka maskrosor med vilka vi gjorde konstfulla arrangemang i de mest kantstötta dricksglasen.

Vi såg allt mindre av Katarina, och telefonen inne på kontoret ringde alltmer. Ibland trodde vi att vi skulle bli tokiga av alla signaler.

Ebba, Konrad eller Erik kom ibland på korta besök då de hämtade något, faxade eller ringde. De gångerna drog vi oss alltid utomhus eller in på vårt rum. Vi ville inte störa. Ebba skrev ibland på en gammal elektrisk skrivmaskin, vi hörde knattret genom de tunna väggarna.

Sent en kväll i juli kom Katarina in i huset och såg väldigt stressad ut.

– Vi har inga platser kvar, sa hon till mig, men vi måste ändå bereda rum för en kvinna och hennes barn någonstans, och jag tänkte att hon kunde bo uppe i ett av rummen på övervåningen. De är i ganska dåligt skick. Kan du se till dem och kolla så att de får något att äta?

Jag såg förvånat på Katarina.

– Det är klart att jag kan laga lite mat, sa jag. Vad är det som har hänt?

– Mamman höll på att bli mördad. Pappan våldtog och nästan ströp henne, men äldsta pojken ringde 112. När läkarna kom var hon livlös, men de fick igång henne igen i ambulansen. Hon är riktigt skakad och barnen också, för de stod tydligen bredvid och såg alltihopa.

– Herregud! sa jag bestört. När hände det här?

Katarina sprang omkring och letade efter någonting.

– Tidigare ikväll. Har vi inga fler täcken?

– Jo, sa jag, där uppe. Var är de nu?

– Ute i bilen.

– Men inte kvinnan väl? Hon ligger väl kvar på sjukhuset?

Katarina stannade upp, andfådd och med håret i oordning.

– Hon kunde ju inte lämna barnen. Jag sa att vi kunde ta emot dem.

Hon tog några snabba steg fram till mig.

– Mia, sa hon, vi är så överbelagda. Det finns ingen i personalen som kan ta hand om familjen, vi har en sådan otrolig arbetsbörda, och vi är enda chansen för de här människorna. Snälla du, kan inte du hjälpa mig med det här?

Jag tvekade inte ens.

– Det är klart, sa jag. Om det finns något jag kan göra...

– Bra, sa Katarina och skyndade ut ur huset igen för att hämta familjen.

Kvinnan hette Cecilia och var blond och skör. Med Eriks hjälp stapplade hon in i rummet bredvid vårt, sjönk ner på bäddsoffan. Hennes hals var blåsvart, hon hade svårt att tala. Barnen, två pojkar och en liten flicka, hade ögon som brunnar och vägrade släppa sin mamma ur sikte för en enda sekund.

Jag kände hur jag stirrade på de främmande människorna och kunde samtidigt se mig själv i deras situation.

Så där hade också jag suttit, våldtagen och nästan strypt, så där skulle mina barn komma att se ut om det här inte slutade.

– Jag fryser, kraxade kvinnan fram.

Jag sprang upp på övervåningen och hämtade några gamla täcken, dammade av dem på förstutrappan och gick in med dem igen.

– Vill du ha något att dricka? frågade jag och stoppade om henne med det renaste täcket. Något varmt? Lite varm mjölkchoklad? Barnen knuffade på och ville sitta bredvid mamma, jag lyfte upp den lilla flickan och delade ut täcken till dem allihop.

– Vill ni också ha mjölkchoklad?

Alla tre nickade.

– Jamen vad bra, sa Katarina och log. Då klarar ni det här själva så åker vi.

Hon vinkade och försvann ut genom dörren. Jag gick ut i köket, från fönstret såg jag baklyktorna på den röda Mercan försvinna bort på gatan.

Barnen var hungriga, de hade inte ätit på hela dagen. Jag gjorde lite stuvade makaroner och köttbullar åt dem, de åt som hästar.

Så småningom lyckades jag och Anders gemensamt övertala pojkarna att gå upp och sova på övervåningen, men den lilla flickan satte sig på tvären. Hon höll sin mamma i handen och släppte inte taget.

– Jag trodde inte han menade allvar med sina hotelser, hostade kvinnan när dottern äntligen fallit i sömn. Visserligen kunde han dunka på mig så att både tänder och revben rök, men inte fasen trodde jag att han faktiskt skulle försöka ta livet av mig...

Trots sin skrovliga röst och såriga hals pratade kvinnan om sin man och sitt liv i stort sett hela natten. Jag satt bredvid och sa egentligen inte så mycket, lyssnade mest och strök hennes hand när hon grät. Hennes berättelse var så klassisk, så väldigt lik min egen. Den stormande kärleken, det krypande tvånget, minskade livsrummet, kontrollbehovet som bara växte, våldet som blev allt värre, de ångerfulla vädjandena, perioderna av normalitet och sedan mordförsöken, det totala maktbegäret.

Så vi har det, vi kvinnor, tänkte jag.

Det var tur att det fanns någon som Katarina som brydde sig om oss.

Jag fick en ny kompis i den lilla flickan. Hon följde mig vart jag än gick, och efter ett par dagar insisterade hon på att sova hos oss också. Cecilia misstyckte inte, så vi lät henne hållas.

Emma närmade sig försiktigt och förundrat den yngre flickan. Hon matade den lilla med äppelbitar och trolldeg tills hon satte i halsen eller stortjöt, bar runt på flickan och klädde ut henne till prinsessa i en gammal underkjol tills hon somnade.

Varken Katarina eller någon annan ur personalen syntes till de följande dagarna, och jag kände mig alltmer villrådig ju längre tiden gick.

Vad hade Katarina egentligen menat med att jag skulle ”hjälpa henne med det här”?

Till slut satte jag mig ner med Cecilia och gick igenom hela hennes levnadssituation, och uppriktigt sagt var den i en enda röra. Hon hade ett deltidsjobb men hade inte kunnat vara där på länge, vilket inneburit att hon inte fick någon lön. Hon var inte sjukskriven trots alla sina skador, vilket var enkelt avhjälpt med ett telefonsamtal till läkaren som räddat livet på henne ett par dagar tidigare.

– Nu har du åtminstone pengar på väg in, sa jag och bockade av ”inkomst” på listan.

Cecilia var inte gift med mannen som hållit på att döda henne, men de var fortfarande skrivna på samma adress. Hon hade ensam vårdnad om barnen, men mannen betalade inget underhåll och hon fick inget bidragsförskott. För att kunna ordna det behövde hon en egen bostad, och det var lite knivigare eftersom hon ville vara kvar i Stockholmstrakten.

Efter en del funderande ringde jag upp en gammal klasskamrat som fortfarande jobbade på min förra arbetsplats, banken i min hemstad. Jag visste att jag kunde lita på henne. När vi gömdes undan var det min klasskamrat som registrerat mina skyddade bankkonton, och efter det hade vi hållit en sporadisk kontakt genom åren. Jag tvekade att dra in fler personer i Cecilias liv, men samtidigt insåg vi båda två att hon inte skulle klara sig ensam. Ingen människa överlever utan andra, hur gömd man än är.

Banken ägde ett antal hyresfastigheter i och runtom Stockholm, och i en av dem fanns en lägenhet där Cecilia kunde flytta in redan den 15 juli. Medan jag ändå höll på bad jag min kontakt ordna ett skyddat bankkonto åt henne också, där sjukpenning, barnbidrag, bidragsförskottet och så småningom lönen skulle gå in. Hon skulle vara tvungen att byta jobb, men hon hade en bra utbildning och många års erfarenhet i sitt yrke, så det skulle hon klara.

Sedan ringde jag lokala skattemyndigheten i den kommun där Cecilia var mantalsskriven och ordnade en spärrmarkering i statens person- och adressregister. Jag började med att förklara läget på telefon, först för chefen för lokala skattemyndigheten i hennes gamla hemkommun och sedan samma sak för den i hennes nya. Sedan faxade vi en skriven ansökan till cheferna för bägge lokalkontoren, allt för att undvika glipor och läckor i systemet.

– Är jag osynlig nu? frågade Cecilia med stora ögon och en röst som snart var helt normal.

Jag var tvungen att le.

– Inte direkt, sa jag. En spärrmarkering i adressregistret innebär att dina personuppgifter inte är tillgängliga för allmänheten. Man kan alltså inte få reda på din adress och ditt personnummer bara genom att ringa ett samtal. För att du ska få en sådan markering krävs att det finns en polisanmäld hotbild mot dig, och det gör det ju.

– Men vad betyder det? frågade hon oroligt.

Jag försökte förklara de olika stegen kring skyddad identitet för henne. I vanliga fall fanns hennes adress överallt, hos doktorn och tandläkaren, barnens skolor och dagis, tidningar och företag som använde den för att skicka ut olika erbjudanden. Med en spärrmarkering syntes inte uppgifterna, men de fanns där.

Kvarskrivning var ytterligare ett steg på vägen. Då var man inte bara spärrad, utan borttagen. I sådana fall var det bara lok-chefen på ens gamla skattemyndighet som visste var man egentligen var skriven, men inte ens han kände till var man verkligen bodde. Det var svårt att få, måste finnas ett åklagarbeslut i botten.

Hjälpte inte det kunde man få en ny identitet och ett nytt personnummer, men det var ett regeringsbeslut.

Cecilia såg imponerad ut.

– Regeringen, oj då, har de tid med sådant?

– Det är inte särskilt vanligt, sa jag. Handlar bara om ett par fall per år.

– Hur kan du känna till allt det här?

Jag såg ut genom fönstret, det skulle snart börja regna.

– Att gömma mig är det enda jag hållit på med de senaste tre åren, sa jag och reste mig upp. Har du bestämt dig för vilken skola du ska välja till barnen?

Det hade Cecilia, och efter lunchen ringde jag och talade både med rektorn och studierektorn och informerade dem om barnens skyddade identiteter och vad det innebar.

Senare samma eftermiddag fick jag tag i barnpsykologen N.N. i Ludvika. Hon kände till en klinik i södra Stockholm som kunde ta in både barnen och Cecilia på psykiatriska stödsamtal.

Åtta dagar senare kunde Cecilia och barnen lämna stiftelsen Evigheten med åtminstone början till ett nytt liv.

Så småningom åtalades hennes före detta man för våldtäkt och mordförsök.

Mannen dömdes till fem års fängelse.

När Cecilia och barnen åkt fick jag äntligen tid över för mina egna barn igen.

Till min stora lättnad verkade de inte ha saknat mig så mycket, trots att jag inte hunnit upprätthålla de rutiner vi annars var så noga med. Tvärt om verkade de starkare och frimodigare än jag sett dem på länge.

Det hade gjort dem gott att träffa jämnåriga.

Snart, tänkte jag. Snart åker vi utomlands, och då kan de leka hur mycket de vill.

Ett par dagar senare kom Katarina in till oss när vi satt i vårt rum och lade ett pussel, hon var stressad och mycket irriterad.

– Länsrätten sitter och sover, utbrast hon. Ditt fall kommer inte upp förrän till hösten, och under tiden kan vi inte göra någonting annat än att vänta.

Jag och Anders bytte en blick, han tog snabbt med sig barnen ut i köket.

Katarina gick upprört fram och tillbaka.

– Cecilia har åkt iväg, sa jag. Jag lyckades ordna lägenhet och läkare åt henne och barnen, och skyddade personuppgifter och dagis och skolor…

– De där förbaskade artiklarna i tidningen kommer ju aldrig heller, sa hon, och nu måste jag iväg på ett möte, fast jag egentligen inte hinner…

Hon hejdade sig mitt i steget och såg på mig.

– Mia, sa hon, kan inte du åka?

Jag ställde ner min kaffekopp på golvet.

– Vad menar du? sa jag försiktigt.

– Kan inte du åka och träffa den här socialtjänstemannen? Du behöver inte säga någonting, du bara lämnar fram de här pappren…

Hon snurrade iväg ut ur rummet, jag hörde henne gå in på kontoret och ett ögonblick senare var hon tillbaka med några lösa blad i handen. Jag såg direkt att det var samma utskrifter om stiftelsen Evighetens uppbyggnad som hon givit mig den gången vi träffats på Scandic hotell i Skärholmen.

– Räck fram de här bara och sedan hänvisar du till mig om de har några frågor. Kan du göra det för mig?

– Men, sa jag, varför?

– Det är ett fall som kanske ska komma in.

– Men, sa jag igen, har ni inte fullbelagt?

– Kan du åka, sa Katarina, eller ska jag be någon av min utarbetade personal att släppa den blåslagna kvinna han sitter med och släpa sig iväg till tunnelbanan?

– Jag åker, sa jag. Vart ska jag?

Jag hamnade långt ute i en annan förort som jag inte visste fanns. Först gick jag ut genom fel utgång från pendeltågstationen och kom helt vilse. När jag slutligen hittade socialförvaltningen var jag över en kvart försenad.

Receptionisten visade mig till socialtjänstemannens rum och jag klev på, försagd och ganska generad. Det satt en ljus liten kvinna där inne tillsammans med socialtjänstemannen, hon hade bleka ögon och ett osäkert drag runt munnen.

– Så du kommer från stiftelsen Evigheten? frågade mannen och jag nickade.

– Ja, sa jag, jo, det gör jag.

För det gjorde jag ju, på sätt och vis.

– Jag förstår inte riktigt vad ni tänker göra, sa han, och jag tycker ni tar hutlöst bra betalt.

Jag fumlade lite men sträckte sedan fram de papper Katarina givit mig.

– Om ni har några frågor går det bra att ringa till föreståndaren på telefonnumret längst ner, sa jag.

Det var växeltelefonen som även ringde på vårt kontor.

Mannen satte glasögonen till rätta på näsan och läste koncentrerat en lång stund. Sedan vände han på bladet och tittade på den tomma baksidan, till sist tittade han upp på mig över sina bågar.

– Det här säger väl ingenting, sa han. Vad menar ni med ”handledning i hur livet med skyddad identitet kommer att fungera”? Vad innebär det?

Jag bytte fot och bet mig i insidan av kinden.

– Jag vet faktiskt inte, sa jag. Jag är inte så insatt.

– Varför kommer du hit om du ingenting vet?

Jag kände mig som en jubelidiot. Jag kunde ju inte säga att jag själv var en av de gömda i det skyddade boendet på stiftelsen Evigheten.

– Jag är ledsen, sa jag bara.

– Det här kan vi inte gå med på, sa han. Det kommer inte på fråga. Vi kan inte skicka iväg någon till er.

Den bleka kvinnan öppnade munnen för att säga något, men mannen reste sig och signalerade att mitt korta besök var slut.

– Sa han nej?! sa Katarina upprört. Vägrade han att hjälpa stackars Petra, trots att vi är hennes enda chans?

Jag kände mig kantig och dum, visste inte vad jag skulle svara.

– Du kan inte ha gjort särskilt bra ifrån dig, sa Katarina och gick in på kontoret och stängde dörren.

– Det här blir allt konstigare, sa Anders som stod lutad mot fönsterkarmen och tittade ut på hällregnet där utanför. Håller hon på att dra in dig i det här som någon sorts oavlönad personal?

– Vi får faktiskt vara här fast vår kommun fortfarande inte gått med på att betala, sa jag med en större hetta än jag egentligen kände. Det är väl inte mer än rätt att jag försöker hjälpa till?

– Hur mycket kan det egentligen kosta att ha oss här? sa Anders och gick bort till sin säng. Vi bor i ett enda kyffe alla fyra, betalar all mat och allting annat själva, både för oss och för den där andra familjen som var här. För en tusenlapp i månaden skulle vi kunna hyra ett sådant här rum var som helst.

– Var inte dum, sa jag. Det är inte rummet som kostar. Det är ju skyddet, det skyddade boendet som man bygger upp omkring oss, möjligheten att emigrera och starta ett nytt liv i ett annat land.

I detsamma flög dörren upp igen och Katarina kom ut, glädjestrålande.

– Han sa ja! Socialtjänstemannen ändrade sig. Jag visste väl att jag skulle få honom att ta reson!

Hon skyndade att ta på sig regnjackan och sprang ut till sin bil.

Två dagar senare var hon tillbaka, och då hade hon Petra med sig.

Det regnade fortfarande, ett kyligt och tungt regn som aldrig ville sluta. Både Petra och hennes tvillingdöttrar var alldeles genomblöta när de klev in i hallen med sitt våta bagage.

Jag gick fram för att ta i hand, men Katarina trängde sig förbi dem och drog in mig på kontoret innan jag hunnit hälsa.

– Jag sitter i skiten, sa hon och lät alldeles desperat. Jag har ingenstans att sätta de här människorna, och jag vet faktiskt inte vad jag ska ta mig till.

– Övervåningen, sa jag, kan de inte bo i rummet däruppe där Cecilia bodde?

Katarina brusade upp, tog ett par snabba steg mot mig och slog ut med händerna.

– Jag kan inte ha en massa folk springande här, på vårt kontor! Det här är bara en reservplats och den tar ju du!

Jag kände hur jag blev alldeles varm i ansiktet, skamset slog jag ner blicken.

Här satt jag, utan att Katarina fick betalt, och saboterade hela hennes verksamhet.

– Du får ordna det här, sa Katarina. Jag måste åka bort, jag orkar inte längre.

Och sedan gick hon helt enkelt ut ur kontoret och lämnade dörren öppen. Jag hörde hennes klackar klappra över korkmattan och sedan ytterdörren som åkte igen.

– Vad sa hon? frågade Anders i dörröppningen.

– Att hon åker bort, sa jag och hörde själv hur förvånad jag lät. Att jag måste ta hand om Petra och hennes barn.

– Jamen vad fan, började Anders, men jag trängde mig förbi honom och gick ut till den genomvåta kvinnan.

De hade stått och väntat på Katarina i över en timme i hällregnet, det var därför de var så blöta. Regnet hade trängt in i deras väskor, det fanns inte en klädtrasa som var torr. Petra var väldigt stressad, hon virrade runt och grät och skrämde upp både mina och sina egna barn. Till slut skickade vi ut henne i köket och stängde dörren.

Flickorna fick låna kläder av Emma, och Petra av Anders, hon var mycket kraftigare än jag och gick inte i mina byxor.

Tvillingarna somnade så småningom på bäddsoffan ute i rummet, Anders satte sig och surade inne på vårt rum medan jag drog mig ut i köket till Petra.

Hon grät. Hon låg över köksbordet och hulkade så att axlarna skakade.

Lite tafatt lade jag min hand på hennes arm, men hon skakade bort den.

– Jag förstår att du är förtvivlad, sa jag, men låt oss försöka prata om vad vi ska göra.

– Katarina sa till min socialsekreterare att det skulle finnas läkare, sjuksköterskor, kokerskor och allt möjligt hos stiftelsen Evigheten! grät kvinnan och såg upp på mig, hennes ansikte var upplöst av tårar. Det här är ju bara ett ruckel.

– Jo, sa jag, men det här är bara en reservplats. Det är fullt på de riktiga platserna.

– Men jag vill till en riktig plats!

– Ja, sa jag stressat, det förstår jag verkligen, men Katarina har åkt och hon sa åt mig att jag skulle hjälpa dig, men då måste du sluta gråta.

Kvinnan rätade på ryggen och såg på mig ordentligt för första gången.

– Det var ju du som kom till mötet på socialtjänsten! sa hon och gjorde en ansats att torka tårarna. Vem är du? Jobbar du här?

– Nej, sa jag. Jag är...

Vad skulle jag säga? Intagen?

– ... jag bara bor här, sa jag, precis som du. Jag är också förföljd.

– Jag vill inte vara här!

Jag förstod att jag måste ha tålamod.

– Petra, sa jag och lutade mig fram mot kvinnan, lyssna på mig, Petra. Jag vet inte vad Katarina har sagt eller lovat, men jag ska hjälpa till, om jag kan. Berätta nu vad som hänt dig, så ska vi se vad vi kan göra.

Hennes situation var inte alls lika komplicerad eller alarmerande som Cecilias, men hon var betydligt mer hysterisk som person. Hon behövde en ny lägenhet och skyddade personuppgifter, dagisplats åt flickorna och kontakt med sjukvården och psykiatrin. Det var inte särskilt svårt att ordna.

Problemet bestod i vart de skulle ta vägen medan allting ordnades.

– Du kan stanna här i natt, sa jag, och så får vi hitta på något i morgon.

Vi drog ut en madrass i vardagsrummet, och sedan somnade hon på golvet bredvid sina småflickor.

– Det här är ju helt sjukt, sa Anders när jag äntligen kunde stänga dörren till vårt rum.

– Jag vet, sa jag.

– Vad ska du göra med henne?

Jag sjönk ner på min säng, drog upp benen under mig.

– Det finns bara en sak jag kan komma på, sa jag.

Morgonen därpå använde jag telefonen igen.

Jag ringde till ägaren av Björsjö skogshem och förklarade precis hur allting låg till. Att jag behövde hjälp, inte för egen del utan för en kvinna jag träffat på. Hon behövde någonstans att ta vägen, men jag hade ingen möjlighet att betala.

– Skicka hit henne, sa ägaren. Hon kan bo här tills det ordnat sig.

Det finns fantastiska människor!

Efter frukosten packade vi in Petra, flickorna och det någorlunda torra bagaget i bilen. Det hade slutat regna och en matt sol sken över villaområdet. Marken var sur av det kraftiga regnet, det luktade jord och fukt.

Anders skulle köra dem upp till Björsjö skogshem. När Petra väl var installerad där så kunde jag stjälpa över ansvaret på socialtjänsten i Dalarna.

– Ring om det är något du undrar över, sa jag och räckte henne en lapp med telefonnumret som gick till kontoret inne i huset.

Jag och barnen vinkade när Toyotan rullade iväg utmed gatan.

– Varför var tanten ledsen? frågade Emma.

Jag lyfte upp henne i famnen och pussade henne på näsan.

– Det var någon som varit dum mot henne, sa jag. Ibland träffar man på människor som är elaka, men de allra flesta är snälla.

– Han är dum, sa Emma plötsligt och hennes blick blev blank. Jag vet en som är dum, han slog mig.

Jag höll min flicka intill mig, hårt, hårt.

– Jo, viskade jag, det finns en som är dum. Men han är borta nu. Snart är han borta för alltid.

Anders kom hem på kvällen, trött och sluten.

– Det här är inte klokt, sa han. Vi kan inte hålla på och utnyttja folk omkring oss på det här sättet.

Jag gick fram till honom och höll om honom, länge.

Mitt i natten väcktes jag av att det ringde ute på kontoret. Det ringde och ringde, till slut vaknade också Anders.

– Det kanske är Petra, mumlade han, och jag stapplade upp för att svara.

Försiktigt lyfte jag luren, lyssnade en sekund.

– Hallå? sa jag tveksamt.

Någon andades i andra änden, en rosslande, snyftande andning.

– Hallå? sa jag. Petra, är det du?

Andningen kom stötvis och oregelbundet, som av hysterisk och utmattad gråt.

– Hallå! sa jag högt. Vem är det?

– Katarina? viskade en ljus kvinnoröst. Katarina?

– Katarina är inte här, sa jag. Vem är det jag talar med?

Kvinnan i luren grät.

– Katarina! ropade hon. Kom och hjälp mig!

– Vem är du? sa jag. Vad kan jag hjälpa dig med?

– Varför hjälper du mig aldrig? ropade kvinnan. Hjälp mig, hjälp mig!

Hon grät rakt ut, det började krypa längs min ryggrad, jag såg mig omkring i mörkret för att på något sätt hitta någonting att göra, någonting att säga, någonting som kunde hjälpa.

– Jag heter Mia, sa jag högt i luren. Jag kan hjälpa dig om du säger vem du är och vad saken gäller.

Gråten mattades av, kvinnan började andas lugnare.

– Det är jag, sa hon, Miranda.

Hon tystnade, som om namnet på något sätt var en nyckel till hela situationen.

– Miranda, sa jag, vad kan jag göra för dig?

– Jag måste få hjälp snart, sa hon. Jag klarar inte att bo så här längre. Barnen står inte ut, minsta flickan äter inte. Jag måste få komma till en doktor, snälla, låt mig komma till en läkare, och vi måste få gå ut snart, snälla Katarina, snälla...

Håret reste sig i nacken på mig, som i ett eko hörde jag mig själv och mina egna vädjanden på den tiden jag själv var helt fången och isolerad och Emma höll på att gå under.

– Får du ingen hjälp av Katarina? frågade jag och kände knappt igen min egen röst.

– Jag har inte hört ifrån henne sedan i april.

– Får du ingen hjälp av personalen?

– Vilken personal?

Tystnaden som bredde ut sig runt omkring mig var större än hela rummet och hela världen.

Ingen personal?

– Men Ebba? sa jag. Och Erik?

– Det är ju hennes mamma och lillebror. Finns det inget annat nummer man kan ringa? Var är Katarina?

Det snurrade i mitt huvud, jag var tvungen att sätta mig ner på skrivbordet.

– Vänta lite, sa jag, bor du hos stiftelsen Evigheten?

– Så klart.

– På en av de ordinarie platserna? Finns det inte läkare och kokerskor där?

– Vad?

– Finns det fritidspedagoger och stödpersoner dygnet runt?

– Var? Här?

Hon lät helt oförstående.

– Miranda, sa jag, var är du?

– I vårt rum.

– Var?

– I huset.

– Vilket hus?

– Ebbas hus, vi bor i ett rum på vinden men Ebba är aldrig här! Och Katarina kommer aldrig hit och vi får inte gå ut!

– Har du barn, Miranda?

– Fyra, och vi klarar inte det här längre nu!

Jag höll handflatan över ögonen och kände tankarna virvla. Ett fönster hade slagits upp i min hjärna och gardinerna dragits åt sidan, insikten svepte runt i alla skrymslen och vrår.

– Miranda, sa jag, jag ska försöka hjälpa dig. Jag ska försöka få tag i Ebba eller Katarina. Vad har du för telefonnummer?

– Jag vet inte.

– Vad står det för nummer på telefonen du ringer från?

– Det står inget, och Katarina vill inte berätta det. Vi är så ensamma, snälla hjälp oss!

Jag drog djupt efter andan.

– Jag ska försöka. Har du förresten ringt ofta på det här numret?

– Ofta, ofta, stammade hon.

Och jag som aldrig svarat, min dumma idiot!

– Från och med nu kommer jag att svara så ofta jag kan när du ringer, sa jag. Ring när du vill, hör du det, Miranda?

Jag fick henne slutligen att lägga på, och sedan gick jag bort till dörren och tände lyset.

I över fyra månader hade jag bott i det här huset utan att begripa någonting.

Det måste finnas en förklaring, tänkte jag och såg ut över pärmarna och kontorsmöblerna. Det måste finnas uppgifter om stiftelsen och Katarina här någonstans, det måste ju gå att få tag i dem!

Resolut gick jag fram till den första pärmen märkt ”Skyddat boende” och drog ut den.

Tom.

Inte ett papper fanns i den.

Jag drog ut nästa, märkt ”Åtgärder”.

Tom.

Raskt rev jag ut alla pärmar i hela bokhyllan.

Tomma varenda en.

I stället gick jag bort till skrivbordet och drog ut den översta lådan, där låg en packe papper.

Urkund och stadgar för stiftelsen Evigheten.

Jag tände skrivbordslampan och läste snabbt igenom det översta dokumentet.

Stiftelsen Evighetens urkund uppgavs vara en kvinna vid namn Gabriella Sofia Torsson, och så hennes personnummer.

De fyra första punkterna behandlade stiftelsens namn, säte, huvudsakliga ändamål och arbetssätt: att på sund, kristen grund utöva hjälpverksamhet bland behövande.

Den femte punkten slog fast att stiftelsen inte skulle stå under offentlig tillsyn, ordet ”offentlig” var felstavat.

Punkt sex slog fast att stiftelsens verksamhet och medel skulle förvaltas av styrelsen som bestod av Katarina Nilsson, Ebba Torsson och Erik Torsson, följt av deras respektive personnummer.

Jag stirrade på siffrorna efter namnen en stund, sedan flyttade jag blicken upp till urkunden och personnumret bakom grundaren Gabriella Torsson.

Katarina Nilsson Strömlund och Gabriella Torsson hade exakt samma personnummer.

De var en och samma person.

Jag flämtade till.

Katarina levde under två helt olika identiteter.

– Vad gör du? sa Anders bortifrån dörren och jag flög rakt upp. Hjärtat slog som besatt i mitt bröst, jag andades som om jag sprungit.

– Något är riktigt rejält fel med stiftelsen Evigheten, sa jag.

FRÅN OCH MED den natten gick vi igenom vartenda dokument vi kunde hitta i skåp och lådor i hela huset. Vi kopierade allt på den gamla kopieringsapparaten på kontoret.

Först tog pappret slut, vi fick köra vida omkring för att hitta samma sorts papper så att Katarina inte skulle upptäcka att vi använt det.

Sedan strejkade tonern, och vi fick ringa runt i hela Stockholmsområdet för att hitta en affär som sålde sådana till gamla apparater.

Där fanns lönebesked och olika projektbeskrivningar, inte bara av stiftelsen Evigheten utan också andra verksamheter och organisationer. I en ensam låda låg ett brev från en förtvivlad kvinna som undrade varför hon aldrig fått någon hjälp. Vi hittade underlag till flygbiljetter över hela Medelhavsområdet, hotellnotor och restaurangkvitton. Där fanns olika kostnadsförslag och offerter, och i byrån under faxen låg en enorm mängd fakturor. De var i en enda röra, den översta var ställd till socialtjänsten i kommunen där vi nu vistades och hade referenskoden Miranda.

”30 dygn, skyddat boende, juni 1992, à pris 1 500 kronor x 5, kronor 7 500, kronor 225 000.”

Jag blinkade och tittade igen.

Närmare en kvarts miljon! För att hon haft Miranda instängd en månad på övervåningen i sin mammas hus!

På dagarna fortsatte vi som förut. Vi lekte med barnen enligt de scheman vi gjort upp, städade och bakade och ritade och målade och läste.

Sommarvärmen klingade av, och eftersom vi aldrig hittat någon gräsklippare hade trädgården på baksidan av huset antagit karaktären av djungel. Barnen misstyckte inte, de jagade varandra och lekte kurragömma bland riset. Löven började gulna på träden, morgnarna började bli kyliga och råa. Miranda fortsatte att ringa i ojämna intervaller. Ibland flera gånger per natt, andra perioder kunde det gå flera dygn mellan samtalen.

Katarina såg vi inte till, och inte någon av ”personalen” heller.

Inte förrän en eftermiddag då hon dök upp i sin röda Mercedes, brunbränd men påtagligt stressad.

Jag gick emot henne på den igenväxta trädgårdsgången, fick stålsätta mig för att inte flyga på henne.

– Var har du varit? sa jag och kunde inte kontrollera min röst.

– Bortrest, svarade hon och trängde sig förbi mig. Jag var faktiskt väldigt slutkörd.

Hon svepte in i huset, jag följde efter och såg henne försvinna in på kontoret och dra igen dörren.

Jag gick dit och öppnade den utan att knacka.

– Det kommer hit en kvinna ikväll, sa Katarina innan jag hunnit öppna munnen. Du får ta hand om henne och barnen.

Hon rotade i en av skrivbordslådorna utan att se upp på mig. Jag tvingade mig att låta normal.

– Vad ska jag göra med dem? frågade jag.

Katarina såg upp ett ögonblick.

– Gör vad du vill, sa hon och fortsatte sitt letande.

– Kan hon inte bo i någon av dina fastigheter? sa jag, lutade mig mot dörrposten och lade armarna i kors. På någon av dina platser med kokerskor och fritidspedagoger?

Hon slog igen lådan med en smäll.

– Det finns inga fastigheter, sa hon och ville gå förbi mig, men jag ställde mig för och blockerade vägen.

– Det finns ingen personal heller, eller hur? sa jag. Bara du och din mamma, pappa och lillebror.

– Styvpappa, sa Katarina och försökte knuffa bort mig, men jag tog spjärn och stod kvar.

– Vad håller du på med? frågade jag stilla och det var som om luften gick ur kvinnan framför mig, hon sjönk ihop som en punkterad ballong och satte sig ned på en kontorsstol.

– Jag klarar inte detta, sa hon. Jag har verkligen försökt hjälpa de här kvinnorna, men ingen förstår mig.

Och så började hon gråta, tyst och hjälplöst först och sedan alltmer ylande, jag visste inte vad jag skulle göra.

– Jag vill ju bara hjälpa! Jag fattar inte varför alla vill mig så illa!

Hon grät så hon skakade, till slut böjde jag mig ner och klappade henne tafatt på ryggen.

– Katarina, sa jag, varför gör du allt det här?

– Vad? snyftade hon.

– Varför säger du att du gör en massa saker som du inte kan leva upp till?

– Men jag försöker bygga upp något, sa hon. Jag försöker ju bara komma igång!

– Du har hållit på länge, sa jag, som kopierat alla fakturor hon skickat iväg de senaste tre åren.

Katarina svarade inte.

– Vad har du gjort av alla pengar? frågade jag och hörde hur min röst blev kylig, och Katarina måste också ha uppfattat avståndstagandet för hon reste sig upp och vände sig bort.

– Omkostnader, sa hon kort. Kvinnan som är på väg hit har två barn, hon heter Henrietta. De kommer till tågstationen ikväll. Gör vad du vill med dem.

Och sedan gick hon, och jag visste att spelet snart var slut.

– Var är Katarina? frågade kvinnan. Vi har stått här i två timmar.

De stod mycket riktigt på stationen, en mycket rädd och förskrämd liten familj.

Henrietta hade gjort precis som Katarina Nilsson Strömlund sagt åt henne: hon hade gjort sig av med allting i livet, hade sagt upp sin lägenhet, magasinerat alla möbler, avsagt sig sönernas dagisplatser, givit upp telefonabonnemanget och meddelat sina få vänner att hon aldrig skulle komma tillbaka.

Hon hade till och med sålt sin bil.

Nu stod hon här med två resväskor och sönernas ryggsäckar och såg alldeles förgråten ut.

– Var är Katarina? frågade hon. Vi har stått här i två timmar.

Jag såg allvarligt på kvinnan, kunde inte säga som det var.

– Jag är här i stället för henne, sa jag. Jag ska hjälpa dig.

Återigen körde Anders den långa vägen upp till Björsjö skogshem. Återigen ställde våra vänner ägarna upp och inhyste den hotade kvinnan och hennes barn utan att någonsin få betalt. Återigen ordnade jag skydd, bostad, dagis och läkarhjälp åt den sargade familjen.

Det gick flera dagar utan att vare sig Katarina eller hennes familj syntes till.

Jag och Anders diskuterade oavbrutet vad vi skulle göra, hur vi skulle agera och vart vi skulle ta vägen.

– Först och främst måste vi försöka fatta hur han kunde hitta oss i Örebro och Smedjebacken, sa Anders sent en natt när vi satt ute i köket med var sin kopp te.

– Vad spelar det för roll? sa jag uppgivet. Gjort är ju gjort.

– Så att vi kan undvika att det händer igen förstås, sa Anders. Tänk efter! Hur bar han sig åt?

Jag strök med handen över pannan.

– Han kommer alltid att hitta oss om vi stannar på ett och samma ställe en längre tid, sa jag. Det spelar ingen roll hur vi gör.

Anders reste sig, ställde sig att titta ut på mörkret utanför köksfönstret. Han var tyst en stund, jag såg hans käkar mala.

– Småstäder, sa han sedan. Vi ska nog passa oss för mindre samhällen, man syns för mycket som nykomling på en liten ort.

Han nickade för sig själv och lade armarna i kors.

– Anonymitet, sa han och såg på mig. Vi klarar oss längre om vi bor någonstans där folk sköter sig själva. Vi måste bo kvar i Stockholmsområdet, i någon förort där det hela tiden är en viss omsättning på folk.

– Jag tycker vi ska åka utomlands, sa jag.

Anders satte sig igen, lade sina händer över mina.

– Tills vi åker utomlands, sa han.

Dagen därpå ringde jag min gamla klasskamrat igen och frågade om det fanns någon lägenhet i närheten av Stockholm som vi kunde få hyra utan att synas i några register. Hon lovade kolla upp saken och bad oss ringa tillbaka om några dagar.

– Det är lite bråttom, sa jag och kände paniken stiga. Vi sitter rätt så illa till.

– Hur illa? frågade min kollega.

– Så illa att vi nästan måste ha besked i eftermiddag.

– Ring mig klockan tre.

Jag hade ingen koll på hur stort bankens fastighetsbestånd egentligen var, men det måste ha varit rätt rejält, för när jag återkom till min kontakt ett par timmar senare hade hon hittat en tvårummare i en kommun söder om Stockholm som var tillgänglig från 1 oktober.

– Vi tar den, sa jag.

Då återstod bara frågan vad vi skulle göra fram till månadsskiftet, som fortfarande var två veckor bort.

– Jag tycker vi ska dra härifrån så snart som möjligt, sa Anders.

I detsamma hörde vi en bildörr slå igen på uppfarten, och sekunden därpå klapprade Katarinas klackar på trädgårdsgången.

– Äntligen, jublade hon när hon klev in genom dörren. Mia, allting löser sig!

Jag och Anders stod mållösa och förstenade medan hon sprang in på kontoret och drog ut Bibeln bland de tomma pärmarna.

– Gud har hört bön! ropade hon. Det kommer pengar, Mia!

Jag ställde mig i dörröppningen och såg bävande på kvinnan, hon kom fram till mig och log.

Det här var den Katarina jag kände igen. Den stolta, kompetenta, segervissa föreståndaren för den makalösa stiftelsen Evigheten, lösningen på alla hotade och utsatta människors problem.

– Jag har talat med länsrätten, sa hon. Ditt fall kommer upp nästa fredag, och det kommer att bli ett positivt beslut. De kommer att betala ut pengarna!

Hon tog tag i mina axlar och skakade mig lätt, fullständigt glädjestrålande.

– Mia, sa hon, jag kommer att få en komma sex miljoner, plus ersättning för den tid ni bott här, det blir två och en halv miljon!

Insikten som drabbade mig fick det att svartna för ögonen, gode Gud! Pengarna från Smedjebackens kommun! I den allmänna villervallan hade jag inte tänkt på dem. Jag skulle naturligtvis aldrig se skymten av några pengar, någon utlandsvistelse var det inte tal om.

– Och artiklarna i tidningen, fortsatte Katarina, nu ska de äntligen publiceras! Tänk, så många nya uppdrag vi kommer att få!

Hon släppte mig och dansade bort till skrivbordet, satte sig gnolande vid den elektriska skrivmaskinen och plockade upp två fakturaunderlag.

Jag vände mig om och skyndade bort till toaletten, rädd att plötsligt kräkas.

Efter att ha spolat kallvatten i ansiktet och samlat mig gick jag tillbaka till kontoret, Katarina höll som bäst på att faxa iväg någonting.

– Vi åker bort ett par dagar, sa jag. En liten tripp till Finland för att fira att vi kommer att få pengarna.

Katarina log.

– Jättebra idé, sa hon och tittade bort.

Hur har du tänkt att komma undan med det här? undrade jag och studerade den raka gestalten borta vid faxen.

Vad får dig att tro att vi aldrig kommer att skvallra?

Vad gör dig så säker på att jag inte avslöjar dig?

Samma eftermiddag ringde telefonen på kontoret och jag fick svaret på mina frågor.

– Katarina? frågade en klar och upprörd mansröst.

– Katarina är inte här, sa jag.

– Jag vill prata med henne, sa mannen, omedelbart!

– Vad är det som har hänt? sa jag.

– Jo, sa mannen, det ska jag tala om! Du kan säga åt den där jävla människan att hon ska inte tro att hon kan stoppa oss! Vi tänker säga sanningen, oavsett vad hon gör. Men försök inte få oss att hålla tyst genom att bussa bankrånaren på oss! Hör ni det!

– Ursäkta, sa jag, men kan du börja från början och berätta vad som har hänt?

Han hette Peter, hans fru Denise.

De var vittnen i ett åtal mot en bankrånare, men bankrånaren var inte särskilt förtjust i deras vittnesmål. Genast efter att han släppts ur häktet hade han börjat förfölja och terrorisera familjen, och inför rättegången hade hoten blivit så svåra att socialtjänsten i deras hemkommun anlitat stiftelsen Evigheten för att skydda Denise, Peter och deras barn.

Efter några veckor hade konstiga fakturor börjat dyka upp hos socialtjänsten: psykologisk hjälp till familjen, en hyrbil, skyddshandläggning och evakueringskostnader.

– Det här är ju rena bedrägeriet, sa Peter upprört. Vi har aldrig träffat någon psykolog. Vi har aldrig haft någon bilhyra. Och vad då för evakuering? Det här är ju inte klokt! Ni har ju inte gjort någonting!

Allt som allt hade socialtjänsten betalat ut etthundrasjuttiosju tusen kronor till stiftelsen Evigheten för hjälp till Peters och Denises familj, för en mängd olika åtgärder som aldrig utförts.

– Vi sa ifrån, sa Peter. Vi berättade för socialförvaltningen precis vad som hänt. Stiftelsen Evigheten är rena bluffen, och kommunen kommer att kräva tillbaka vartenda öre. Men att skicka bankrånaren på oss, det var verkligen droppen. Vad är ni för människor egentligen?

Jag var tvungen att sätta mig ner.

– Har er förföljare hittat er?

– Vi har brutit upp från allt, sa mannen förtvivlat, sålt vårt nybyggda hus och flyttat till ett nytt län, och ändå hittade han oss. Tre instanser kände till vårt telefonnummer, polisen, socialtjänsten och Katarina Nilsson Strömlund på stiftelsen Evigheten, och lika förbannat har vi honom i luren! Kan du förklara det?

– Nej, sa jag. Och jag tycker att du omedelbart ska polisanmäla Katarina Nilsson Strömlund både för bedrägeri och olaga hot.

Mannen drog efter andan och blev alldeles tyst.

– Tycker du? sa han bestört.

– Absolut, sa jag. Det är bra att du slagit larm till din socialtjänst. Jag befinner mig i exakt samma situation som du, och jag ska göra det jag också.

När jag lagt på stod Anders och såg på mig med stora, skarpa ögon.

– Så det är så hon får folk att hålla tyst, sa jag. Hon behöver inte ens framföra hoten själv, alla som kommer hit har ju redan förföljare som är beredda att stå för våldsamheterna.

– Snacka om den ultimata affärsidén, sa Anders.

Jag slog händerna för munnen.

– Anders, sa jag, det är något vi måste göra. Ögonblickligen.

– Vad?

– Pengarna, sa jag. De måste stoppas.

Jag tog upp luren igen och slog numret till min advokat, bad honom ta kontakt med länsrätten och dra tillbaka vår ansökan om hjälp till utlandsetablering via stiftelsen Evigheten.

– Men ärendet kommer ju upp nästa fredag, sa han förvånat. Och jag har fått underhandsbesked att er begäran kommer att beviljas.

– Just därför, sa jag. Jag kommer upp till dig och förklarar allting, men just nu vill jag att du ber rätten lägga ner vårt ärende.

Han suckade hörbart.

– Okey, Mia, sa han. Du får som du vill.

När vi lade på kände jag spänningen som en elektrisk laddning i luften.

– Vi måste härifrån, sa jag. Nu, på en gång.

– Vart? sa Anders.

Jag sprang in i vårt rum och började riva ihop barnens kläder i en plastkasse.

– Det är en sak till vi måste ordna, sa Anders från dörröppningen.

– Vad? sa jag, ställde undan den fyllda kassen och drog fram en av våra bagar som legat under sängen.

– Artiklarna, sa han. Vi måste stoppa den där reportern. Du måste ringa henne.

Jag rätade på ryggen och såg på Anders.

– De är ju kompisar, hon och Katarina, sa jag. Att skvallra för journalisten kan vara detsamma som att skriva under vår egen dödsdom.

Anders lade armarna i kors som han brukade när han var bestämd.

– Katarina har ju ljugit om allt annat, varför skulle just det här vara sant?

Jag stirrade på honom och tvekade ett par sekunder.

– Men hon drog ju med mig dit, sa jag, till hotellet i Skärholmen? Hon sa ju att…

– Du såg dem tillsammans, verkade de vara bästisar?

Jag ställde ner bagen på golvet igen och spelade upp minnet, den soldränkta parkeringsplatsen, reportern i sina mörka solglasögon, Katarinas entusiasm.

– Journalisten var ganska reserverad, sa jag. Hon sa inte så mycket, ställde bara frågor om stiftelsen, om det fanns läkare, vad pengarna användes till…

– Låter inte som dödspolare i mina öron, sa Anders. Och vi kan inte låta några hyllningsartiklar om Evigheten få publiceras.

Jag satte mig ner på sängen.

– Du har rätt, sa jag och såg upp på min man. Förstås, du har alldeles rätt! Vi måste åtminstone ringa henne, berätta vad vi vet.

– Jag tror det är dags att åka nu, sa Anders.

Vi rafsade ihop våra saker, tog med kastrullen vi köpt.

En kvart senare låste jag dörren efter oss.

Det sista jag packade in i bilen var en tung Konsumkasse full med kopierade dokument från stiftelsen Evigheten.

VI STANNADE PÅ en bensinmack med en telefonkiosk. Reportern var hemma, och hon svarade efter andra signalen.

– Vi har talats vid förut, sa jag, och vi har träffats en gång.

– På Scandic hotell i Skärholmen, sa hon.

Hon visste alltså vem jag var.

– Katarina har sagt att du ska skriva om stiftelsen Evigheten i tidningen, sa jag.

– Vi får väl se om det blir några artiklar.

Jag bytte fot, kände pulsen bulta.

– Det är en sak jag måste berätta, sa jag och rösten darrade. Jag vill inte att du trycker någonting förrän du har pratat med mig. Kan du vänta tills vi har träffats?

– Hurså?

– Det finns saker du inte vet, sa jag och hörde att jag började låta desperat. Kan du göra det, kan du träffa mig igen och lyssna på mig?

Det dröjde två sekunder innan journalisten svarade.

– Visst, sa hon sedan. När kan vi ses?

Vi bestämde att ses eftermiddagen därpå på samma hotell som senast, Scandic hotell i Skärholmen.

Hjärtat bankade som en stångjärnshammare i bröstet på mig när jag lade på luren.

Om journalisten verkligen samarbetade med Katarina kanske jag hade satt min sista potatis.

Vi hade tur, bankens representationsvåning på Kungsholmen stod outnyttjad, vi kunde stanna där några nätter.

Jag sov dåligt, oroade mig för mötet med journalisten.

Dagen därpå såg vi till att vara ute i god tid. Bilen ställde vi bland de andra på Ikeaparkeringen tvärs över gatan, Anders och barnen skulle inte visa sig förrän jag visste om reportern var att lita på eller inte. Om Katarina eller hennes familj dök upp skulle Anders bara åka iväg utan att ge sig till känna, jag fick klara mig bäst jag kunde.

Jag satte mig och väntade vid samma bord där jag suttit förut, längst in i lokalen med full utsikt över lobbyn och entrén.

Hon kom en minut före utsatt tid, slog sig ner utan att beställa något.

– Så vi träffas igen, sa hon och ställde sin väska på golvet.

– Har du bestämt dig för om du ska skriva om Evigheten? frågade jag.

Journalisten tog upp block och penna ur väskan och lade dem på bordet utan att använda dem, såg granskande på mig med mörka och genomträngande ögon.

– Jag har flera versioner liggande, sa hon, men jag vet inte vilken jag ska lämna till publicering.

– Varför har du flera? frågade jag och försökte låta obekymrad.

Hon släppte inte min blick.

– Jag får inte pengarna att stämma, sa hon. Det finns luckor i Katarina Nilsson Strömlunds beskrivning av verksamheten. Dessutom har jag inte fått belagt att hon lyckats med ett enda fall. Jag vet, kort sagt, inte om den här stiftelsen fungerar överhuvudtaget.

– Hur menar du, luckor? frågade jag.

Hon lutade sig bakåt mot ryggstödet.

– Det finns en hel rad personer som går i god för Katarina, både på socialtjänsten i olika kommuner, på länsstyrelsen och hos polisen, men när jag pressar dem på detaljer kring hur verksamheten fungerar så kan de inte svara. Ingen kan presentera förstahandsinformation kring några lyckade fallbeskrivningar. Och framför allt så kan ingen förklara för mig vart alla pengar tar vägen.

– Vad är det du inte förstår? frågade jag.

Hon lutade sig framåt igen, fortfarande med sin blick i min.

– Jag har grävt i det här i snart ett år nu, sa hon, och ekvationen går inte ihop. Katarina fakturerar kommunerna ettusenfemhundra kronor per person och dygn enbart för boendet, eller hur?

Jag nickade.

– Jag har fått uppgiften att handläggningstiden för att bygga upp ett skydd är ungefär tre månader, fortsatte journalisten. För en kvinna med tre barn gör det en kostnad på sextusen kronor per dygn i nittio dagar, vilket är mer än en halv miljon, och då kommer alla extra kostnader till, som flyttkostnader och läkararvoden och advokatkostnader till exempel. Även om stiftelsen har sju anställda och flera fastigheter så borde det bli en väldig vinst, och jag har inte lyckats få någon tillfredsställande förklaring på vad de pengarna används till. Jag menar, för en halv miljon kan man ha familjen boende i en svit på Grand Hôtel och ändå få pengar över.

Jag blev så lättad att jag blev alldeles yr, hon var inte i maskopi med Katarina.

– Det finns inga fastigheter, sa jag matt, bara en fallfärdig villa i en söderförort. Det finns inga anställda heller, bara Katarina och hennes familj. Det bedrivs ingen verksamhet överhuvudtaget i stiftelsen Evigheten, utom att ta betalt.

Reportern rörde inte en min. Vi satt båda tysta några sekunder.

– Okey, sa hon sedan. Hur vet du det?

– Jag har bott i deras högkvarter sedan i april. Det tog ett tag innan jag fattade att allt var en bluff, men när det till slut gick upp för mig så började jag samla på mig bevis. Jag har dem ute i bilen, sa jag och tänkte på plastkassen med alla dokument.

– Har du något emot att jag antecknar?

Det brusade i mitt huvud av anspänning som släppte.

– Inte alls, sa jag.

Och så berättade jag hela historien om vår sommar hos stiftelsen Evigheten, om Cecilia och Petra och Henrietta och Miranda och Denise och Peter, om Katarinas dubbla identiteter och högarna med fakturor som jag kopierat.

Reportern verkade väldigt intresserad av Katarinas personnummer och stiftelsens organisationsnummer.

– Finns det någon risk att du misstagit dig? frågade hon och såg ingående på mig.

Jag tänkte flera sekunder.

– Jag tror inte det, sa jag.

Reportern betalade mitt kaffe, sedan gick vi ut på parkeringen. Jag vinkade till Anders för att han och barnen skulle komma fram och hälsa på Hanna Lindgren.

Sedan gick vi till bilen och jag visade kassen med fotostatkopior. Reportern tittade på ett par dokument, gav mig sedan påsen.

– Ring mig i morgon eftermiddag, sa hon. Det är möjligt att jag har en del att berätta då.

Den kvällen satt jag och Anders tysta tillsammans framför tv-n, såg på bilden utan ljud. Så många olika känslor rusade runt i mitt bröst att jag inte kunde sortera dem: besvikelse och förbittring över Katarinas svek, lättnad över att ha sluppit ur hennes garn, osäkerhet inför framtiden, beslutsamhet när det gällde att stoppa henne.

Snart skulle hon förstå att vi avslöjat henne. Snart skulle hon få reda på att fredagens förhandling i länsrätten var inställd, att vi dragit tillbaka vår hemställan. Om bara någon dag skulle hon begripa att vi stuckit, att vi lämnat stiftelsen Evigheten. Just nu var vi ju officiellt på en resa till Finland för att fira den lyckliga utgången.

– Tror du vi får också henne efter oss nu? frågade jag.

– Kan ju knappast bli värre, sa min man utan att släppa rutan med blicken.

Jag ringde hem till Hanna Lindgren klockan tre följande eftermiddag.

– Jag har kollat upp en del av dina uppgifter, sa hon. Katarina Nilsson Strömlund finns i statens person- och adressregister under två olika identiteter, och dessutom har hon hetat ytterligare minst ett namn.

– Jag vet att hon kallar sig två olika för- och efternamn, sa jag, men jag visste inte att hon lyckats få in bägge i folkbokföringen.

– Det ena, Gabriella, är skyddat, det andra, Katarina, står på en boxadress. Men det är några saker jag skulle vilja prata med dig om. Alla de där kopiorna du hade, var finns originalen?

– På stiftelsens kontor, sa jag.

– Finns det någon möjlighet att jag kan gå igenom dem?

Jag blev lite varm om kinderna, hon litade inte riktigt på mig.

– Jag vill bara vara säker, sa hon som om hon förstod vad jag tänkte.

– Jag har nycklarna, sa jag.

– Bra, sa Hanna. Då gör jag mig inte skyldig till olaga intrång om jag går in. Officiellt bor du fortfarande i stiftelsens fastighet, så du kan släppa in vem du vill i din egen bostad. Hur länge håller det?

– Katarina tror att vi är på en Finlandskryssning just nu. En dag till, kanske två.

– Kan du ta mig dit i natt?

– Ni får inte åka dit själva, sa Anders. Det kommer inte på fråga.

– Men vi ska bara gå igenom pappren på kontoret…

– Jag släpper inte dig ensam till det där huset, sa Anders. Tänk om Katarina dyker upp! Jag följer med er.

– Men barnen då? sa jag.

Strax efter midnatt körde vi fram mot huset i två bilar, först Hanna Lindgren och hennes man, sedan vi med barnen sovande i baksätet. Mörkret var i det närmaste ogenomträngligt, det duggregnade vilket fick den våta asfalten att absorbera allt ljus.

Huset ruvade svart som en skugga inne bland det spretande lövverket.

– Har du någon ficklampa? frågade Hanna lågt, när jag skakade på huvudet räckte hon mig en lång och tung stavlampa.

Anders satt kvar i bilen med barnen, reporterns man stannade i mörkret på trädgårdsgången nedanför förstutrappan.

Mina händer darrade när jag låste upp. Ytterdörren gled upp med ett intensivt gnisslande, jag höll andan tills det blev tyst.

– Vi går igenom huset först och ser om det är tomt, sa Hanna Lindgren.

Jag stirrade in i mörkret, såg ingenting och hörde inte något annat än mina egna hjärtslag. Bakom mig drog Hanna igen dörren och tände sedan sin egen ficklampa.

– Det finns tre sovrum uppe, sa jag, och så vardagsrum, ett litet sovrum, kök och kontor här nere.

– Källare?

– Däråt, sa jag, tände min egen ficklampa och pekade med strålen.

I stavlampornas sken gick vi snabbt igenom källaren och övervåningen, reportern tog några bilder. Därefter gick vi runt i nedervåningen och kunde konstatera att huset var tomt.

– Okey, sa Hanna Lindgren när vi stod inne på kontoret. Vi kan tända nu.

Jag slog på strömbrytaren och blinkade mot ljuset.

– Har någon varit här sedan ni åkte?

Jag såg mig omkring, lät blicken flyta över kulisserna med de tomma pärmarna, skrivbordet och bänken med faxen.

– Faxen, sa jag. Det ligger en massa papper på den. De var inte här när vi for.

Vi gick bort till pappershögen, tog upp var sin bunt.

– Fakturor, konstaterade reportern.

Jag läste snabbt de korta raderna på de tre översta räkningarna: ”boende, basskydd, handledning, psykologhjälp, uppföljning och flyttkostnader, allt som allt 102 500 kronor, vår referens Katarina Nilsson Strömlund, er referens Petra Andersson”.

Jag flämtade till.

Petra! Katarina hade fakturerat Petras hemkommun över hundratusen kronor!

– Det här är inte sant, sa jag.

– Vad? sa Hanna Lindgren.

– Det här är betalningen för en av kvinnorna som jag hjälpte. Hon fick bo gratis i Björsjö och jag vet att hon själv hyrde en lastbil när hon flyttade. Det här är ju inte klokt!

– Katarina har alltså inte gjort det hon tagit betalt för?

– Inte en enda av de här sakerna.

– Då kanske du känner igen det här också? sa reportern och höll fram ett kostnadsförslag och en betalningsbekräftelse: ”skyddad identitet, skyddat boende under handläggningstiden, anskaffande av bostad…”

Jag ögnade snabbt det tätskrivna dokumentet, beskrivningen av allt som ingick i stiftelsen Evighetens åtaganden uppgick till nästan en full A4-sida.

”Vår referens Katarina Nilsson Strömlund, er referens Henrietta Lundin. Totalkostnad: 79 500 kronor.”

– Det här är inte klokt, sa jag igen. Det var ju jag som hjälpte Henrietta.

Hanna Lindgren satte sig ned några minuter och granskade fakturorna i den stora hög jag kopierat.

– Ja vafan, sa hon sedan. Jag ska bara ta några bilder. Vi måste kopiera de där fakturorna också.

Hon drog upp sin systemkamera ur väskan och tog några snabba kort med blixt, jag slog igång kopieringsapparaten och väntade nervöst medan den värmde upp. Det tog en evig tid innan vi kunde ta kopiorna.

– Nu åker vi!

För sista gången låste jag dörren till stiftelsen Evigheten.

I väntan på att få flytta in i lägenheten åkte vi faktiskt iväg på en Finlandskryssning. Det var dimmigt, ljummet och alldeles vindstilla medan den stora båten gled genom Stockholms mörklagda skärgård.

När barnen somnat och Anders satt med en öl i baren strax intill gick jag ut på däck med Evighetens nycklar skramlande i jackfickan.

Mitt ute på öppet hav tog jag sats och kastade dem allt jag förmådde i Östersjöns svarta vatten.

PÅ KVÄLLEN DEN 1 OKTOBER kunde vi flytta in i tvårummaren som min kollega på banken ordnat åt oss. Huset var från inledningsfasen av miljonprogrammet, tegelfasad, perspektivfönster och trappor i betong, en i raden av tiotals, eller kanske hundratals, likadana hyreslängor.

Förorten var svart, det drog skarpt och kallt mellan husen. Runt omkring oss rörde sig människor på väg till och från bussar och pendeltåg, mörka skuggor som svepte snabbt och omärkligt mellan huskropparna.

Vår lägenhet låg högst upp, det fanns ingen hiss. Våra steg ekade i trapphuset, det rasslade när Anders vred upp de tre låsen. Vi gick försiktigt och lite andäktigt in i hallen och tryckte på strömbrytaren.

Ingenting hände.

– Här finns förstås inga lampor, sa Anders.

Ljuset från trapphuset föll in på en grön medaljongtapet och en hatthylla i metall.

– Måste vi bo här, mamma? sa Robin.

Emma gick in i en dörrpost och började gråta.

– Mamma, sa Robin och tittade in i det mörka sovrummet, det finns inga sängar, mamma.

– Kom, sa jag och lyfte upp Emma i famnen, torkade bort hennes tårar. Vi ska åka och handla lite, det blir väl roligt?

Jag tog Robins hand och fångade Anders blick.

– Stormarknaden, sa jag lågt, du vet den intill Evigheten. Har vi tur har de fortfarande öppet.

Gud vakar över barn och dårar, varuhuset hade tjugo minuter till stängningsdags när vi forcerade dörrarna. I ett nafs plockade vi ihop fyra luftmadrasser och en pump, tre taklampor i form av risglober, för de var billigast, tre små bordslampor, glödlampor, sex duralexglas och en förpackning plastbestick.

Med personalens ogillande blickar i ryggen rev vi sedan ner några yoghurt, en formfranska, mjukost i tub, en liter apelsinjuice och två burkar ravioli i vagnen.

Vi var butikens sista kunder den dagen.

Det började regna på vägen tillbaka till betongförorten. Barnen somnade i baksätet, jag stirrade in bland skuggorna av hus och bilar som rusade förbi min sidoruta.

Framtiden var återigen fullständigt blank.

De första nätterna i vår nya lägenhet sov vi på luftmadrasserna som vi lagt in i sovrummet. Vi hade några filtar i vår packning som vi svepte om oss, men det blev ändå ganska kallt. Vi åt yoghurt med plastskedar direkt ut förpackningen, gjorde smörgåsar av det färdigskivade brödet och mjukosten och drack juice ur våra nya glas, sittande på luftmadrasserna. Middag åt vi ute på billiga snabbmatställen.

Vår nya tillvaro innebar en del förändringar gentemot myndigheterna. Jag tog kontakt med socialtjänsten där vi nu flyttat in. Eftersom vi fått fast bostad i deras kommun skulle ansvaret flyttas från Smedjebacken till dem, med följden att en ny familjebyrå och ytterligare en personalgrupp skulle informeras om våra besvärliga och speciella förhållanden.

Tredje dagen efter vår provisoriska inflyttning fick jag träffa dem. De socialsekreterare som skulle bli våra kontaktpersoner var två medelålders kvinnor som hade hört och sett det mesta. De var inte särskilt imponerade av vår historia, ibland fick jag intrycket att de inte ens trodde mig.

– Nåja, kunde de säga, det här är väl inte så farligt.

Jag tog det lugnt och förklarade, visade intyg och hänvisade till referenser. Ingenting blev bättre om jag blev upprörd.

Så snart beslutet om vår flytt var förankrat åkte vi upp till Smedjebacken och hämtade våra möbler som magasinerats. Som tur var hade Toyotan dragkrok, så vi kunde hyra en släpvagn.

Ändå rymdes inte särskilt mycket. Vi valde hårt bland våra få tillhörigheter. Den vita skinnsoffan fick följa med förstås, kristallglasen och de andra bröllopspresenterna som fortfarande fanns kvar likaså, våra sängbottnar och barnens våningssäng, tv-n och videon, några lådor med husgeråd. Resten lämnade vi, bland annat den tunga, fina ekbyrån.

När vi burit upp sakerna i vår nya lägenhet och barnen somnat satte vi oss i den vita soffan med armarna om varandra.

– Det är ingen idé att ha radhuset kvar därhemma, sa jag mot hans hals, och Anders nickade.

– Jag vet, sa han. Det är bara dumt att det står och kostar pengar.

Så var det sagt.

Vi skulle aldrig komma hem.

Jag grät, alldeles tyst och stilla, mot Anders skjortkrage.

Vi skulle aldrig återvända.

Vi skaffade en telefon med skyddat abonnemang till vår nya lägenhet. Den första jag ringde upp var Hanna Lindgren.

Jag förklarade att vi ordnat en ny bostad, och sedan frågade jag försiktigt hur det gick med forskningarna kring stiftelsen Evigheten, jag ville ju inte verka som att jag snokade för mycket.

– Katarina har haft minst fyra olika identiteter, sa Hanna Lindgren utan att tveka medan hon prasslade med sidorna i ett anteckningsblock. Hon har gjort alla typer av konkurser som är möjliga att göra, handelsbolagskonkurs, aktiebolagskonkurs, kommanditbolagskonkurs, två personliga konkurser. Hon har haft nittiotre skulder hos kronofogden, stiftelsen Evigheten har åttiofem.

Jag kände hur min mun öppnades och stängdes i förvåning.

– Men, sa jag, jag vet att hon har fått massor med pengar av kommunerna!

– Katarina Nilsson Strömlund håller en väldigt konsekvent linje när det gäller räkningar, sa reportern. Hon betalar dem inte.

Jag var tvungen att skratta.

– Det här är utdraget ur kronofogderegistret, sa journalisten och läste innantill: arbetsgivaravgifter, studielån, leasingbilar, p-böter, teleräkningar, tv-licenser, kvarskatter, kontokortsskulder, banklån, Ikeamöbler, ja, jag kan fortsätta hur länge som helst. Enligt kronofogden har hon inte betalat en enda räkning de senaste tre åren. Han har jagat henne i åratal men inte hittat henne.

– Så du tror att det jag misstänkte är korrekt? frågade jag. Att hon är en bedragare?

Journalisten drog på svaret.

– Jag tror inte man behöver sätta någon etikett på henne. Det räcker att presentera fakta i målet, de talar för sig själva.

– Så du ska skriva om detta?

– Skriver gör jag, men det är inte jag som bestämmer om det ska publiceras. Det är redaktionsledningens och ansvarige utgivarens beslut.

– Jag vill att Katarina ska stoppas, sa jag. Jag vill inte att hon ska kunna lura fler människor. Kan jag hjälpa dig på något sätt?

– Vet du vad som hände med Miranda?

Jag blev lite paff av frågan, insåg att jag nästan glömt den förtvivlade rösten i Evighetens kontorstelefon.

– Har faktiskt ingen aning, sa jag. Inte den blekaste.

Än idag vet jag inte vad som blev av Miranda och hennes barn.

– Petra och Henrietta, sa reportern. Jag skulle behöva tala med dem. Jag vet ju att de är gömda, och jag har inte för avsikt att snoka efter deras vistelseort, jag ska naturligtvis inte röja deras identiteter, men det skulle vara väldigt bra om jag kunde tala med dem. Kan du be dem ringa mig?

Jag tvekade inte ens.

– Självklart.

Och sedan gjorde jag något som för ett halvår sedan skulle ha varit mig fullständigt främmande: jag gav vårt nya, hemliga telefonnummer till kvällstidningsreportern.

Nästa samtal var betydligt svårare.

Jag var tvungen att berätta för mina föräldrar att vi beslutat oss för att ge upp vårt radhus. Innan jag klarade att lyfta luren storstädade jag hela lägenheten, vädrade alla sängkläder på den lilla balkongen, putsade fönster och skurade ur ugnen med såpa. Beläggningarna på ugnsluckan sa mig att de tidigare hyresgästerna hoppat över just den detaljen vid flyttstädningen.

Sedan kom jag inte undan längre.

Med bankande hjärta slog jag numret till dem, det var min mamma som svarade.

Hon lät lugn och samlad, som om hon väntat på mitt samtal.

Hon blev heller varken förtvivlad eller upprörd över vårt beslut att säga ifrån oss huset, bara väldigt uppgiven.

– Vi hade så gärna sett att ni flyttat tillbaka, sa hon, fast vi har ju förstått att det inte är möjligt.

– Nej, sa jag, det går inte, och jag är så ledsen för det.

– Har ni det bra, Mia? Hur är det med barnen?

Jag sa att vi fått en lägenhet, hon frågade inte var. Jag sa att vi hade det bra, hon frågade om vi var på väg att flytta utomlands nu och jag sa nej, det såg ut att dröja.

Vi pratade om de praktiska detaljerna kring vårt hus, hon undrade vilka saker vi ville ha när de tömde det.

Jag blundade och kände tårarna bränna, kunde för mitt liv inte komma på en enda sak jag haft i mitt hem, mitt förra liv, som skulle kunna kompensera ens en bråkdel av förlusten av mina rötter.

– Ta det ni vill ha, sa jag, låt min syster gå igenom allt och se om det är något hon behöver. Resten kan ni ge bort till någon loppmarknad.

– Men ditt konstglas? sa min mamma. Din fina samling? All kristall?

– Jag samlar inte på glas längre, sa jag och såg upp i taket för att hindra tårarna att rinna över. Jag ska börja samla på klockor nu.

– Ska du? sa min mamma.

Det var så sorgligt att prata med mina föräldrar, jag kände mig alltid skyldig. De hade levt ett sådant strävsamt och hederligt liv, och sedan utsatte jag dem för risker och våldsamheter som innebar att de inte ens kunde träffa sina barnbarn.

När vi slutade nämnde jag inte att vi fått ett eget telefonabonnemang.

– Du kan nå oss via min advokat, sa jag, och tänkte att det var bäst för deras egen skull att de inget visste.

Varje dag gick jag ner till Pressbyrån vid pendeltågsstationen och köpte tidningar, både morgontidning och kvällstidning. Dels använde vi tidningarna som lekmaterial till barnen, vi klippte och klistrade och gjorde papier-maché, dels började jag också studera ekonomisidorna noggrant.

Hösten 1993 var ett svart kapitel i svensk ekonomi. Tre år i rad hade tillväxten sjunkit, och man såg ännu inte något slut på eländet. Konjunkturprognoserna förutspådde visserligen en uppgång under nästa år, men investeringarna fortsatte att falla.

I slutet av oktober sänkte riksbanken marginalräntan från åtta till sju komma sjuttiofem procent. Samtidigt beslöt Bundesbank sänka diskontot och lombardräntan med en halv procentenhet. Det skulle naturligtvis få konsekvenser för alla Europas valutor.

Jag tyckte utvecklingen var spännande, och jag följde den noggrant.

Mamma sålde tv-n och våra möbler, mitt konstglas och kristallen, alla mina mattor och de fina gardinerna, och den 20 oktober fick jag pengarna insatta på mitt skyddade konto.

Jag satt med telefonluren i handen och lyssnade inåt linjen där Bank På Telefon precis talat om för mig vad mitt tidigare liv varit värt i kronor och ören.

Trettiotvåtusen. Sjuhundra. Fyrtio. Kronor.

Vill du höra ytterligare fem transaktioner, tryck ett.

Välja annan funktion, tryck tre.

Avsluta samtalet, tryck noll.

Kom ihåg att avsluta varje inmatning med fyrkant.

De följande dagarna gick jag omkring i det ovanliga tillstånd som infann sig av att veta att jag hade pengar. Så här mycket hade jag inte ägt på många år, det kändes som en hel förmögenhet, men ändå kunde jag inte riktigt glädjas åt rikedomen.

Vad skulle vi göra med den? Köpa nya möbler som vi skulle vara tvungna att lämna endera dagen? Handla bättre och dyrare mat? Ännu mera leksaker?

Hålen som fanns att fylla var otaliga, både till storlek och antal, därför kändes pengarna inte så viktiga.

Det vi behövde var ett liv. Ett nytt liv i ett nytt land, och det var inte gratis. Länsrätten hade varit villig att betala nästan två och en halv miljon till Katarina för att lösa vår situation, så därför borde det ju finnas utrymme för någon form av hjälp från myndigheterna.

Men dit var det långt, det visste jag, och jag tog ingenting för givet.

Jag tog upp saken med Anders, och vi beslöt oss för att jag skulle försöka få pengarna att växa.

Att handla aktier, vilket det egentligen var guldläge för, kunde jag inte göra. Sådana köp och försäljningar registrerades, och även om våra förföljare förmodligen inte var i stånd att granska Värdepapperscentralens register så ville jag inte ta några risker.

Däremot kunde jag spekulera i olika valutor.

Via min klasskamrat på banken öppnade jag ett valutakonto. Fem dagar efter att jag fått pengarna från mitt förra liv stod det irländska pundet rätt lågt. Elva kronor och trettiosju öre kostade det, och jag satsade hela mitt kapital plus några tusenlappar av mitt sjukbidrag och köpte irländsk valuta för alltihop.

Varje dag följde jag sedan kursförändringen i tidningen. Första veckan gick den upp, men sedan vek den av neråt igen.

Därpå följde en rätt rak och stabil uppgång fram till den 1 december, då kursen för det irländska pundet äntligen gick över tolv kronor, och då sålde jag. På drygt en månad hade jag tjänat nästan tvåtusen kronor. För mig var det en stor summa.

Det visade sig att jag nästan lyckats pricka in toppen den gången, för därefter gick det irländska pundet ner i flera månader.

Under hela november hade jag följt penningmarknaderna, och jag hade noterat att silverpriset stigit rejält. Jag antog att toppen inte var nådd, därför lade jag i stället pengarna i silver den 1 december. Strax före jul sålde jag. Efter nyår gick det upp ytterligare lite grann, men sedan gled det neråt igen. Jag var glad och nöjd med att ha hoppat av med över fyrtiotusen kronor, och så där höll jag på. Ibland förlorade jag lite, men oftast tjänade jag på mina spekulationer.

Det rörde sig verkligen inte om några stora belopp, men vi var vana att leva under synnerligen små omständigheter, och om inget annat fungerade så hade jag inte tänkt lägga mig ner och dö.

Jag skulle åtminstone försöka bygga upp en egen framtid.

ARTIKLARNA OM STIFTELSEN Evigheten publicerades i början av december.

Kvällen före publiceringen ringde Hanna Lindgren upp mig och berättade att de skulle komma.

– Jag har talat med Katarina Nilsson Strömlund och konfronterat henne med alla uppgifter som kommer att tryckas, sa hon.

Jag var tvungen att sätta mig ner.

– Vad sa hon?

– Hon var helt oförstående, fattade ingenting, påstod hon. Inte ett ord av det vi kommer att trycka är sant, sa hon. Jag förklarade att jag hade allting på papper, från skulderna i kronofogderegistret till hennes lönespecifikationer och fakturor, och då svängde hon.

– Hur då?

– Blev aggressiv, frågade vem som berättat allt det här för mig. Jag förklarade att det mesta var offentliga handlingar, att resten kom från källor med insyn i hennes verksamhet.

Jag kände mig obehaglig till mods.

– Hon kommer att fatta att det är jag, sa jag.

– Förmodligen, sa Hanna Lindgren. Hon är ju inte dum.

– Så vad tror du, är allting som det ska?

Reportern tvekade.

– Egentligen finns det bara ett problem med de här artiklarna, sa hon. Redaktionsledningen har bestämt att vi ska publicera namn och bild på Katarina, och det spelar ingen roll att jag protesterat. Jag tycker inte hennes identitet tillför någonting i själva avslöjandet, det gör oss bara mer sårbara. Hur Katarina ser ut eller vad hon heter just nu spelar ingen som helst roll, men ledningen står fast.

Jag drog förvirrat handen över håret.

– Vad betyder det?

– Hon har ett case om hon vill stämma oss. Jag tycker det är jävligt onödigt. Det är inte Katarina som är grejen, det är vad hon gjort.

Artiklarna började publiceras som planerat dagen därpå.

Sent på kvällen ringde Hanna Lindgren.

– Hur har det gått? frågade jag ivrigt. Har du fått några reaktioner?

– Ett par kvinnor till har hört av sig, sa reportern. De har också blivit lurade av Katarina. Socialtjänsterna som är inblandade finns utspridda över hela landet. En kriminalkommissarie från Uppland har också ringt, hon har letat efter Katarina i över två år, men under identiteten Gabriella Fogdestam. Katarina, eller vad hon nu heter, är misstänkt för bedrägeri, bokföringsbrott och skattebrott, men eftersom kvinnan varit som uppslukad av jorden har de inte kunnat hålla några förhör med henne.

Jag andades ut.

– Då var det som vi trodde.

– Förresten, sa journalisten, vet du hur Katarinas bror och styvpappa ser ut?

– Hurså? frågade jag.

– Är styvpappan kort och ganska satt, överkammad flint och lång grå rock?

Jag svalde.

– Jo, det kan man säga, sa jag.

– Är hennes bror kort och ljus, ganska spenslig?

– Hur vet du det?

– De bevakar mitt hus.

– Var försiktig, sa jag.

Avslöjandena om stiftelsen Evigheten fortsatte under flera dagar. Reportern hade intervjuat Petra och Henrietta och Peter och Denise och flera andra personer som också blivit lurade av Katarina. Hon hade frågat flera socialsekreterare hur de kunnat betala ut så stora summor utan att kontrollera vad pengarna användes till. Det hela slutade med att flera kommuner polisanmälde Katarina för bedrägeri, andra avstod från polisanmälan sedan de fått tillbaka pengarna de betalt.

När skriverierna dog ut var det nästan jul igen.

Ett helt år hade gått, och vi var inte ett dugg närmare en lösning på vår situation än vi varit förra julen.

– Det här året har varit helt bortkastat! kunde jag utbrista i mina svartaste stunder. Ingenting har vi åstadkommit! Emma har inte ens fått börja på någon behandling, allting hänger bara i luften. Jag står inte ut med att ha det så här!

Anders protesterade, sa att vi visst åstadkommit saker, stoppat Katarina till exempel.

– Och? sa jag. Vi sitter fast precis lika mycket som i Smedjebacken, med den skillnaden att socialtanterna inte ens tror oss när vi berättar hur vi har det!

När jag tystnade och samlade mig insåg jag vad som krävdes.

Vi skulle inte få någon hjälp av myndigheterna.

Vår framtid var något vi var tvungna att ta ansvar för helt själva.

Det enda vi kunde göra var att försöka samarbeta med dem, få dem med på våra planer.

Efter nyår började jag rycka i gamla trådar igen. En gång i tiden, i mitt förra liv, hade jag arbetat aktivt med att gömma flyktingar. Nu ringde jag upp gamla kontakter, skakade liv i mitt gamla nätverk.

Jag visste att dess förgreningar stäckte sig även åt andra hållet, ut i världen.

Sydamerika framstod alltmer som det enda realistiska alternativet. Det var där jag hade mina kontakter, det var där vi hade största chansen att stanna en längre tid med minimalt med pengar.

Det var inte lätt. Om jag lyckades hitta en skola som accepterade barnen så fanns där ingen bostad. Om jag fick garantier för uppehållstillstånd slog skolorna bakut. Hur jag än vände mig föll det alltid på någon av de avgörande punkterna.

Dessutom talade Anders och barnen inte ett ord spanska, och jag som inte sagt ett spanskt ord på flera år började bli rejält ringrostig.

Men det skulle gå, det måste gå.

– Chile eller Argentina, sa jag till Anders på kvällarna när vi satt med den stora världsatlas som vi investerat i.

Min make nickade bara.

Att stanna i Sverige var inte längre något alternativ.

Min advokat hörde av sig strax efter nyår, det hade kommit ett brev till honom som var adresserat till mig.

Ett par dagar senare åkte jag förbi och hämtade det på hans kontor inne i city. Det var från min mamma, precis som jag trott.

En ny familj hade flyttat in i vårt hus, berättade hon.

”De har två små barn och verkar mycket trevliga. Vi har pratat med dem flera gånger, för vi gav dem nycklarna lite i förväg så att de kunde tapetsera om i vardagsrummet. Frun har bjudit in oss på kaffe, vi ska gå dit på lördag…”

Av någon anledning gjorde brevet mig upprörd. Tapetsera om i vardagsrummet! Hade de tagit bort vår fina strukturtapet? Den som varit så himla svår att sätta upp! Och vad skulle mina föräldrar dit och göra?

– Dåliga nyheter? frågade min advokat.

Jag såg generat upp på honom.

– Nejdå, sa jag snabbt. Inte alls.

Jag samlade ihop mig, herregud, vad höll jag på med?

Det var väl alldeles utmärkt om mina föräldrar fick nya vänner, särskilt en ung familj med barn.

– En poliskommissarie har hört av sig och vill prata med dig, sa min advokat och sträckte sig efter ett papper på sitt skrivbord. Han utreder misstankarna om bedrägeri i stiftelsen Evigheten.

Mitt hjärta slog ett dubbelslag.

– Jaha, sa jag med ljus röst. Vad vill han veta?

– Han vill att du kommer ner till stationen för ett vittnesförhör, sa min advokat och räckte mig pappret med polisens namn och telefonnummer.

Polisstationen låg i en annan betongförort och måste ha byggts någon gång på sjuttiotalet. När jag klev in var det så lågt i tak att det kändes som om jag var tvungen att ducka. En röd och smutsig heltäckningsmatta svalde alla ljud.

Poliskommissarien visade in mig i ett vanligt kontorsrum, pekade att jag skulle sätta mig ner på en stol. Jag var spänd och lite obehaglig till mods, trots att jag inte hade någonting att vara rädd för.

– Jag tycker det är förskräckligt som tidningen har behandlat den här stackars Katarina, sa poliskommissarien och sjönk ner i sin stol. En sådan fin och duktig ung kvinna, hon är helt förkrossad över skriverierna.

Jag såg ner på mina händer och visste inte vad jag skulle säga.

– Du var ju en av hennes medarbetare, eller hur? sa polismannen.

– Nej, sa jag och såg upp. Jag var en av de kvinnor hon påstod att hon skulle hjälpa.

Han nickade.

– Du fick ju hjälp, eller hur?

– Nej, sa jag. Jag fick ingen hjälp. Vad skulle det ha varit?

– Bostad och omvårdnad, sa polisen och tittade på mig som om jag vore den mest otacksamma som fanns.

Jag tänkte några sekunder innan jag började tala. Sedan berättade jag hela historien, allt som hänt sedan vi kommit till stiftelsen Evigheten.

Polisen nickade ibland, men han antecknade ingenting, och han spelade inte in förhöret.

– Nåja, sa han när jag var klar. Man kan förstås se saken på olika sätt.

Jag kände mig alldeles tillplattad när jag lämnade polisstationen, vetskapen sved i bröstet.

Poliskommissarien trodde mig inte.

I mitten av februari ringde Hanna Lindgren upp mig.

– Tidningen är stämd, sa hon. Katarina kräver en halv miljon i skadestånd för psykiskt lidande.

Jag suckade tungt.

– Hon har hittat ett nytt sätt att tjäna pengar, sa jag.

– Exakt, sa Hanna. Redaktionsledningen är rasande. De säger att det är jag som har satt dem på pottan, så nu är det min uppgift att sopa upp efter mig.

– Men, sa jag, det var ju de som insisterade på att publicera hennes namn.

– Ja vafan, sa Hanna och lät lite trött. Minnet är kort hos kvällstidningsredaktörer. Jag har kopierat utdrag ur lagboken om tryckfrihetsmål och förtalsmål, så jag vet ungefär vad som gäller. Tyvärr räcker det inte att jag bevisar att det vi skrivit är sant.

– Men, sa jag och började känna mig som en skiva som hakat upp sig, om allt är sant så finns väl inga problem?

– I de flesta länder skulle det räcka, sa Hanna, men i Sverige spelar det egentligen ingen roll. Det viktiga är om vi hade anledning att tro att det var sant vid publiceringstillfället, och att det var motiverat att trycka uppgifterna.

– Det kan väl ändå inte vara ett problem, sa jag. Allt är sant, och om något var motiverat att publicera så var det väl det här.

– Katarina håller inte med, sa Hanna och skrattade lite. Vet du, jag skulle vilja fråga dig några saker när jag sätter ihop försvaret, har du tid med det?

– Självklart, sa jag. Vad kan jag göra?

– Jag är ledig i morgon, kan vi ses då?

Jag dröjde med svaret.

– Menar du att du måste göra det här på din fritid?

– Japp, sa Hanna. Tidningsledningen är glasklar, det här får inte ta någon tid från mitt jobb.

– Jag är glad att jag inte är kvällstidningsreporter, sa jag.

Jag tog barnen med mig och åkte hem till Hanna Lindgren dagen därpå. Hon bodde med sin man och två barn i en gammal lägenhet på Kungsholmen. Vi satte oss i köket medan barnen lekte ute i vardagsrummet, jag hörde Emmas kvittrande röst genom de tjocka väggarna.

– Först och främst måste jag belägga att vi hade anledning att tro att det vi publicerat är sant, sa reportern och hällde upp kaffe. Det är i och för sig lätt, jag har så många offentliga uppgifter att faktainnehållet kan styrkas. Det krångliga är vittnesmålen.

Hon sjönk ihop bakom köksbordet, spände blicken i mig.

– Jag vet att det är mycket begärt, sa hon, men jag undrar om du kan ställa upp och vittna?

Jag behövde inte tänka en enda sekund.

– Absolut, sa jag.

– Trots det hot du lever under?

– I våras överlevde jag att sitta mitt emot mannen som vill mörda oss och förklara varför han inte vore någon bra vårdnadshavare åt Emma, sa jag. Jag klarar Katarina Nilsson Strömlund också.

– Vad tror du om de andra kvinnorna, Petra och Henrietta till exempel? Tror du de ställer upp?

– Jag kan ringa och fråga dem, sa jag.

Reportern granskade mig under tystnad några ögonblick.

– Menar du det?

– Visst, sa jag.

Och jag lyfte kaffemuggen och drack den starka drycken, genom väggen hörde jag Emmas glada skratt.

Nästa dag satte jag igång att ringa, jag fick fatt i alla de kvinnor som uttalat sig anonymt i tidningen. Kortfattat berättade jag vad som hänt, och när jag frågade om de var villiga att ställa upp och vittna reagerade alla på ungefär samma sätt.

– Aldrig i livet! skrek Petra. Är du inte klok?

Sedan började hon storgråta.

– Katarina har ju alla mina papper, hon vet vem som förföljer mig! Hon bussar honom på mig direkt!

– Det kan hon inte, förklarade jag. Hon vet vem som förföljer dig, men hon vet inte var du är.

Gråten slutade i en förvånad hickning.

– Vet hon inte var jag är?

– Det är jag som byggt upp ditt skydd. Katarina har ingen aning om var du finns.

Samtalet med Henrietta blev lugnare och mer konstruktivt, men hon var lika rädd som Petra.

– Jag vet inte, sa hon osäkert. Jag tycker det känns alldeles för riskabelt. Det finns egentligen ingen anledning att jag ska utsätta mig för detta för att rädda skinnet på en kvällstidning i Stockholm.

– Jag förstår din inställning, sa jag, men jag ber dig ändå att tänka över om du kan vittna. Jag vill inte att Katarina ska komma undan med vad hon har gjort, och det är vi som måste stoppa henne.

När hon tvekade tog jag till det tunga artilleriet.

– Jag hjälpte dig, sa jag. Nu ber jag dig att du ska hjälpa mig.

Efter många telefonsamtal med mycket förklarande och övertalande, både från mig och Hanna, gick samtliga kvinnor med på att vittna.

Samtidigt som jag ringde runt och bad de livrädda kvinnorna att ställa upp i tryckfrihetsrättegången jobbade jag vidare med att försöka sy ihop en lösning för vår emigration. Till slut utkristalliserade sig en möjlig utväg, men vi behövde en del pengar för att den skulle fungera. Vi kunde få hyra en lägenhet, men då krävdes ett förskott som vi inte hade. Jag hade hittat en privatskola som preliminärt accepterat bägge barnen, men den skulle också bli dyr. Via ren tur hade jag dessutom fått namnet på en internationellt känd barnpsykolog som kanske kunde ta sig an Emma.

Socialtanterna på familjebyrån verkade inte särskilt förtjusta i min fina lösning. De blinkade som ugglor med sina stenansikten medan jag talade, sedan sa de att de inte kunde ta sådana beslut själva utan att det måste upp i nämnden, och därefter var mötet slut.

Jag var grinig och nervös inför socialnämndens sammanträde när saken skulle diskuteras av politikerna.

– Vill du att jag följer med dig? frågade Hanna Lindgren.

Jag blev både lättad och glad.

– Vill du det?

– Visst, sa Hanna Lindgren. Och så vill jag läsa tjänstemännens utredning om dig i förväg. Jag har sett en del skräckexempel genom åren.

Det var med tvekan socialsekreterarna släppte sin utredning om mig och min familj ifrån sig. Jag läste den tillsammans med Hanna Lindgren, som satt med penna och markerade olika stycken i texten.

– Begär ett möte till med socialkärringarna, sa hon.

– Varför det? frågade jag.

– Om jag skrivit en artikel som var lika späckad med faktafel som den här utredningen hade jag fått sparken.

Hanna Lindgren, som kunde min dokumenthög utantill vid det här laget, gick igenom rad för rad med tjänstemännen på familjebyrån, påpekade felaktigheter, missuppfattningar, insinuationer och anmärkte särskilt på det allmänna slarv hon tyckte präglade utredningen.

Socialtanterna var stumma av kritiken, rosor av harm brann på deras kinder.

– Det är faktiskt så här vi jobbar, fick en av tanterna fram till slut.

– Nåja, sa Hanna Lindgren. Vilken tur att vi hinner rätta till misstagen före mötet, eller hur?

Det blev en hyfsat korrekt rapport som politikerna fick ta del av, men hela händelsen fick mig att fundera.

Vad var egentligen sant?

Vad hade egentligen hänt?

Faktum var att jag själv började glömma bort vad som hänt mig, det gled liksom undan, jag ville inte minnas.

Hur började alltsammans en gång för länge sedan? Hur kom det sig att jag befann mig i denna underliga och ovärdiga livssituation?

En eftermiddag när jag varit och handlat mat nere i centrum gick jag förbi en stökig diverseaffär, och i skyltfönstret fanns en gammal elektrisk skrivmaskin. En ren impuls fick mig att gå in och fråga vad den kostade.

– Tvåhundra pix, sa gubben bakom disken och plirade på mig genom sina glasögon.

– Fungerar den? frågade jag.

– Har inte provat, sa gubben.

– Du får en femtiolapp, sa jag.

– Kör i vind, sa gubben, och när jag lyfte upp den förstod jag varför den var så billig. Det var samma sak som med ekbyrån vi köpt, den gick knappt att flytta.

Maskinen fungerade alldeles strålande sedan Anders smörjt upp den och köpt nytt färgband, och på några av de papper som vi fått över när vi kopierat stiftelsen Evighetens fakturor började jag skriva ner det som hänt.

Men snart fick jag annat att tänka på, för socialnämnden hade sammanträde, och dessutom drog det ihop sig till tryckfrihetsrättegång.

Nämndens sammanträde ägde rum en mörk och regnig kväll i mars, jag tog pendeltåget dit tillsammans med Hanna. Hon skulle ha barn till sommaren och pustade i trapporna.

Sammanträdesrummet var stort med låg takhöjd. En klunga med bord, uppställda i en rektangulär formation, dominerade hela utrymmet. Alla satt vända mot varandra. Jag placerades i ena hörnet, Hanna Lindgren satte sig bredvid mig och antecknade.

Vi presenterades för församlingen, sedan drogs mitt ärende. Utredningen gicks igenom, därefter fick tjänstemännen tala.

– Vi tycker inte att socialtjänsten ska betala det här, sa socialtanten. Vi tycker att kvällstidningen kan starta en insamling i stället.

Hanna Lindgren såg upp från sina anteckningar.

– Det kan vi förstås göra, sa hon. Vi kan publicera bilder på familjen Eriksson på löpsedlarna i hela Sverige, och sedan kan vi se hur länge de lever. Jag utgår naturligtvis från att ni tar ansvaret för vad som händer. Sedan undrar jag förstås om det här är en engångsföreteelse eller något som socialtjänsten i den här kommunen har för avsikt att införa som regel? Att överlåta omsorgen om utsatta familjer till kvällspressen?

Det blev en pinsam tystnad och socialtanten rodnade.

– Naturligtvis ska vi inte ha några insamlingar, sa ordföranden generat. Intermezzot öppnade upp de lite slutna politikerna och de ställde en uppsjö av frågor. Jag svarade så gott jag kunde på allihop, förklarade och beskrev.

Vi behövde sammanlagt trehundrafemtio tusen kronor för att bygga upp ett nytt liv i Chile. Ja, vi såg det som vår enda möjlighet. Nej, det fanns ingen återvändo.

När nämnden skulle diskutera fick vi lämna rummet och vänta utanför.

I fyrtiofem minuter satt vi utanför dörren, jag bet ner alla naglarna medan Hanna gick igenom sina anteckningar och skrev i sitt block.

När dörren slogs upp gjorde mitt hjärta en dubbelvolt, och jag såg direkt på nämndens ordförande att det inte gått vägen.

– Vi kan inte ta något beslut, sa ordföranden beklagande. Det beror på en ren teknikalitet, men det här måste gå vidare till länsrätten.

Jag kände hur jag sjönk ihop, inte nu igen! Varför kunde ingenting få gå lätt någon gång?

Ordföranden lade sin hand på min axel.

– Vi vill verkligen hjälpa dig, sa hon lågt och varmt. Du ska se att det här ordnar sig.

VARJE DAG DEN HÄR VÅREN talade jag med Hanna i telefonen. På var sitt håll jobbade vi med att sammanställa bevisen mot stiftelsen Evigheten, jag inifrån, hon utifrån. Sedan stämde vi av med varandra och satte ihop ett pussel som förhoppningsvis bestod av sanning och verklighet. Till sist skrev Hanna ihop långa promemorior med argumentation och vittnesförhör som hon skickade till tidningens advokat, men vi undrade båda om han någonsin läste dem.

Varje dag satt jag dessutom vid köksbordet och skrev lite på min berättelse. Jag var ovan vid tangenterna, det var länge sedan jag använt skrivmaskin. Inte sedan jag arbetade med de ekonomiska analyserna på banken. Uppsatser hade jag inte skrivit sedan gymnasiet.

Nu letade jag efter tangenterna och efter orden, när jag hittade det ena hade jag ibland glömt det andra. Men jag ville få ner alltsammans, jag ville hitta en ordning, jag ville inte glömma.

– Jag tror det ska bli en bok, sa jag. Historien om vad som hänt oss.

Anders såg inte upp från sin kvällstidning.

– Jättebra, sa han utan att ha hört vad jag sagt.

Jag log mot honom, trots att han inte såg det.

Barnen var inte lika lättledda. De protesterade högljutt mot mitt nya engagemang i bokskrivande och telefonerande.

– Jag vill leka, mamma! tjöt Robin och spred ut mina papper över golvet.

– Nej, gubben! ropade jag och kastade mig efter pappershögen, men för sent. Pojken stampade på mina tafatta författarförsök, jag fångade honom och hissade honom upp i luften.

– Det var länge sedan vi körde tågen, sa jag. Ska vi bygga en tågbana?

– Tåg är tråkigt, sa pojken och krånglade sig loss. Jag vill leka ute.

Jag tvekade inte.

– Okey, sa jag. Kom så klär vi på oss!

Förvånat tittade han upp på mig, sådana klara, blåa ögon, lilla älskling!

– Anders, sa jag, kom så åker vi ut en sväng. Jag vet ett ställe där man kan gå i skogen och grilla nere vid sjön.

– Hurra! jublade pojken, Emma kom ut från sovrummet och tittade storögt med en krita i handen.

– Spring och klä på er, sa jag och skjutsade iväg dem ut i hallen.

– Vad är det för ställe? frågade Anders lågt när barnen drog på sig sina overaller.

– Vet inte, viskade jag tillbaka. Vi får väl köra ut mot Mälaren och se om vi hittar någon rastplats någonstans.

Det blev en lyckad dag, jag kände mig glad och stark när vi kom hem frampå kvällen.

En dag i april åkte jag in till Stockholm för att träffa kvällstidningens advokat och gå igenom vad som skulle hända i tryckfrihetsrättegången. Jag mötte Hanna på Centralen, tillsammans letade vi oss bort till kontoret på Strandvägen.

Det var mycket sobert, med tjocka mörka mattor och kristallkronor överallt.

Advokaten satt bakom ett enormt skrivbord med stora högar av dokument och utskrivna vittnesmål som Hanna Lindgren ställt samman.

Han hälsade på oss och knackade sedan lite irriterat i bordet med sin guldpenna.

– Det finns ingenting ärofyllt överhuvudtaget med det här målet, sa han. Allting är bara sjaskigt och solkigt. Jag tycker vi ska betala den här Katarina och köpa oss fria från stämningen.

Jag kände hur jag tappade hakan, ilskan steg upp genom hela kroppen. Vad menade karln? Sjaskigt? Solkigt?

Jag tittade på Hanna, hon såg helt lugn ut.

– Visst, sa hon kort. Det handlar ju bara om hotade kvinnor och barn. Ingen glamour överhuvudtaget.

– Nej, precis, sa advokaten med eftertryck. Och jag måste säga att den här Katarina har en poäng. Många av tjänsterna hon tagit betalt för har visst utförts, såvitt jag förstår har Petra Andersson och Henrietta Lundin fått både skydd och boende efter att de kommit till stiftelsen Evigheten.

– Men det var ju jag som gjorde det, sa jag, och min röst lät väldigt liten.

– Ja, men då så, sa advokaten och tittade på mig med små kalla ögon. Du bodde där gratis och jobbade lite som tack, det var väl inte mer än rätt?

Jag blev alldeles stum, visste inte vad jag skulle svara.

– Jag utgår från att du utmålar någon sorts worst case scenario nu, sa Hanna Lindgren. Frågan är inte vad Maria Eriksson har gjort, utan vad Katarina Nilsson Strömlund har lovat, vad stiftelsen Evigheten utfört och vad hon har tagit betalt för.

– Såvitt jag förstår kommer inte polisanmälningarna att resultera i något åtal, sa advokaten och lutade sig bakåt i stolen. Jag tycker vi ska förlika.

– Då kommer jag att ställa till ett sådant jävla liv att ni aldrig har hört på maken, sa Hanna Lindgren.

Advokaten flinade lite, reste sig och markerade att audiensen var slut.

Hela sommaren låg den väntande rättsprocessen över mig som ett stort och hotfullt moln. Jag fortsatte att skriva på min bok samtidigt som jag verkligen ansträngde mig för att vara närvarande med barnen. Sommaren var ganska kall och regnig, så vi höll oss inne rätt mycket. Ibland tog vi bilen och åkte ut någonstans utanför stan och badade i små insjöar som vi hittat i vår bilatlas. Vi såg till att aldrig åka tillbaka till samma ställe.

Jag var lyckosam i min valutaspekulation hela den våren och sommaren. Mitt lilla sparkapital växte och bestod nu av närmare fyrtiofemtusen kronor. Jag beslutade mig för att inte bli feg, utan satsa friskt och riskera en förlust.

Hellre det än att aldrig ha tagit chansen, tänkte jag.

Hanna fick en dotter i juli, och bara någon vecka senare kallades hon upp till redaktionsledningen för att börja drillas inför tryckfrihetsrättegången.

Huvudförhandlingen skulle äga rum första veckan i september. Ju närmare dagen kom, desto nervösare och känsligare blev jag. Jag kunde börja gråta utan anledning, fick svårt att äta.

– Och stackars Hanna, grät jag, som måste sitta med sin nyfödda baby och pressas av den där hemska advokaten. Inget av det här hade hänt om jag bara hållit truten!

– Nu får du ge dig, sa Anders till slut. Hanna visste precis vad hon gjorde. Och det är inte ditt fel, eller Hannas, att tidningen blivit stämd. Ni är bara vittnen.

Han tog mig i famnen och vaggade mig.

– Kom igen, sa han och rufsade mig i håret. Du klarar det här. Och tidningen kommer inte att fällas. Ni reder ut det här. Mia, hör du det?

Och han kysste mig och jag lät mig övertygas.

Dagen innan rättegången inleddes var jag faktiskt riktigt lugn och samlad. Anders var ute med barnen, jag gick igenom mitt material en sista gång.

Det borde inte finnas några oklarheter.

Katarina hade en otrolig förmåga att övertala och dupera folk, men här fanns allt för många omständigheter som visade hur verkligheten egentligen såg ut.

Visst, hon kunde påstå att jag varit i maskopi med henne och att vi utfört allt detta tillsammans, eller andra lögner som jag inte kunde gissa mig till, men faktum kvarstod.

När jag genomskådat stiftelsen Evigheten drog jag bort mitt ärende från länsrätten, det som skulle ha givit mig, eller rättare sagt Katarina eller oss båda, två och en halv miljon.

Hon kunde kanske säga att det var jag som var hjärnan bakom alltsammans, att hon bara var ett viljelöst offer som låtit sig förledas av mig.

Men jag kom inte in i bilden förrän i april 1992. Vem hade lurat och duperat henne åren dessförinnan?

Hon kanske kunde påstå att Hanna hittat på och fejkat alla intervjuer med henne, men hon visste inte att Hanna spelat in alla deras telefonsamtal på band.

Jag hade svårt att se hur hon skulle komma undan.

Med en tung och koncentrerad suck slog jag ihop mina pärmar och papper.

Det fick bära eller brista.

Just då ringde telefonen.

Det var Hanna.

– Katarina har dragit tillbaka sin stämningsansökan, sa hon. Det blir ingen rättegång.

Jag öppnade munnen och stängde den utan att få fram ett ljud.

– Tidningen har förlikat, fortsatte Hanna. Chefredaktören påstår att de inte betalat ut några pengar till henne, men jag vet inte om jag tror honom.

Jag var tvungen att sätta mig ner.

– Det är inte sant, viskade jag.

– Jo, sa Hanna och hon lät alldeles kvävd. Jag kan väl säga så mycket som att jag varit otroligt förbannad och att chefen var ovanligt undfallande och pressad. Du kanske har sett vår löpsedel idag?

Nej, det hade jag inte.

– Vår listiga redaktionsledning har kört igång en satsning där tidningen granskar den svenska invandringen och invandringspolitiken, det står ”KÖR UT DEM!” i krigsrubrik på löpet och läsarna är alldeles vansinniga. Om det nu kan vara någon tröst i bedrövelsen så tror jag detta är spiken i kistan för den här tidningsledningen, till och med styrelsen måste ju inse hur jävla omdömeslösa de är...

Vi satt tysta ett tag i var sin ände av telefonledningen.

– Så vad händer nu? sa jag, och långt bak i nacken var det någonting som lossnade och släppte, en spänning i axlarna som plötsligt gav vika som jag inte ens varit medveten om.

– Jag ska vara barnledig, det är en sak som är säker. Och så vill jag hemskt gärna läsa manuskriptet du talat om, boken du skriver på. Om jag får, vill säga.

Jag var alldeles yr, känslorna kom och gick genom både huvudet och kroppen, jag blev varm och kall om vartannat.

– Det är klart du får, sa jag, men du behöver absolut inte känna dig tvingad. Jag har ställt till det tillräckligt för dig.

Hanna lät allvarlig och mycket trött när hon svarade.

– Mia, sa hon, en sak ska du veta. Du är den enda som jag har kunnat tala med om den här historien. Du är den enda som orkat lyssna, du är den enda som har hjälpt mig.

Jag hittade inget svar, satt bara tyst.

– Så det är över nu? sa jag sedan. Det här med stiftelsen Evigheten är över, för alltid?

– Såvitt jag kan begripa, sa Hanna.

JAG POSTADE MINA PAPPER till Hanna, bortemot nittio maskinskrivna sidor, och sedan gick jag in i ett tillstånd av total tomhet.

Jag hade satsat så mycket på tryckfrihetsrättegången, och så blev den inte av. Jag hade velat ge upprättelse till alla svikna kvinnor som blivit lurade av stiftelsen Evigheten.

Jag hade kämpat som ett djur för att sy ihop en lösning för oss utomlands, men inte heller länsrätten kunde bestämma sig för någonting utan sköt bara över beslutet på kammarrätten.

Jag försökte samarbeta med socialtjänsten tills jag nästan slog knut på mig själv, och ändå blev de aldrig nöjda.

Emma skulle egentligen ha börjat skolan nu, men det fanns inte en möjlighet att hon skulle klara det. Först och främst var det fullständigt otänkbart att lämna henne utan skydd hela förmiddagarna i ett obevakat klassrum, och dessutom skulle hon knappast kunna tillgodogöra sig någon undervisning. Jag var ingen psykolog, men jag visste att både hennes fysiska och känslomässiga mognad låg åratal efter.

Långa stunder satt jag bara och stirrade ut på gården i vår betongförort, så länge och stumt att Anders till slut ringde våra gamla läkare i Dalarna och slog larm.

En dag i oktober körde han helt enkelt upp mig till dem för att jag skulle få någon att tala med. Väl där började jag gråta, jag kunde inte sluta förrän jag helt enkelt föll ihop och somnade.

Hanna ringde mig med jämna mellanrum, och i slutet av oktober när jag kommit hem igen sa hon att hon ville träffa mig.

Jag var håglös och kraftlös, försökte slingra mig ur hennes förslag, men hon gav sig inte.

Hon föreslog ett fik inne i stan, och jag gick med på att komma dit eftersom jag inte orkade protestera.

– Jag har läst det du skrivit, sa hon när vi slagit oss ner med kaffe och var sin bulle. Hennes baby låg i vagnen bredvid oss.

Jag rörde i min kopp utan att svara, med ens lite nervös för vad hon skulle tycka.

– Det som hänt er är helt förfärligt. Så här får det faktiskt inte gå till. Er historia borde berättas, mest för att den är så vanlig.

Jag såg upp på henne, lite förvånad.

– Tror du verkligen att någon skulle vilja läsa om oss?

– Jo, sa Hanna, det tror jag. Din historia är mycket vanligare än du tror. Det enda som är konstigt med dig är att du lever. Hade han haft ihjäl dig hade du blivit tio rader i lokaltidningen, ”Familjebråk slutade i tragedi” hade det stått och sedan hade ingen brytt sig.

Jag rätade på ryggen, så hade jag aldrig tänkt på saken.

– Jag har följt många fall som liknat ditt, sa Hanna. Det är så sällan någon orkar berätta, särskilt inte en sådan gräslig historia som din, men det finns ett himla värde i att höra din röst.

– Fast det här är ju ingen bok, sa jag och tänkte på min lilla pappersbunt.

– Det kan bli, sa Hanna, för det här är viktigt.

Tanken slog mig med ens i sin fulla vidd, tänk om det verkligen blev en bok om mig! Först steg en sorts eufori upp genom kroppen, jag skulle få berätta, folk skulle lyssna! I nästa sekund slog ångesten till, rädslan och skammen.

– Men då vet ju alla, sa jag. Och vad skulle mamma säga?

– Om den blir publicerad måste du naturligtvis berätta om boken för dem. Och så måste du vara försiktig, inte röja er i onödan. Det är en del att tänka igenom rent juridiskt.

Tankarna började virvla, jag blev varm i ansiktet.

– Men jag kan inte, sa jag.

– Ska vi göra det tillsammans? frågade Hanna och tittade till babyn som börjat skrika i vagnen.

Jag såg förvånat på journalisten.

– Hur menar du?

– Du berättar och jag skriver. Jag ställer en massa frågor och du måste minnas allting.

Hanna tog upp babyn och drog av henne sparkdräkten.

– Men, sa jag, vill du det? Hinner du det?

– Jag är ju barnledig, och efter det som hänt så brinner jag inte direkt av längtan att komma tillbaka till tidningen. Du hörde att chefredaktören fick sparken?

Jag tvekade, fick han?

– Han föll på Kör ut dem-löpet. Egentligen är han en bra karl, men han var inte rätt person för att köra ett hangarfartyg som en kvällstidning egentligen är. Vill du ha mera kaffe?

Jag skakade på huvudet, men kände sedan att jag faktiskt var lite sugen.

– Sitt du, sa jag, så hämtar jag påtår.

Med ens var mina steg lite lättare, något glimmade till borta i horisonten.

Det som hänt mig var viktigt.

Min historia var värd att berätta.

Jag hällde upp kaffet och satte mig ner.

– Ja, sa jag. Vi gör det.

Hanna började ringa mest varje dag. Ibland förstod jag inte vad hon talade om. Jag upptäckte att det fanns massor av detaljer i mitt förflutna som jag helt enkelt stoppat undan och förträngt.

Steg för steg nystade hon upp min historia, det var både förfärligt och nyttigt att gå igenom alltsammans en gång för alla.

Det höll mig igång hela den vintern, och när våren kom hade Hanna hunnit fram till tidpunkten när vi tvingades gå under jorden.

– Klotens värdshus, ringde hon och sa för femte gången. Hur såg det ut?

– Jag vet inte, svarade jag, återigen.

– Hur kändes det när ni kom dit första gången? Vad hade ni för utsikt utanför fönstret?

Jag letade inom mig, såg trånga rum och skuggor som flöt.

– Jag kommer inte ihåg.

– Jag förstår att det är hemskt för dig, men jag kan inte beskriva det här. Jag kan inte se det framför mig. Det finns bara en sak att göra.

– Vad?

– Jag måste åka dit. Pallar du att följa med?

Jag kände efter och upptäckte att jag genast blev svettig i händerna.

– Om du tror att det behövs, sa jag.

En solig dag i början av maj hämtade Hanna upp mig vid pendeltågstationen och körde upp mot Dalarna. Vår första anhalt var Klotens värdshus, där vi bott den första förfärliga tiden som gömda. När det var någon kilometer kvar innan huset skulle skymta mellan granarnas grenar började jag skaka i hela kroppen. Jag frös så att jag skallrade tänder, Hanna kastade en orolig blick på mig.

– Hur är det? Håller du på att krascha?

Jag slog armarna om mig, skakade på huvudet.

– Det går bra, sa jag lågt.

När byggnaden väl gled upp på vänster sida om bilen kändes det, trots allt, inte så hemskt. Något av den ångest jag känt när jag tänkt på stället försvann faktiskt genast.

Värdshuset var omdöpt och hette Sävernäsgården numera. Det hade en ny ägare, en mycket vänlig man som lite förvånat men artigt visade oss runt.

Jag gick upp i vårt gamla rum och jag såg sängen jag sovit i, drog med handen över påslakanet, det doftade nytvättat.

I det här rummet hade jag förlorat kontakten med verkligheten. Här hade de gamla skogsarbetarna som byggt huset gått ovanför mitt huvud med sina släpande steg, här hade jag hört min döda vän ropa på mig från undervåningen. Här hade jag nästan dött av de mediciner jag hällt i mig.

Hanna gick omkring och tittade och tog bilder och antecknade. Hon frågade om småsaker, hummade och funderade.

Jag gick ut i det gemensamma vardagsrummet, strök med handen längs muren vid öppna spisen.

– Tror du att det här hjälper? frågade jag.

– Faktiskt, sa hon. Nu fattar jag hur ni haft det. Nu kan jag äntligen se det framför mig. Det var här du hörde röster? I den här korridoren som Marianne ropade på dig?

Jag gick fram och såg in i den brunmurriga, avlånga hallen med sina rader av stängda dörrar, nickade och rös till.

– Precis just här, sa jag. Exakt här var det.

På samma sätt åkte vi runt till de andra platserna vi levt på det första året som gömda. Det hade inte varit lätt att rekonstruera tidpunkterna och hur länge de olika perioderna varat på det olika ställena. Jag och Anders hade brottats många kvällar med att lägga pussel med alla pensionat och små torp ute i skogen. Till slut trodde vi att vi fick det rätt, men det var så mycket som redan sjunkit undan att vi inte var alldeles säkra.

Medan Hanna körde mellan de olika platserna talade vi om vad vi skulle göra när boken blev klar. Hanna tyckte att vi skulle trycka upp den och ge ut den själva, men jag tyckte det vore roligare om den kom ut på ett stort förlag, så vi enades om att Hanna skulle skicka iväg manuskriptet till sex olika förlag bara för att se vad de sa. Det var ju inte alls säkert att någon ville ha den.

Vi diskuterade också var berättelsen skulle sluta. Hanna föreslog att vår första resa utomlands blev sista sidan i boken, det var det enda egentliga avslutet som fanns i berättelsen, tyckte hon.

– Vi vet ju faktiskt inte hur det går ännu, sa hon och log mot mig medan bilen rullade tillbaka mot Stockholm. Vem vet, vi kanske får tillfälle att skriva en fortsättning någon gång?

Jag skrattade högt åt den befängda idén.

Sista veckan i maj lade Hanna hela manuskriptet i mitt knä. Min första reaktion var att det var så tungt, packen med papper var på över fyrahundra sidor.

När barnen lagt sig den kvällen började jag läsa, och när jag väl börjat så kunde jag inte sluta, och jag grät hela tiden. Det var både märkligt och vemodigt att genomleva allting på det här viset, att få leva med mig själv och äntligen förstå vår egen tragedi.

Tidigt nästa morgon hade jag läst klart. Solen hade gått upp och sken in i vårt kök, och när jag väl lade ner den sista sidan spred sig ett stort och soldränkt lugn i mitt bröst.

Jag hade faktiskt överlevt, och jag skulle klara mig.

Hanna skickade iväg det färdiga manuskriptet till bokförlagen den 1 juni.

Den 10 juni svarade det första förlaget, en av jättarna i branschen, att de funderade på att anta det.

Den 11 juni svarade den andra jätten att de antog det, rakt av.

Vi skrev på direkt.

Två av de andra förlagen refuserade så småningom manuset, de övriga två svarade aldrig.

Publiceringen låg långt fram i tiden, på hösten 1995.

– Då har ni flyttat utomlands, sa Hanna.

Hon syftade på frågan om vår emigration, som äntligen var på väg att nå sitt slutgiltiga avgörande.

Det var dags för huvudförhandling i kammarrätten.

DET VAR EN KLAR och solig höstdag, högt uppe på himlen dansade tunna molnstrimmor. Jag var nervös, men ändå märkligt lätt om hjärtat.

Det kändes som om det här skulle gå bra.

Min advokat och Hanna var med mig. Tillsammans gick vi och pratade och skrattade på väg till förhandlingen.

Rättssalen låg i en av de palatsliknande byggnaderna på Riddarholmen i Stockholm, våra försiktiga steg ekade i stenhallarna, jag drabbades av samma känsla av respekt som i en kyrka.

Salen var enorm. Längst fram satt tre allvarliga jurister, samtliga män. Där var också mina läkare, och så de bägge kvinnorna från socialtjänsten.

Direkt jag såg dem sitta där visste jag det: de här människorna skulle avgöra min framtid. Jag visste inte hur eller varför, men känslan var så stark att jag blev alldeles knäsvag.

Mitt liv ligger i era händer, tänkte jag och såg dem i ögonen, en efter en.

Jag och min advokat satt till vänster i salen, Hanna satt längst bak på åhörarplats, i övrigt var salen helt tom.

Ordförandens torra stämma ekade svagt mellan väggarna när han tog till orda. Först gick han igenom vilka samtliga närvarande var, förklarade att förhandlingen skedde bakom lyckta dörrar, sedan började han utfrågningen av mig, mina läkare och tanterna från socialtjänsten.

Till min stora glädje och lättnad tyckte samtliga som förhördes att mitt förslag till utlandsetablering var bra och borde godkännas. Läkarna hade i och för sig alltid tyckt det, men båda socialsekreterarna hade gjort en helomvändning och ansåg numera att emigration var enda lösningen för vår familj. De stödde vårt förslag till fullo.

För en totalkostnad av trehundrafemtio tusen kronor kunde vi lösa hela vår livssituation för evigt. Då ingick skola, bostad, läkarvård, vidareutbildning och alla tänkbara papper och tillstånd.

Ett alternativ som en av juristerna tog upp var att vi skulle bo på ett familjehem i ett halvår och utredas, till en kostnad av en halv miljon.

Ingen av de närvarande tyckte att det var någon bra idé. Om det var något vi var, så var det utredda. Och vart skulle vi ta vägen efteråt? Då skulle vi vara tillbaka där vi började.

Jag var glad och lättad när vi lämnade rättssalen på Riddarholmen.

Tre veckor senare kom kammarrättens dom, och jag blev så förtvivlad att världen slöt sig omkring mig som jorden runt en grav.

Kammarrätten avslog vår begäran.

De kunde inte medverka till någon emigration.

Däremot, nästan längst ner på sidan två, hade man skrivit:

"I målet får anses utrett att familjen Eriksson för att leva ett normalt liv behöver flytta från Sverige."

Dessutom var en av juristerna skiljaktig: han höll visserligen med om att vi inte skulle få någon hjälp, däremot var han tvungen att påpeka att "Sverige var en rättsstat", och att något sådant som drabbat oss faktiskt inte kunde hända här.

– Det här är helt otroligt, sa Hanna när hon läste domen. Både den skiljaktiga juristen och själva domskälen är helt sensationella. "Sverige är en rättsstat", vilken jävla sten har den här gubben krälat ut under? Och det här domskälet: "I målet får anses utrett att familjen Eriksson för att leva ett normalt liv behöver flytta från Sverige." Jag har aldrig tidigare sett en sådan formulering. Den här meningen är viktigare än hela domen. Rätten slår ju faktiskt fast att ni måste emigrera. Ni kan inte bo kvar, det står här, svart på vitt.

– Och ändå vill de inte hjälpa oss, sa jag nerifrån botten av min svarta ravin.

Domen slutade med att ärendet hänvisades tillbaka till socialtjänsten.

Vi var tillbaka på ruta ett.

Igen.

Jag gick in i ytterligare en period av mörker och tomhet efter kammarrättens beslut. Mina läkare var bekymrade, jag visste att de periodvis bedömde mig som suicid, självmordsbenägen.

Ibland orkade jag inte gå upp på morgnarna. Anders fick ta hand om barnen medan jag låg apatisk och stirrade in i sovrumstapeten.

Det var livet självt som till slut fick mig på fötter igen. Barnen slutade inte kräva min närvaro, Anders slutade inte med sina diskussioner om nyhetshändelser och politiska frågor, Hanna slutade inte ringa.

Jag reste mig upp, nästan uträknad, maktlös och dödstrött.

Tjänstemännen på socialförvaltningen var lika uppgivna som vi över att vi var tillbaka i deras knä. Jag såg samma sak hända med dem som med de andra tjänstemän vars ansvar vi varit: de började tröttna på oss.

Dessutom var man ordentligt bekymrad över Emmas bristande skolgång. Hon skulle egentligen ha gått i tvåan nu, men förutom de praktiska omöjligheterna vad gällde säkerheten tyckte jag fortfarande inte att hon var mogen rent känslomässigt.

Socialtanterna stod emellertid på sig. Enligt skollagen rådde skolplikt, och någon form av undervisning och samvaro med andra barn skulle Emma ha.

Därför beslutade man att flickan skulle börja gå på dagis, trots mina enträgna protester.

Dagis blev det, två timmar om dagen, och det blev en riktigt sorglig historia.

Varje morgon åkte vi genom hela kommunen till ett överfullt och slitet daghem. Av säkerhetsskäl skulle jag eller Anders vara tillsammans med Emma hela tiden, som om vi skulle ha haft något att sätta emot om våra förföljare hittat oss.

Vår situation blev snabbt märklig och obehaglig på daghemmet. Emma var blyg inför de andra barnen, hon drog sig undan deras lekar och satt helst med mig och pysslade. De gånger vi försökte puffa iväg henne för att leka med dem blev hon ledsen och grät.

Personalen var inte informerad om vår historia annat än i väldigt grova drag, och de tyckte vi var larviga och i vägen när vi satt där och tog upp plats bredvid vår flicka hela förmiddagarna. Allt oftare bad de oss hjälpa till med olika göromål, som att städa eller stå i köket medan de gick ut med barnen, och när vi försökte förklara att vi inte kunde göra det uppfattade personalen oss som lata och bortskämda.

Det blev allt obehagligare att gå dit, och det var med stor lättnad vi äntligen fick jullov.

Vi köpte pennor och sudd och andra småsaker i julklapp åt barnen det året. Sedan hittade vi en stormarknad vi aldrig varit på tidigare, och där stod vi och slog in alltsammans i gamla mjölkpaket och andra stora kartonger.

Det blev till slut en stor hög med paket, trots att de sammanlagt kostat mindre än en hundralapp.

Vartenda öre vi hade sparade vi till vår emigration. Vi var tvungna att betala alltsammans själva, och trots mina framgångsrika valutaspekulationer fattades det över tjugofemtusen kronor för att vi överhuvudtaget skulle lyckas ta oss iväg. Då var egentligen ingenting ordnat, vi hade varken skolor eller bostad, men eftersom jag hade ett par ingångar så räknade jag kallt med att jag skulle hinna ordna det innan vi for.

Det vi behövde var pengar till flygbiljetterna, enkel väg, handpenningen för att hyra en bostad, första månadsavgiften till barnens skola, och så pengar till uppehälle någon månad tills vi hittat något att jobba med. Sjukvård, telefon, möbler, transporter och försäkringar kunde vi glömma, det fick komma i ett senare skede.

Barnen älskade julen. Vi satsade alltid lite extra inför helgerna, gjorde eget julpynt och sjöng julsånger och kokade julgotter. Jag tyckte också mycket om vinterhögtiderna, det var så mysigt att göra varmt och mjukt inomhus när det var så kallt och mörkt där ute.

Just den här julen gjorde vi något vi inte gjort på flera år.

Vi ringde mina föräldrar och bjöd upp dem att fira jul med oss. De blev både överraskade och glada, och det var med spänning och lite nervositet jag spanade ut mot parkeringsplatsen på förmiddagen den 24 december.

– De kommer, ropade Emma och kom springande genom lägenheten när det ringde på dörren. Pappa säger att de kommer, mamma, mormor är här nu!

Jag hade inte träffat mina föräldrar på nästan fem år. När de klev in i vår hall fick jag stålsätta mig för att inte visa min reaktion: så gamla de blivit! Så de hade åldrats!

Men värmen i deras ögon var densamma, min pappa kom emot mig med sin stora björnfamn och slöt mig i sina armar.

– Älskade tös, sa han strävt. Så bra att få se dig. Du är dig så lik.

Vi kramades länge, sedan såg jag in i hans ögon.

– Du är dig lik, du också, sa jag, och jag menade det verkligen.

Barnen var väldigt blyga inför mormor och morfar, de kände helt enkelt inte igen dem, och mina föräldrar reagerade likadant.

– De är så stora att jag aldrig skulle trott att de var dina om jag inte visste, sa min mamma förundrat.

När hälsningsceremonierna var undanstökade tog jag min pappa åt sidan.

– Är du helt säker på att ni inte blev förföljda? frågade jag.

– Jo, sa han tvärsäkert. Vi körde hemifrån redan i går och bodde över på ett vandrarhem i Västmanland. Hela kvällen och halva natten höll vi koll på vilka som fanns i närheten eller passerade, de var inte där.

Jag kramade honom igen.

Så dumt att jag inte sett till att träffa dem tidigare!

– Åh, men titta! ropade min mamma från vardagsrummet. Du har skinnsoffan kvar!

Jag skrattade högt.

– Det är klart! Jag älskar den där möbeln. Kommer du ihåg när vi köpte den?

– När ni flyttade in i radhuset, sa mamma. När du väntade Robin.

– Precis! Fast den har blivit ganska smutsig, vita möbler är inte särskilt praktiska när man har småbarn.

– Men det finns jättebra skinntvätt nuförtiden, sa mamma.

Samtalet flöt på, bubblade och virvlade, precis som det alltid gjort mellan oss, det var som om vi sågs i förrgår.

Min pappa och Anders lekte med barnen medan jag och mamma ställde fram julmaten de tagit med sig.

När vi stod där ute i köket och lade upp på faten kramade min mamma plötsligt om mig.

– Tack, sa hon. Tack för att vi fått komma hit.

– Jag är så glad att ni ville komma, sa jag och kramade tillbaka.

– Fast man vet ju aldrig med er, sa mamma. Man vet ju inte om ni vill träffa oss eller inte.

Jag blundade några sekunder men beslöt mig för att inte bli provocerad.

– Helst skulle jag vilja träffa er varje dag, sa jag och log mot henne. Kan du ta skinkan?

Mina föräldrar sov över två nätter och åkte inte hem förrän på annandagens kväll. De skulle köra en omväg hem så att de inte rullade in i vår hemstad från rätt håll när de kom tillbaka.

Vi tog ett hjärtligt adjö och bestämde att det inte skulle gå fem år tills vi sågs nästa gång.

Efter helgerna gick vi inte tillbaka till daghemmet, och ingen hörde av sig till oss heller. Vi började hoppas så smått att socialtjänsten lagt ner hela dagisprojektet, men sådan tur hade vi inte.

I mitten av februari blev jag plötsligt uppkallad till min advokats kontor. Han sa att det var bråttom och mycket viktigt.

Jag gick dit tillsammans med Hanna, som slutat på kvällstidningen och i stället var nyhetschef på en ny sorts tunnelbanetidning.

– Jag har nåtts av oroande och tråkiga underrättelser, sa min advokat när vi tagit plats i hans ljusa och trevliga kontor.

Mitt hjärta började slå hårdare, men jag anade inte vidden av paniken, jag var helt oförberedd på vad som skulle komma.

Min advokat såg allvarligt och bekymrat på mig när han talade.

– Socialtjänsten funderar på att tvångsomhänderta barnen, sa han. De vill placera Emma och Robin i fosterhem.

Tiden stannade, rummet försvann.

Min advokats röst kom någonstans långt bort ifrån, allting var mörker som långsamt kantrade.

– De anser att du och Anders utgör en fara för era barn, ni är inte i stånd att ta hand om dem längre.

Så det var så här det skulle sluta, de vann till slut, socialtjänsten lyckades krossa oss, de gav sig inte förrän de tagit ifrån oss det sista vi hade, det här var vad de strävat efter hela tiden, att mala sönder oss, förstöra varje hopp till mänskligt liv för mig och mina barn.

Resten av mötet har jag bara dimmiga minnen av, jag vet att vi reste oss upp till slut, vi kom ut på gatan och tog oss hem till Hanna och där spydde jag. Jag kräktes och kräktes tills det inte fanns något kvar, sedan tuppade jag av ett tag och när jag kvicknade till stod Hanna lutad över mig.

– Hur mycket pengar saknas det? frågade hon, och hon var alldeles vit i ansiktet.

– Tjugofemtusen, fick jag fram.

– Kom, sa hon och drog upp mig. Vi ska gå till banken.

Hanna hämtade ut pengarna från sitt sparkonto en halvtimme senare. Jag gick raka vägen till närmaste resebyrå och köpte fyra enkla biljetter till Sydamerika, betalade kontant.

– Du ska få tillbaka vartenda öre, sa jag.

– Det löser sig, sa Hanna.

Så var vi då på väg, men vår avfärd blev inte alls så som vi tänkt och planerat.

I stället för ett lugnt och värdigt avsked, där vi skulle hinna ta farväl av min familj och de platser och människor vi lärt känna, skulle vi fly hals över huvud för att inte krossas för evigt.

Vi sade upp lägenhet och telefonabonnemang, gick hastigt och ostrukturerat igenom våra ägodelar, bestämde fort och ogenomtänkt vad som skulle med och inte.

Vår nya tillvaro i Santiago skulle inte alls bli lika välplanerad som jag önskat. Jag skrev in barnen på en privatskola i ett förhoppningsvis säkert område. En flyktingfamilj, Fernandez, som jag umgåtts med för tio år sedan lovade oss härbärge första natten. De hade en bekant som skulle hyra ut ett hus, och om vi bara kunde betala ett rejält förskott skulle det inte bli några problem, trodde herr Fernandez.

Barnen tog det hela ganska lugnt, det var en tröst i bedrövelsen. Trots att det gått så lång tid hade de ett ljust men odefinierbart minne av att utomlands var roligt och trevligt.

– Får vi bada varje dag, mamma? frågade Emma.

Jag tog henne i mina armar och pussade hennes mjuka hår.

– Inte varje dag, sa jag, men vi ska vara ute jämt, och så ska du få börja skolan.

– Får jag skolväska då?

Mina ögon fylldes av tårar och jag höll henne intill mig, mitt hjärta hotade att brista.

– Ja, älskling, viskade jag. Du ska få både skolväska och skrivböcker.

Hon höll sina smala armar runt min hals samtidigt som hon funderade intensivt. Sedan frågade hon:

– Får man ha lackskor?

Jag strök bort tårarna och tog ett djupt andetag innan jag svarade.

– Varje dag!

Jag var väldigt glad över att vi fått tillbringa julen med mina föräldrar. Det gjorde att det både kändes lättare och svårare att ringa och berätta för dem att vi skulle flytta för gott.

Jag sa att vår emigration var på gång, att vi skulle åka under våren.

De tog det bra, bägge två. Det kom ju inte som någon överraskning.

– Kan jag få skicka några dukar till dig? frågade min mamma. Några virkade, från mormor, som ett minne. Nu har jag ju din adress.

Jag blev alldeles kall, det sista jag behövde var ett stort paket som valsade runt på vår post därhemma och röjde vår bostad.

– Visst får du det, sa jag, men absolut inte hit. Skicka dem till min vanliga adress, via min advokat.

Jag tror hon blev lite stött, men hon kämpade för att inte visa det.

Anders tog kontakt med sina släktingar i Norrland för första gången på många år och meddelade att han skulle flytta från Sverige. De frågade varför, och han svarade bara att han fått jobb i Asien.

Vi packade ihop de saker vi skulle ha med oss och staplade dem i kartonger intill ytterdörren. De skulle gå med båt till Chile och beräknades anlända ungefär en månad efter oss. Där fanns kläder och den sortens husgeråd som var dyra att köpa men billiga att frakta, tv-n, videon och Anders verktygslåda. Dessutom hade jag, på mina sydamerikanska vänners påstridiga inrådan, även packat ner min svenska dammsugare. Det fanns inga liknande att köpa där nere.

Sedan informerade jag personalen på vår socialtjänst att vi skulle åka. De blev förvånade och lite bestörta, det var som om de inte riktigt trott att vi skulle komma iväg.

– Vi ska se till att ni får resan betald, sa de och försökte låta tröstande.

Detta var vad de sociala myndigheterna bidrog med efter sex års utredande: fyra enkla biljetter till Sydamerika.

Min sista myndighetskontakt blev med min gamla kontaktperson på socialtjänsten i min hemstad. Jag berättade att vi skulle lämna Sverige, att jag inte visste när eller om vi skulle komma tillbaka, och slutligen gav jag honom numret till Hanna Lindgren.

– Ta kontakt med henne om du måste nå oss, sa jag.

Dagen före avresan fick jag ett samtal från min advokat, han berättade att jag fått ett stort brev från min mor.

Jag lämnade Anders och barnen och tog en sista tur in till Stockholm, passade på att fika med Hanna och säga hej då till henne.

– Säg till om det är något jag kan göra, sa hon.

Jag log mot henne.

– Du har gjort tillräckligt. Men om du kunde hålla lite koll på myndigheternas register vore det bra.

Jag lovade att slå en signal när vi kommit i ordning.

Så åkte jag upp och hämtade min mors paket, och i trapphuset utanför advokatens kontor slet jag upp det.

Där låg tre små nötta, virkade dukar från min mormor. Sådana hade jag aldrig hittills haft i mina hem. Ändå blev jag glad över dem, det kändes varmt och gott på något sätt.

Min mamma hade skrivit ett brev också, en liten lapp med darrig handstil.

Vår avfärd var bokad till den 2 mars, vilket mina föräldrar inte visste om, och dagen därpå fyllde min pappa sextiofem år.

”Min högsta önskan”, skrev min mamma, ”är att du och barnen ska komma hem till hans födelsedag. Kan ni inte komma hem och fira honom?”

Jag tryckte brevet mot bröstet. Tårarna brände, jag kunde inte längre se.

Åh herregud, älskade lilla mamma, vilken naivitet!

Samtidigt som ni hurrar för pappa kommer vi att kliva av planet i Santiago de Chile.

DEL 2

EXIL

JAG DROG ETT djupt andetag och storknade genast i en hostattack.

– Herregud, vad mycket avgaser, sa Anders och snappade efter luft.

Klockan var halv sex på eftermiddagen och solen stod lågt. Trafikdånet var öronbedövande, folk hade vaknat till liv efter siestan. Vi befann oss mitt i den chilenska huvudstaden, med Anderna som en vägg bakom oss och Stilla havet ett tiotal mil västerut.

Mina ögon sved, jag kisade genom diset ut över en öppen plats där massvis med gula bussar kryssade om varandra.

Gatorna var dammiga och heta, överallt trängdes gatuförsäljare med vägarbetare, shoppande mödrar, välklädda affärsmän och svettiga resenärer med skrymmande bagage. Till vänster om mig bubblade brunt vatten i en bred betongränna, jag förstod att det var Río Mapocho, floden som rann från Andernas sluttningar, genom hela Santiago och ut i havet.

Det var de gula bussarna som var vårt första mål. Nästan alla var olika, det var bara färgen och de svarta dieselångorna de hade gemensamt, och alla gick åt olika håll. Enrico Fernandez hade talat om den här platsen, jag visste att vi kommit rätt.

Emma ställde sig bredvid mig och blinkade mot ljuset, Robin hostade bakom mig.

– Hur i allsindar ska vi veta vilken vi ska ta? frågade Anders.

– Jag hör mig för, sa jag.

Tillsammans släpade vi ut vårt bagage ur flygbussens lastutrymme, sammanlagt tio väskor som innehöll det vi behövde tills våra kartonger skulle anlända om en dryg månad. Sedan lämnade jag Anders och barnen utanför ingången till en stor saluhall.

Nyfiket såg jag mig omkring. Jag hörde spanskan surra omkring mig, det kändes ovant och märkligt. Nu var det nästan tio år sedan jag senast hade någon kontakt med språket. Med ens gjorde situationen mig förlägen.

– *¿De dónde el autobus para Huechuraba?* frågade jag en busschaufför och tyckte själv att jag lät stel och konstig.

Chauffören stirrade på mig och jag blev ännu mer generad, hade jag sagt något fel? Hette det inte *para* Huechuraba, hette det kanske *en* Huechuraba?

Men så viftade han mig vidare, och minsann, lite längre bort stod den, bussen som gick norrut mot familjen Fernandez bostadsområde.

Just den bussen hann försvinna innan jag hämtat Anders, barnen och alla väskor, men vid det laget hade nästa buss anlänt och det var bara att hoppa på. Jag hade växlat pengar på flygplatsen och betalade tolvhundra pesos till chauffören, lite drygt tolv kronor, och sedan rullade vi iväg.

Jag visste att Santiago bestod av trettioen olika *comunas*, förutom själva stadskärnan, och bussen till Huechuraba skulle ta oss genom flera av dem.

Det var trångt, Anders och jag satt bredvid varandra med var sitt barn i famnen och såg staden virvla förbi utanför fönstret. Det gick fort, vi kastades framåt vid tvära inbromsningar och trycktes mot varandra i skarpa kurvor.

– Mamma, sa Emma, jag mår illa.

– Vill du ha något att dricka? frågade jag, men flickan skakade på huvudet.

Jag strök henne över håret, hon måste vara helt slut efter flygresan.

Den hade tagit oss via Oslo, irländska staden Limerick och vidare till Santiago de Chile med det amerikanska flygbolaget Delta. Jag tittade ut genom fönstret och kände hur trött jag var.

Vi passerade något som hette Barrio Bellavista och sedan fick jag syn på skylten Recoleta.

– Anders! sa jag. Det är här vi ska bo! Det är här någonstans vårt hus ligger.

Vi satte oss upp alla fyra och stirrade på omgivningarna med nyvaknat intresse. Jag hade fått höra att området räknades till de hyfsade, och definitionen av ”hyfsade” gick långsamt upp för mig.

Fasaderna flagnade. Graffiti bredde ut sig över väggar och murar, täckte hela byggnader. Jag stirrade misstroget på den hysteriska trafiken, elledningarna som hängde i klasar över gatan och mellan husen, människorna som trängdes i dammet, drivorna av skräp i rännstenen. Om detta var ett av de bättre områdena, hur såg då de dåliga ut?

– Är du säker på att det här är rätt? sa Anders.

– Jag vet inte, sa jag. Det kanske finns flera Recoleta.

Bussen körde vidare mot Huechuraba. Vi passerade Avenida Américo Vespucio, ringleden som går runt hela staden, och sedan var vi inne i familjen Fernandez bostadsområde.

Jag måste erkänna att jag var naiv. Visst, jag hade läst på och visste vad som väntade, jag visste att bostadsområdena som växte upp på femtio- och sextiotalen i utkanten av Santiago kallades *las callampas*, svamparna, eftersom de bokstavligen växt upp över en natt och såg ut därefter. De var kåkstäder, primitiva skjul av träbitar och plåt utan el eller vatten, men jag visste också att mycket möda lagts ner på att riva skjulen och bygga anständiga bostäder där de legat. Överhuvudtaget var Chile det land i hela Sydamerika som mest liknade det samhälle jag och min familj kände till, med en lång, demokratisk tradition – undantaget Pinochets diktatur, naturligtvis – levnadsstandard, säkerhet och attityd. Jag hade exempelvis läst att den chilenska polisen var den enda i Sydamerika som inte gick att muta.

Därför innebar åsynen av Huechuraba något av en chock för mig.

Skjulen var inte alls borta. De täckte utkanterna och bergssluttningarna med ett gytter av eländiga kojor av ved, plank, plåt och plast. Mellan rucklen hängde rep fulla av färgglada barnkläder på tork. Rostiga bilar stod parkerade i den hårda leran, och överallt sprang barn omkring. De var glada och livliga, och på något egendomligt sätt grep det mig ännu mer.

Åh gode Gud, så människor har det!

Jag fick kämpa hårt en lång stund för att hindra tårarna från att rinna över.

Familjen Fernandez bodde mitt inne i själva området, och där var en betydligt bättre standard. Ändå var förfallet påtagligt även här. Vi passerade en skola som såg ut som ett sämre fängelse med höga, slitna murar och galler för alla fönster. Gatorna var ännu skräpigare här, trottoarerna var av stampad jord.

Men emellanåt fanns riktigt fina små hus med trädgårdar och verandor, alla dock noggrant inhägnade av höga grindar och spetsiga murar.

I ett sådant hus, på gatan Guillermo Subiabre, bodde Enrico och Carita Fernandez med sina fyra barn.

Vi klev av bussen, som inte stannade vid några egentliga hållplatser härute, och blev stående utanför grinden.

Min osäkerhet tilltog. Jag hade umgåtts en hel del med familjen Fernandez i början av åttiotalet, men när de flyttade från min hemstad blev kontakten alltmer sporadisk. Strax innan vi gick under jorden skickade de ett kort och berättade att de tänkte återvända till Chile, och sedan dess hade vi inte hörts av förrän jag letade upp mina gamla nätverk igen.

– Ska vi inte gå in? sa Emma.

I samma stund flög ytterdörren upp och en liten kille kom utspringande på grusgången.

– *¡Ellos están aquí!* ropade han upphetsat och viftade med armarna. *¡Papá, los suecos han llegado!*

Det måste vara Enrico och Caritas yngsta, som föddes efter att de återvänt och som de i ett nostalgiskt svenskögonblick döpt till Nils.

Grinden gick inte att öppna utifrån, vi fick vänta tills vi blev insläppta.

Det första som slog mig när jag fick syn på Enrico var att han åldrats något alldeles oerhört. Han hade blivit stor och bred och tappat håret, och hans ansikte som jag mindes som piggt och glatt hade blivit rödbrusigt och fårat.

Men hans värme och famntag var sig likt.

– Mia, sa han och vaggade mig. Tänk, att jag får ta emot dig i mitt land.

Situationen tog andan ur mig, alltsammans var nästan övermäktigt och jag fick återigen stålsätta mig för att inte gråta.

– Jag är så glad att träffa er igen, sa jag.

Om herr Fernandez åldrats, så var det inget mot vad som skett med hans fru.

Carita och jag var jämngamla, men nu såg hon ut att vara närmare femtio. Hon var mager, håret alldeles grått och flera av hennes tänder var svarta.

– Välkommen, sa hon blygt och höll generat för munnen. Jag har gjort i ordning lite kvällsmat, är ni hungriga?

Huset var enkelt och ostädat. Jag visste att Carita hade två olika jobb för att försörja familjen, Enrico var arbetslös.

Många chilenska flyktingar drömde under Pinochets diktatur om att kunna återvända till sitt hemland. I slutet av åttiotalet, när det blev möjligt, var det en hel del som åkte hem, och jag visste att många blivit besvikna. Jag kände till en familj som återvänt till

Valparaiso men ångrat sig igen och återvänt en andra gång, tillbaka till Sverige.

– Vad tycker ni om Santiago? frågade Enrico, sköt tallriken ifrån sig och hällde upp mer vin i sitt glas.

– Det är vackert med bergen runt omkring, men väldigt mycket avgaser, sa jag försiktigt.

– Ja, det är klart, sa herr Fernandez. Det är ju svart idag.

Han drog fram tidningen *La Tercera* och visade en ruta på sista sidan under rubriken *El Tiempo*, vädret. Varje dag publicerades smogvarningar i olika färger, grönt stod för ren och klar luft, gul var normal smog, orange stod för *malo*, dålig, röd innebar kritisk och svart farlig, *peligroso*.

– Skolorna har varit stängda idag, sa han. De slår igen när luftföroreningarna går upp på svart. Det är meningen att man ska hålla ungarna inomhus, men det går ju inte. Inte när man bor så här.

Han slog ut med handen, jag undvek hans bitterhet genom att resa mig upp och duka av från bordet.

Carita visade oss var madrassen och våra filtar låg, sedan gick hon iväg till ett av sina arbeten. Våra barn och lilla Nils somnade i barnkammaren, de andra barnen Fernandez försvann ut i natten.

Sedan slog vi oss ner i det spartanskt möblerade mat- och vardagsrummet.

Enrico, som druckit vin under middagen, fortsatte nu med en sorts gul sprit, *pisco*, som han blandade ut till en grogg.

– De som stannade kvar och uthärdade diktaturen ser oss som svikare, sa Enrico. De tycker vi var fegisar som flydde när det var som värst. Som om vi varit i Europa för nöjes skull.

Det han sa var intressant och jag ville verkligen lyssna, men tröttheten värkte i kroppen och fick mig att tappa koncentrationen.

– Huset som vi skulle få hyra, sa jag prövande. När får vi tillgång till det?

– Som om det skulle vara roligt, sa vår värd, att tvingas lämna sitt land av fruktan, ta en enkel biljett till Nordpolen, lära sig ett nytt språk och en ny kultur över en natt. *¡Locos!*

Han hällde upp den sista slatten ur flaskan i sitt glas. Jag böjde mig fram och fångade mannens lite dimmiga blick.

– Enrico, sa jag. Huset i Recoleta, vem ska vi hyra det av? Vem ska vi ta kontakt med?

Han skakade på huvudet och såg bekymrat ner i den tomma flaskan.

– Det är redan uthyrt, sa han.

Orden gick först inte in.

– Uthyrt? sa jag. Men vi ska ju bo där. Det är ju därför vi har kommit hit.

– Ni kommer att hitta något annat, sa Enrico Fernandez och reste sig. Han stapplade bort till toaletten, som skärmades av från vardagsrummet med ett fransigt draperi. Jag lyssnade till hans urinerande medan jag pressade undan paniken.

Nu var vi här, det var det viktigaste. Från och med nu kunde vi ordna saker och ting själva, på plats. Och det mest väsentliga var dessutom klart, skolan till barnen.

Jag och Anders lade oss tätt intill varandra på den tunna madrassen på golvet i vardagsrummet. Medan min makes andetag blev allt tyngre låg jag vaken med tröttheten värkande i kroppen. Jag såg rakt in under en soffa, i dunklet tycktes dammråttorna röra sig.

Det var mindre än fyrtioåtta timmar sedan jag låste dörren till lägenheten i förorten söder om Stockholm. Skramlet när nycklarna landade på insidan av brevinkastet ringde fortfarande i mina öron, och nu var jag här, på andra sidan jordklotet.

Vad gjorde jag här? Hur kom jag hit?

Med ens fick jag för mig att resan bara var en dröm, att jag egentligen låg i min säng och snart skulle vakna.

Sedan small någonting till ute på gatan, Anders ryckte till bredvid mig men vaknade inte.

Verkligheten var här, i allra högsta grad. Den stack i mina ben och sved i halsen.

Kanske hade alla åren i Sverige varit en enda lång mardröm.

Jag gled bort med ekot av en skällande hund i öronen.

Dagen därpå var Enrico på dåligt humör. Att smogvarningen låg kvar på svart och skolorna var stängda ytterligare ett dygn gjorde inte saken bättre.

Carita försvann redan efter frukosten. Barnen Fernandez var ute och sprang, men vi höll Robin och Emma inomhus. Stämningen i det trånga huset blev snabbt väldigt tryckt. Enrico låg och tittade på tv i den enda soffan. Vi försökte göra oss osynliga i ett hörn av vardagsrummet, men huset var så litet att det var omöjligt.

Efter en kopp kaffe och en öl kvicknade herr Fernandez till, och jag satte mig ner bredvid honom för att försöka reda ut vad som hänt med vårt hus.

– Hyresvärden kunde inte vänta på er, sa han. Det dök upp en kille från Viña del Mar som lade upp tre månadshyror i förskott, så han fick ta det.

– Känner du till någon annan som vill hyra ut? frågade jag.

– Inte just nu, men du kan få låna tidningen, sa Enrico beklagande och sköt över *La Tercera* till mig. Det finns alltid en massa bostadsannonser.

Santiago var en stor stad med närmare fem miljoner invånare. Den var rejält utbredd, och vissa delar var mycket fattiga.

Skolan som barnen skulle gå i låg i Vitacura, en *comuna* öster om själva Santiago som räknades till stadens allra bästa delar. Jag ville gärna hitta en bostad åt det hållet, så att resvägarna inte blev så långa.

Men priserna på husen och lägenheterna i de områdena gjorde alla sådana drömmar orealistiska. Där fanns bara villor och bostadsrätter, och även om priserna inte var i nivå med huvudstäderna i Europa, så var de långt utanför vår räckvidd. En trerumslägenhet öster om stan gick på minst trehundrafemtio tusen svenska kronor, vilket var helt otänkbart för oss.

Jag bläddrade i tidningen och jämförde bostadsannonserna med kartan jag tiggt mig till på biluthyrningsfirman på flygplatsen. Det fanns förstås bara ett Recoleta, och jag insåg snabbt att området var ett bra alternativ. Providencia och Las Condes låg också ganska nära skolan men var dyrare. Om vi kunde hitta något att hyra i andra hand så kunde det gå.

– Hur länge ska ni stanna här? frågade Enrico Fernandez från sin soffa.

Jag lade ihop tidningen och bytte en blick med Anders.

– Vi åker så snart vi hittat ett billigt hotell.

Vi sov ytterligare två nätter på den knöliga madrassen på familjen Fernandez vardagsrumsgolv. Det var en lättnad att packa ihop våra resväskor och släpa ut dem på gatan i väntan på bussen.

Vi åkte tillbaka samma väg som vi kommit, ner till Estación Mapocho, och letade oss fram till ett lägenhetshotell på en bakgata inte så långt därifrån.

Rummet kostade fyrahundra kronor i veckan och visade sig krylla av kackerlackor. Åtta av väskorna förseglade vi med tejp för att förhindra ohyran att få fäste i våra saker. De kläder vi var tvungna att packa upp och exponera för krypen fick vi tvätta i kokhett vatten så småningom.

När jag bokade rummet hade jag frågat om det fanns telefon, och fått svaret att det gjorde det. Det visade sig vara en sanning med modifikation: visserligen hade hotellet en telefon, men ingen som gästerna fick använda. Förmodligen berodde missförståndet på mina bristande språkkunskaper, och det ställde till det rejält för oss. För att kunna skaffa en ordentlig bostad och någon typ av försörjning måste jag kunna ringa. En stor och oförutsedd kostnad blev därför att skaffa en mobiltelefon.

När jag fått igång telefonen ringde jag och bokade tid med rektorn på barnens skola. Vi bestämde att träffas dagen därpå.

Det var med fjärilar i magen som jag och barnen åkte iväg med bussen. Luftföroreningarna hade gått ner på rött, kritiskt, men jag märkte ingen större skillnad. Avgaserna sved och brände i hals och ögon, Robin hostade och hostade tills han nästan kiknade.

Vi gick av vid en *parada*, busshållplats, på Gerónimo de Alderete och hittade snart rätt gata. Den kantades av låga lövträd jag aldrig sett förut, de påminde om gigantiska ormbunkar. Här var luften något bättre än på de centrala gatorna. Bebyggelsen bestod av låga hus i dova färger med tämligen enhetliga murar mot gatan.

Själva skolan var inrymd i just ett sådant hus, strax intill en tennisklubb. Visserligen låg en stor hög med avskräde precis utanför ingången, men vi lät oss inte avskräckas utan knuffade undan några gamla färgburkar och ringde på porttelefonen ute på gatan.

– Är de snälla på den här skolan? frågade Emma och kramade oroligt min hand.

– Vi får väl se, sa jag, för i samma ögonblick gick dörren upp.

Någon skolgård att tala om fanns det inte, bara en tre meter bred betongpassage in till själva byggnaden.

Nåja, man kan inte få allt, tänkte jag.

Rektorn var en liten slank kvinna med blonderat hår och svala händer. Hon talade den mjuka, klassiska spanska som man gör i Europa, inte de skarpa s-en som sydamerikaner har.

– Det är mycket trevligt att ta emot barn från Skandinavien, sa hon och gled bakom sitt tunga skrivbord. Vi ska se till att de trivs här.

Jag log och försökte undvika att känna mig klumpig.

– Vi är mycket tacksamma över möjligheten att barnen får undervisning här, sa jag och hoppades att jag träffade rätt i grammatiken.

– Så, lilla du, sa rektorn och vände sig mot Emma. Vilket är ditt favoritämne i skolan?

Emma blinkade några gånger och tittade sedan osäkert på mig.

– Vad sa hon, mamma?

– Barnen talar inte spanska, sa jag ursäktande och ansträngde mig för att le.

Kvinnans förbindliga ansiktsuttryck försvann med ett litet ryck.

– Inte spanska? Men då kan vi inte ta emot dem här!

Jag fortsatte att le.

– De kommer ju att lära sig, sa jag. De är ju här för att få undervisning.

Rektorn åstadkom ett litet irriterat klickljud med munnen och reste sig hastigt.

– För att våra elever ska kunna tillgodogöra sig vår undervisning så måste de naturligtvis tala språket. Det finns ingen möjlighet att ta emot barn som inte är spansktalande, det skulle sänka nivån på våra kurser och förstöra vårt rykte i branschen. Jag är mycket ledsen.

Det kändes som om någon ryckt undan mattan under mina fötter.

– Om vi lär dem spanska hemma, sa jag. Om vi hittar en privatlärare som kan lära dem snabbt...

– Kom tillbaka när de är fullständigt flytande, sa hon och gick mot dörren.

– Men hur ska de bli det utan träning? sa jag. De måste ju ha kamrater att tala med, annars lär de sig ju aldrig?

– Jag beklagar, sa rektorn.

Robin drog i min kavaj.

– Vad säger hon, mamma? Är hon arg på oss?

Jag reste mig också upp och samlade ihop barn och handväska.

– Men om jag följer med barnen till skolan, sa jag och hörde att jag vädjade. Om jag sitter bredvid dem och stödjer dem tills de kan tillgodogöra sig...

Rektorn såg på mig med små bleka ögon.

Hennes händer var alldeles kalla när vi skyndsamt tog farväl och lämnade byggnaden.

VI VAR INTE TILLBAKA på noll, utan minus två.

Inget hus, och ingen skola till barnen.

Jag släppte all bostadsjakt och inriktade mig helt på att hitta en ny skola, en som vi hade råd med och som accepterade barn som inte talade spanska.

De kommunala skolorna var uteslutna, eftersom de krävde att man hade medborgarskap eller uppehållstillstånd. De som återstod var privata, och de var ganska många.

De följande två veckorna gick jag runt på ett tiotal skolor, varav alla låg i de östra förorterna. Bebyggelsen var stadslik, blanka glashus som trängdes med bruna stenbyggnader.

Alla jag tittade på var privatskolor.

Den första låg strax intill ringleden. Klassrummen låg i bottenvåningen på ett åttavåningshus, trafiken vrålade förbi på gatan utanför och där fanns ingen skolgård överhuvudtaget.

Det här är inte människovärdigt, tänkte jag och gick inte ens in.

Den andra låg på en bakgata intill en byggarbetsplats. Där kunde de tänka sig att, rent principiellt, ta emot barnen, men informerade samtidigt om att de just nu hade en väntelista på fem år.

I stadsdelen Providencia fanns också flera stycken som var och en föll på antingen den ena eller andra detaljen.

Till slut fanns bara området allra längst österut kvar för mig att söka igenom: El Arrayán, den förmögna förorten där den förre diktatorn Augusto Pinochet numera hade sitt palats.

Området låg alldeles i utkanten av staden, i den yttersta av *comunas*, och bestod av utspridda villor som klättrade utefter bergssidorna ovanför staden. Längst ner i en liten dal porlade Río Mapocho, som här uppe var en glad och hoppande liten bergsälv, helt olik det bubblande bruna diket nere i Santiago.

Bussen hade tagit mig högst upp på Avenida Las Condes, nu gick jag långsamt längs smala och ganska dåligt asfalterade gator och drog in den relativt rena luften. Växtligheten var betydligt frodigare än nere i staden, vissa gator var nästan som tunnlar under gröna lövträd. Höga murar, tjocka häckar och massiva grindar dolde husen och tomterna från insyn, jag stannade till och kikade i springor eller mellan järnstolpar och såg gröna gräsmattor, blanka bilar och fina hus där innanför. De hus jag såg var inte några vräkiga lyxbyggnader, men rena och trevliga villor.

Lösa hundar sprang omkring, precis som överallt annars, och med ojämna mellanrum passerade jag förfallna tomter där åsnor, kor och hästar betade.

Här fanns tre privatskolor som alla kunde komma i fråga för barnen. Jag hade bestämt tid hos de tre rektorerna med en timmes mellanrum.

Den första skolan föll på att den var för dyr. Den andra rektorn hade ändrat sig och släppte inte in mig överhuvudtaget.

Den tredje skolan hette Colegio Inglese International, Engelska Internationella Skolan, och låg i korsningen av två livligt trafikerade gator som gick vidare ner till staden. Eftersom jag fått tid över satt jag på bänken vid en *parada* och väntade tills jag kunde knacka på hos rektorn, och under tiden granskade jag skolan från utsidan.

Den låg i en backe, som allting annat i El Arrayán, med ett svart, smitt järnstaket runt hela området. Där innanför anade jag basketkorgar, en lekplats och färgglada anslagstavlor, högre upp bakom stora träd fanns minst en stor byggnad som jag gissade innehöll själva undervisningslokalerna.

Fem i tolv, just som jag var på väg att samla ihop min bok och vattenflaska för att gå in på området, hördes en klocka ringa ut och grinden mot gatan flög upp.

En stor grupp skrikande och skrattande barn i identiska skoluniformer vällde ut på trottoaren och vidare ner på gatan, två bilar fick tvärbromsa för att inte köra på dem men inget av barnen verkade märka det. I stället rusade de vidare mot ett litet köpcentrum bakom min busshållplats, där det fanns en kiosk och en liten glassbutik.

Om barnen skulle gå i skola här, tänkte jag, så skulle jag begåvas med ytterligare ångest: att de skulle bli ihjälkörda på väg till skollunchen.

På slaget tolv klev jag in på rektorsexpeditionen och hamnade i en stor, ljus lärosal med högt i tak och gamla undervisningsaffischer på väggarna. Mr Prior-Gattey, som också ägde skolan, var en gammal engelsk gentleman med stärkt skjortkrage och plirande blå ögon. Han bjöd på te och scones med marmelad och fick mig att känna mig riktigt bortskämd.

– Så era barn talar inte spanska? sa han på oklanderlig oxfordengelska och torkade mungiporna med servetten. Nå, det gör inget här hos oss. All undervisning bedrivs på engelska.

– De talar inte engelska heller, sa jag.

Han höjde en aning på ögonbrynen.

– Minsann, sa han. Så hur kommunicerar de med omgivningen?

Jag var tvungen att le.

– Svenska, sa jag. Ett språk som inte är särskilt gångbart i Sydamerika.

– *Indeed*, sa mr Prior-Gattey bekymrat. Det gör saken lite komplicerad. Jag måste diskutera antagningen med styrelsen, eftersom frågan berör vår undervisningsform. På rak arm minns jag inte när vi har nästa möte, men det tar nog någon vecka innan jag kan lämna besked. Ska vi säga så?

På vägen ut dröjde jag mig kvar och såg på de lekande skolbarnen. De sprang, skrattade och skrek, röjde runt bland klätterställningar och bollplaner. De ropade till varandra på flera olika språk, både engelska och spanska och något annat jag inte kunde placera, kanske var det portugisiska.

Det var precis så här jag en gång ville se mina egna barn leka och busa, sorglösa och obekymrade.

Solen sken, en mjuk och len höstsol. Det gick mot höst på södra halvklotet, därhemma var våren på väg. Jag lutade mig mot väggen till en övergiven, barackliknande byggnad som låg precis intill utgången och blundade mot värmen.

Det går, tänkte jag. Det måste gå.

Men rektorn hörde inte av sig.

Dagarna blev veckor på det trånga lopphotellet, och min desperation tilltog. Småsaker stod mig plötsligt upp i halsen, som det spanska språket. Min hjärna kokade över av alla preteritum och konjunktiv och andra konstiga grammatiska former. Jag stod inte ut med de pladdrande spanska nyhetsuppläsarna på hotellets dåliga tv, jag längtade efter Rapport! Jag ville ha kroppkakor med lingonsylt och smör. Jag ville fira påsk med svenskt lösgodis, färgade fjädrar och målade ägg. Jag saknade Konsum och Ikea och Hennes&Mauritz, och till slut ville jag bara skrika rakt ut:

– Låt mig komma hem!

Jag hade undersökt alla privatskolor i hela Santiago-området, och inte en enda hade accepterat barnen. Besvikelsen blandades med skamkänslorna över att ha släpat min familj över halva jordklotet under helt felaktiga premisser.

– Det är inte ditt fel, sa Anders, men jag hörde hur uppgiven han var.

– Vi kanske måste tänka om, sa jag. Det är inte säkert att Chile fungerar för oss.

Anders tittade på mig och jag såg ilskan väckas hos honom.

– Argentina, sa jag. Vi kan alltid prova att åka dit. Det är jättenära, bara en busstur över bergen.

En av de sista dagarna i mars packade vi ihop en liten bag med övernattningssaker och klev på bussen till Mendoza. Jag hade bekanta i den argentinska staden på andra sidan Anderna, de hade lovat oss husrum några dagar medan vi utredde möjligheterna att bo där.

Resan var lång och hisnande. Emma satt bredvid mig, stilla och orörlig i nästan åtta timmar. Min rädsla att hon skulle glida ifrån mig väcktes igen. Den låg ständigt latent, precis under ytan.

Jag kysste henne på håret.

– Har du sett, viskade jag och pekade mot skyn. Ser du fågeln? Det är en kondor.

Flickan såg upp för ett kort ögonblick, sedan rullade hon ihop sig i min famn.

Mendoza var en mycket större stad än jag trott. Med förstäderna uppgick invånarantalet till nästan en miljon. Folk livnärde sig på vingårdarna, oljefälten eller raffinaderierna som omgärdade staden.

Själva citykärnan var grönare och fuktigare än Santiago. Trots att det nästan aldrig regnade hördes ljudet av porlande vatten överallt. Snösmältningen från Andernas bergstoppar i väster försåg det ökenliknande området med oändliga mänger vatten, vilket gjorde staden till Argentinas centrum för vinodling.

Vi bodde inne i staden hos en familj som hette Torres, precis som vinet. De var inte släkt.

– Några privatskolor vet jag inte om det finns här, sa Hector Torres och såg frågande på sin fru Luisa som skakade på huvudet.

– Sådana behövs inte här, sa hon. De unga som inte flyttar härifrån kommer antingen att jobba på vinfälten eller oljefälten.

Efter bara ett par dagar stod det klart att vi inte skulle kunna slå oss ner i Mendoza. Även om vi hittade en skola, så fanns det andra problem som var lika akuta.

Emma var tvungen att få tillgång till en barnpsykolog, och jag fann ingen där.

Den fjärde morgonen i Mendoza vaknade jag av att fru Torres gallskrek ute i köket.

Jag rusade upp och såg Emma stå med en förskärare tryckt mot sin egen hals. Blodet hade börjat sippra fram och rann nedför halsen, fläckade hennes rosa pyjamas. Flickans ögon var uppspärrade och blicken skräckslagen.

– Emma, sa jag så lugnt jag kunde och gick långsamt fram mot henne, försökte fånga hennes ögon. Emma, det är mamma, jag kommer nu, nu är jag här hos dig och nu tar jag kniven ifrån dig, ge mig kniven...

Flickans fingrar var stenhårda runt träskaftet, hon tryckte knivbladet hårdare mot sin hals och blodflödet ökade.

Jag blockerade paniken som fick mig att vilja gallskrika. I stället tog jag tag i kniven med ena handen och höll flickans haka i den andra. Med ett ryck slet jag bladet ifrån flickan med en sådan kraft att hon ramlade framför mina fötter. Förskäraren åkte i golvet och jag fångade barnet i mina armar.

Luisa Torres rusade fram.

– Vad i all sin dar! skrek hon. Vad var det som hände? Vad höll flickan på med?

Den argentinska kvinnan var alldeles utom sig, hennes skrik hade väckt hela huset. Hennes man kom springande med håret på ända, både Robin och Anders skymtade bakom honom.

– Det är ingen fara, sa jag och försökte låta lugn. Emma gör så ibland, allt gick bra, det finns ingen anledning till oro...

– Ingen anledning! Hon blöder ju!

Jag släppte Emma, reste mig upp och naglade Luisa Torres med blicken.

– Kan du lugna ner dig? sa jag ganska hårt. Du gör bara saken värre. *Por favor!*

Så böjde jag mig ner över flickan igen, och som vanligt efter sina anfall grät hon av utmattning. Det var ingen fara med såren, de var ytliga och hade redan börjat levra sig.

Din satans djävul, tänkte jag hett med adress till hennes far och tog henne i min famn. Om du bara visste vad du utsätter ditt eget barn för.

– Buenos Aires, sa Hector Torres samma kväll och hällde upp mer vin i våra glas trots att vi båda tackat nej. Ni måste åka vidare till Buenos Aires. Där finns både skolor och läkare, och min fru har släkt där som ni kan bo hos tills ni kommer i ordning. Eller hur, Luisa?

Fru Torres satt tyst, hon hade knappt sagt något på hela dagen. Hon hade blivit ordentligt uppskrämd av Emmas attack, och mina hårda ord ovanpå det hade gjort henne ganska sur.

– Kommer du från Buenos Aires? frågade jag i brist på annat att säga.

Hon nickade.

– Det är en fantastisk stad, sa hon. Jag avundas alla som har möjlighet att bo där.

Hon kastade en snabb blick på sin make, som inte verkade ha hört hennes bitterhet.

– Då så, sa han och reste sig myndigt. Då tar jag kontakt med dem i morgon och gör klart för er ankomst.

– Ge oss en dag till, sa jag. Jag vill undersöka några sista alternativ.

Egentligen fanns det inga sådana kvar, men jag ville diskutera igenom saken ordentligt med Anders innan vi tog några beslut om vart vi skulle åka härnäst.

Den natten kunde jag inte somna. Jag låg vaken till gryningen, och hur jag än vände och vred på vår situation hittade jag ingen lösning.

Min sista tanke följde mig in i sömnen: Vi kanske måste åka tillbaka till Sverige igen.

I en mardröm sprang jag genom en tät barrskog, benen var tunga som bly. Vi var tillbaka, och vi var jagade, det var kallt och mörkt. Granruskor slog mig i ansiktet, stack mig över hela kroppen. Jag försökte skrika, men höll på att kvävas när jag försökte.

I stället började en fågel att tjuta, en gäll och ilsken ton som kom långt bortifrån.

Jag vaknade av fågeln, som i verkligheten var min signal till mobiltelefonen. Filten låg vid mina fötter, jag var iskall och myggbiten. Det ringde från botten av vår övernattningsväska, jag stapplade upp för riva fram den.

– Mia Eriksson? Det här är James, James Prior-Gattey! Hur står det till denna morgon?

Jag slickade på mina knastertorra läppar och letade febrilt i hjärnbalken, vem i allsindar var det här?

– Jag har glädjande besked! Vi hade styrelsesammanträde i går kväll, och vi finner inga hinder mot att era barn antas som elever på vår skola. Ni är välkomna från och med i morgon.

Rektorn! Herregud, mr Prior-Gattey på Colegio Inglese International i El Arrayán! Skolan med klätterställningarna och bollplanerna.

– Är ni säker? frågade jag dumt.

Han skrattade godmodigt.

– Vi är beredda att ägna lite extra tid åt barnens språkundervisning i början, sa han. Det kommer att innebära en liten höjning av er avgift, men jag trodde att ni skulle vara beredda att ta den utgiften.

Åh gode Gud, tack och lov, det gick vägen! Jag blundade hårt i tre sekunder.

– Tusen, tusen tack, sa jag. Om ni visste vad detta betyder för oss.

Det var som om portarna till framtiden plötsligt slagits upp på vid gavel för oss. Colegio Inglese International var den bästa av alla skolor vi tittat på.

Vi kom överens om att barnen skulle börja direkt efter helgen.

Redan samma eftermiddag hoppade vi på en buss som tog oss tillbaka över bergen.

Vid midnatt var vi tillbaka på lopphotellet i Santiago.

DAGEN DÄRPÅ MINNS JAG i en sorts berusat skimmer. Vi gick längs Paseo Ahumada, den stora shoppinggatan, och jag slogs av hur mycket den liknade Drottninggatan i Stockholm en varm sommardag. Där var horder av människor som långsamt trängde sig fram mellan glasskiosker och telefonhytter. Bakom blankputsade skyltfönster bjöds varor ut från varuhus och boutiquer, där fanns skor och smink, kläder och elektronikprylar, caféer och restauranger.

I hörnet av Agustinas låg affären som var vårt mål. Emmas hand skakade i min när dörrklockan plingade, hon hade väntat på det här ögonblicket i flera år.

Affären sålde skoluniformer, skor och skolväskor. Robin var tämligen oberörd, men Emmas ögon var storögt flackande, svepte över hyllorna med härligheter, kunde inte ta in dem tillräckligt intensivt. Vi köpte allt som behövdes och lite till, det kunde inte hjälpas. Åsynen av Emmas andlösa upphetsning gjorde mig alldeles blanködgd. Inget barn har någonsin sett fram emot att gå i skolan som hon.

Hela helgen sprang hon omkring i sin skoluniform, jag tvingades nästan bli arg för att hon skulle klä av sig när hon skulle sova.

På måndag morgon var flickan så skärrad att jag trodde hon skulle kissa på sig.

Redan klockan halv sju var jag och barnen ute vid Estación Mapocho för att ta bussen till El Arrayán. Vi skakade fram i över en timme innan vi äntligen kunde kliva av högt uppe på Avenida Las Condes.

Vi var nog lika nervösa alla tre när vi maldes in genom järngrindarna tillsammans med de andra eleverna och deras föräldrar. Robin och Emma såg sig lite skyggt omkring, ovana vid stojet och glammet. De hade aldrig vistats i en sådan här stor grupp med andra ungar.

Barnen skulle gå i samma klass, trots att Emma var två år äldre. Hon var liten för sin ålder, faktiskt både smalare och kortare än Robin, så det var ingenting som verkade konstigt.

Vi hade bestämt att jag skulle vara med i klassrummet hela första veckan, vara behjälplig närhelst det behövdes. Därför drog jag fram en stol för att sätta mig bredvid dem när de anvisats sina bänkar, men båda barnen viftade undan mig.

– Du kan sitta där bak, sa Robin och pekade på en bänk längst ner i klassrummet.

På rasten sprang syskonen iväg och lekte tillsammans vid en rutschbana, och snart kom några andra barn och anslöt sig till dem. Jag såg att Emma talade med en flicka, men vad som sades hörde jag inte.

På lunchrasten åt vi smörgåsar som jag tagit med, sedan gick vi över gatan och köpte glass. Många av barnen hade matsäck med sig, men andra verkade livnära sig helt på glass och smågodis.

På eftermiddagsrasten släppte jag uppmärksamheten från barnen och gick runt och tittade på skolområdet. Mina steg dröjde vid det lilla huset intill utgången, jag hade stått och solat mig här första gången. Skolklockan ringde in, men i stället för att gå tillbaka till klassrummet kikade jag in genom en lös fönsterlucka. Därefter tittade jag på grinden och lät blicken svepa över gatan och bort till glasskiosken.

Mina tankar tog form och jag gick och knackade på dörren till ägarens kontor.

– Mr Prior-Gattey, sa jag sedan jag blivit insläppt. Jag har ett litet förslag. Den tomma baracken precis vid ingången till skolområdet, används den till något särskilt?

– De gamla omklädningsrummen? sa ägaren. Nej, sedan vi byggde de nya bakom basketplanen för två år sedan har den stått tom, vi har funderat på att riva den. Hurså?

– Kan jag få hyra den och öppna en lunchservering?

Mannen såg förbluffat på mig.

– En lunchservering? sa han. Varför vill ni göra det?

– Ni serverar ju inte skollunch, sa jag. Jag har noterat att barnen rusar ut i trafiken för att köpa något att äta vid glasskiosken på andra sidan gatan. För mig verkar det både osunt och livsfarligt. Är det inte bättre att barnen har möjlighet att äta något ordentligt inne på skolområdet?

– Well, sa rektorn och lät fortfarande ganska paff, varför inte? Det kostar ju inget att prova.

Han plockade fram nyckeln till baracken, tillsammans gick vi ner och tittade ordentligt på byggnaden.

Det var dammigt därinne, låg lite bråte i ena hörnet. Med skurmedel och några dunkar färg skulle det här bli en riktigt hyfsad servering. Ett fönster med träluckor på utsidan kunde tjäna som serveringslucka. Det hängde en lampa i taket, alltså fanns det elektricitet indragen. Ett tvättställ i hörnet visade att baracken hade både vatten och avlopp.

– Vad tror ni? frågade ägaren. Skulle den fungera som servering?

– Absolut, sa jag.

Jag skulle inte kunna laga någon mat här, men när jag fick ett riktigt kök kunde jag förbereda det mesta hemma och sedan värma det i en mikrovågsugn. Jag behövde två rejäla bord och så hyllor för godis, nötter och andra småsaker. Kyl och en liten frys. Kassalåda och ett förkläde. Sedan kunde jag köra igång.

– Och jag tar naturligtvis på mig att få byggnaden i skick igen, sa jag.

– Överenskommet, sa mr Prior-Gattey och sträckte fram näven.

De följande eftermiddagarna ringde jag runt på alla annonser om hus och lägenheter till uthyrning i hela Santiago. Helgen därpå fick jag napp, i Recoleta.

Huset var en brun liten enplansbyggnad med stora portar direkt ut på gatan. Förmodligen var det ett gammalt garage som byggts om till bostad. Där fanns bara två rum, arbetskök och ett litet badrum, men det dög åt oss.

Vad som helst var bättre än lopphotellet.

Vi fick tillgång till huset en fredag i början av maj, en kulen dag med kyla och regn i luften. Årstiden gick mot sydamerikansk vinter, något som kändes knepigare än jag trott. För mig hade maj alltid varit årets bästa månad, just eftersom den bar löfte om sommar och sol.

Huset var mycket smutsigt, och det stod en hel del gamla möbler kvar, vilket var praktiskt eftersom vårt bohag fortfarande inte anlänt från Sverige. Vi köpte nya skumgummimadrasser till sängarna och lagade två stolar, sedan var vi i stort sett inflyttade.

Det enda stora inköp vi gjorde var en tvättmaskin. Den rymdes varken i köket eller badrummet, så vi ställde den i det som fick bli mitt och Anders kombinerade mat-, sov- och vardagsrum. Dessutom köpte vi en begagnad kyl med frysfack och en ny mikrovågsugn till serveringen.

Det hade gått två månader sedan vi lämnat Sverige, men ännu hade vi inte hört ett ljud från transportfirman som fraktat över våra saker. Det första jag gjorde när vi fått vår nya, fasta telefon inkopplad var att ringa till firman i Sverige och fråga när de skulle komma.

Jag fick svaret att de var på väg och skulle anlända inom fyra veckor.

– Det här funkar så länge, sa jag förtröstansfullt till Anders, men han vände sig bort.

Ibland blev han tyst och gled undan från mig. Många gånger

rannsakade jag mig själv och undrade om jag gjort rätt som dragit honom över hela jordklotet för att bosätta sig med mig i ett gammalt garage i Santiago.

Men sedan intalade jag mig att ansvaret också var hans, inte bara mitt. Han var en vuxen människa och hade ändå gjort ett val, precis som jag.

Jag ringde till Hanna och berättade att barnen börjat skolan och att vi hittat ett litet hus.

– Är det något som strulat till sig? frågade hon.

Jag drog på svaret, ville inte klaga.

– Allt var inte som vi trodde när vi kom fram, sa jag undvikande.

– Jag fattade det, sa Hanna, eftersom du inte hörde av dig. Säg till om det är något jag kan göra.

Jag gav henne vårt nya nummer och lovade ringa snart igen.

– Då ska jag ha en adress att ge dig, sa jag. Jag ska skaffa en postbox.

Medan vi väntade på att komma in i huset jobbade vi med att få serveringen i ordning. Anders slipade, målade och lagade några trasiga fönster, jag skrubbade och skurade och hängde upp en rullgardin. Sent en söndag kväll var allt klart att sätta igång.

Jag ringde Enrico Fernandez för att höra efter var de billigaste råvarorna fanns att köpa i närheten av Santiago.

– Marknaden nere vid Mapocho, sa han tvärsäkert, och jag nickade för mig själv. Jag visste var den låg, vi hade stannat utanför entrén den första eftermiddagen i Santiago.

Dagen därpå gick jag in genom de stora portarna och befann mig genast i en stor och vacker saluhall. Taket var brutet i olika nivåer och med en stor kupol i mitten. Det bars upp av genombrutna, svarta pelare och takstolar i gjutjärn. Doften var frisk men ändå mättad av fisk och skaldjur, färskt kött och söta frukter, golvet av ljusa stenplattor var blankpolerat.

Jag gick snabbt runt för att bilda mig en uppfattning om priserna. När jag räknat om valutan blev jag nästan arg. Det här var ju inte billigt, tvärt om! Herr Fernandez var ute och cyklade, han kan aldrig ha handlat mat. Det här var ju som Östermalmshallen i Stockholm, det bästa och det dyraste som fanns att uppbringa.

Jag gick fram till en vakt som stod och värmde sig i solen.

– Ursäkta, är det här marknaden?

– Vilken av dem? frågade vakten och stirrade på mitt blonda hår.

– Den där man köper billig mat?

Han skrattade till.

– Ni är på fel sida av floden, *señora*, sa han och pekade på en betongbro som sträckte sig över diket där Río Mapocho rullade fram.

Jag tackade och gick över till norra sidan, och det var som om jag förflyttat mig många mil.

Här var marknaden, den som herr Fernandez menat, och här fanns verkligen allting man kunde tänka sig till väldigt låga priser. Pyttesmå avokados som inte gick att sälja i de vanliga affärerna, paprikor som antagit formen av gurkor, missfärgade men i övrigt ätliga apelsiner. Här hängde hela, slaktade lamm bredvid rökta grishuvuden och högar med kycklinglever. Betonggolvet var bitvis täckt av djurblod, när det blev för halt tog någon fram en vattenslang och spolade bort det. Skygga katter och hundar rotade runt i avfallshögarna, slet och bet i ben och senor.

Allt var också väldigt billigt. Ett kilo tomater kostade motsvarande en krona kilot, persikorna en och femtio. Stora, mörklila druvor fick man för tre kronor kilot och jordgubbarna gick att få för fem.

Jag köpte köttfärs, drickor, godis, grönsaker och frukt, bröd och juice, ost och salladsdressing, papptallrikar och plastgafflar. Sedan släpade jag hem alltsammans och satte igång att baka pizzor som jag skulle värma i mikron, jag bredde smörgåsar och stekte hamburgare.

Dagen därpå tog jag med så mycket mat jag kunde upp till serveringen. Jag ställde de stora kassarna på mitt arbetsbord och packade in alla pajer, pizzor, hamburgare och grönsaker i kylen. Sedan tog jag upp en kartongbit och textade en meny med prisuppgifter som skulle hänga på utsidan. Maten skulle vara billig, men inte gratis. Längst ner skrev jag upp priserna på popcorn, läsk, chips och godis. För sådant tog jag lika bra betalt som alla andra kiosker.

Undervisningen började klockan åtta. Jag hade bestämt att serveringen skulle öppna klockan tio, men den första dagen kunde jag inte bärga mig utan ställde upp fönsterluckorna redan tjugo över nio.

Jag var ordentligt nervös när det ringde ut till första rasten, tänk om ingen ville handla något? Tänk om utflykten till glasskiosken på andra sidan gatan var dagens stora äventyr?

Skolbarnen tittade till lite ointresserat när de fick syn på mig i luckan, men ingen kom fram för att köpa något.

Hela rasten gick utan att någon alls kom fram till min lucka, och jag började känna mig rejält fånig. Vad i allsindar hade jag givit mig in i?

När det ringde in igen till andra lektionen såg jag Robin gå mot ingången tillsammans med sina killkompisar. Han gick lätt framåtlutad och hostade, precis som vanligt.

– Robin, ropade jag. Kom hit!

Han sprang genast fram till mig.

– Här, sa jag och tryckte tretusen pesos i hans hand. När det ringer ut nästa gång tar du Emma med dig och kommer hit och köper två hamburgare med sallad och juice av mig, kan du göra det?

– Men det är ju våra hamburgare, sa Robin förvånat. Varför ska jag betala för dem?

– Vi leker lite kiosk, sa jag.

– Okey, sa pojken och sprang iväg.

Nästa rast kom Robin mycket riktigt raka vägen ner till serveringen med Emma i släptåg. Bakom dem kom en hel rad med ungar, varav många var på väg över vägen bort till glassen.

– Två hamburgare med sallad och två juice, sa Robin högt och tydligt och räckte över sedlarna till mig.

– Ska bli, sa jag, och drog nervöst fram de hamburgare jag redan gjort i ordning.

– Tack tack, sa Emma och fnittrade, tog maten och gick bort till sina vänner.

– Kan man köpa käk här? hörde jag några äldre pojkar säga.

Jag hade satt upp lappar på alla anslagstavlor på hela skolan där jag berättade att serveringen skulle öppna, men mina meddelanden verkade ha gått de flesta förbi.

Nu fick de plötsligt syn på mig, och medan Emma och Robin mumsande försvann i barnhavet bildades snabbt en lång kö framför min lucka.

– Har du något som är kosher? undrade liten svart flicka.

Jag tvekade ett ögonblick.

– Jag har nötkött och kycklingsallad, sa jag, men jag vet inte hur djuren är slaktade. Om du vill vara helt säker har jag vegetabilisk pizza.

Hon tog en kycklingsallad.

– Tre hamburgare med ost, sa en kraftig kille i sista årskursen.

– En påse chips och en cola, sa en liten pojke som knappt nådde upp till luckan.

Jag stack till honom en liten papptallrik med sallad också.

– Den är gratis, sa jag, om du börjar med den.

Han tog förvånat emot den och satte igång att knapra salladsblad.

Den första lunchen hade både hamburgarna, pizzorna och läsken en strykande åtgång. Några äldre flickor blev arga och skällde på mig när jag berättade att pizzorna var slut, men de tinade upp när jag mutade dem med var sin pajbit.

När jag räknade kassan på eftermiddagen insåg jag att jag tjänat motsvarande trehundra kronor, efter att jag räknat bort mina utlägg.

Jag var riktigt nöjd med mig själv när jag tog bussen hem.

Snart fick jag ordentlig snurr på serveringen. Jag lärde mig beräkna hur mycket jag skulle ta med mig av de olika varorna, hur efterfrågan varierade efter väder och årstid.

Så småningom kom jag att baka brödet själv hemma också. Jag köpte glass som jag packade i en kylväska full med is, jag köpte skinka och salami och tomatpuré och dricka i stora mängder.

Flera gånger i veckan åkte jag med de gula bussarna ner till marknaden i Mapocho och handlade det jag behövde, både till serveringen och vårt eget hushåll. Ett par gånger tog jag tunnelbanan, som var väldigt fin och höll mycket högre klass än den i Stockholm, både vad gällde tåg och stationer.

Problemet var att jag var tvungen att släpa mina varor så långt om jag skulle åka metron. Den var alltid så fullpackad att jag aldrig fick sitta. Dessutom var jag tvungen att åka två olika linjer, och det fanns inga rulltrappor, och från Escuela Militar var jag ändå tvungen att ta bussen. Därför skaffade jag mig snart ett grepp om snårskogen av busslinjer, och sedan höll jag mig till dem.

Ofta gick försäljare genom bussen och ropade ut sina varor. Ibland steg tiggare på och berättade sina sorgliga historier.

– Min dotter studerar och jag behöver genomgå en operation, vill någon vara vänlig att stödja mig?

– Min hustru har diabetes, hon är i behov av insulin, finns det någon godhjärtad människa här som kan bidra med en slant?

– Jag har inte ätit på fyra dagar och är mycket hungrig.

Ibland gav jag dem några pesos, bara för att jag blev så illa berörd, men jag insåg att jag mycket väl kunde vara lurad varje gång.

En eftermiddag när vi bott i huset någon månad och barnen satt och läste läxor tog jag bussen ner till marknaden för att göra en hel rad med inköp. Dels skulle jag baka pizzor och göra *lomitos*, skivor av stekt, strimlat kött med massor med ost som serverades med vitt bröd, och så skulle jag köpa en del skolböcker.

Jag klev av intill Estación Mapocho, precis som vanligt, och sneddade över betongdiket där floden bubblade fram.

Nästan genast kände jag mig förföljd. Känslan var intensiv och obehagligt bekant. Jag kryssade målmedvetet mellan stånden, kikade över axeln och försökte granska min omgivning. Den bestod av den vanliga röran av folk, djur och varor, och jag märkte ingenting konstigt.

För att vara på den säkra sidan gick jag ändå ut på gatan framför själva marknadsområdet för att flytta över pengarna till fickan.

Jag hade precis tagit upp plånboken ur väskan när jag kände knivbladet mot mitt bröst.

– *¡Déme el dinero!*

Han var liten och mörk, inte mer än femton, sexton år. Ögonen var stadiga och fokuserade, han var varken nervös eller desperat. Kanske var det därför jag blev så oerhört rädd, av den omedelbara insikten att pojken hade gjort detta många gånger förut.

– Utländska kärring, sa han hotfullt, krångla inte. Ge mig pengarna.

Han tog ett steg närmare och tryckte knivspetsen mot mitt hjärta. Jag tordes inte röra mig.

– Om du inte ger mig pengarna nu så sticker jag ner dig!

Darrande sträckte jag över min plånbok till pojken, och ögonblicket därefter rusade han in mot marknadsstånden.

Med ens fick jag tillbaka luft i lungorna.

– *¡Ayúdeme!* skrek jag och pekade på pojken. Hjälp mig! Han tog mina pengar!

Runt omkring fanns massor med människor, de som var allra närmast tittade ointresserat till på mig innan de såg bort igen. Ingen gjorde någon ansats att rycka in.

– Men stoppa honom då! skrek jag, och sekunden senare hade rånaren uppslukats av folkmassan.

En äldre man i hatt och stickad slipover steg fram till mig och lade handen på min arm, jag ryckte till vid beröringen.

– *Señora*, sa han, skrik inte mer. Ni gjorde rätt som lämnade över pengarna. Dessutom kan ni vara glad att ni har kvar ert finger.

Han pekade på vänstra ringfingret där min vigselring satt.

– Det händer att de skär av dem för att komma åt guldet, sa han.

Mina armar skakade, jag mådde illa och hade svårt att tala.

– Hur kan människor bli sådana? frågade jag.

– Fattigdom, sa den gamle, och sedan gick han sin väg.

Jag blev stående framför marknadsplatsen, helt osynlig med min ångest. Vid mina fötter stod de få inköp jag hunnit göra, lite mjöl och jäst och några petflaskor med läsk. Trettiotusen pesos hade jag haft i plånboken, det var mycket pengar för mig.

Längst ner i botten av väskan hittade jag några småmynt, så mycket att jag kunde ta mig hem.

Från den dagen hade jag aldrig plånboken med mig till marknaden. Jag bar bara exakt så mycket som jag behövde för att handla, och jag hade alla sedlar vikta var för sig direkt i fickan.

Och sedan barnen gått och lagt sig den kvällen gick jag ut till en kvällsöppen *supermercado* och köpte brunt hårfärgningsmedel.

ANDERS TRÄFFADE ENRICO FERNANDEZ ibland. De kunde ju tala svenska med varandra, och snart började de diskutera att öppna en bilverkstad tillsammans. Det tyckte jag var en bra idé.

Barnen älskade att gå i skolan. Emma vaknade före klockan sex varje morgon, full av iver att packa sin väska och ta på sig skoluniformen. Robin, som vanligtvis var morgontrött, kom också snabbt på benen när jag väckte honom.

Varje morgon innan klockan blivit sju åkte de med bussen upp mot El Arrayán. Om jag inte skulle handla nere på marknaden följde jag med dem. De hjälpte mig att bära kassarna med maten jag lagat kvällen före.

Gatan framför skolan var alltid rörig och fullpackad när vi anlände. Stiliga hemmafruar körde sina barn till undervisningen i blanka bilar, lärare anlände och hälsade högt och hjärtligt. Barn hittade sina kompisar i vimlet och rusade tjutande varandra till mötes.

Mina barn gjorde likadant.

Det fanns ett syskonpar till i deras klass, tvillingarna Isabelle och Charlie från USA. De fyra barnen blev snabbt bästa vänner. Isabelles och Charlies pappa var hög chef på ett internationellt företag, de hade bott i flera länder förutom Chile, bland annat i Danmark.

Emma och Isabelle satt snart och lekte varenda rast. De hade dockor och nallar och My Little Pony som de klädde på och byggde kojor till. Robin och Charlie var med i ett stort killgäng som spelade basket, fotboll eller bara jagade varandra.

Efter att skolan börjat hade jag två timmar på mig att städa, plocka i ordning och fylla på hyllorna.

En morgon när det ringt in och jag precis slagit kokande vatten över kaffet i min franska bryggare knackade det på serveringens dörrpost.

Där stod en välsminkad kvinna med fönat blont hår och ett brett leende.

– *Hello there*, sa hon på välartikulerad amerikanska. Är det du som är Emmas och Robins mamma? Jag är Valerie, Isabelles och Charlies.

Jag ställde ifrån mig vattenkokaren och hälsade hjärtligt på henne. Hon var äldre än jag, drygt fyrtio kanske, men det var svårt att säga.

– Vill du ha en kopp kaffe? frågade jag.

– Hemskt gärna, sa hon och satte sig på ett av de två borden.

Jag räckte över en mugg med rykande kaffe, hon tog emot den och tittade begrundande på mig.

– Hoppas du ursäktar att jag frågar, men har du färgat håret? frågade hon och blåste på drycken.

Värmen steg upp på kinderna.

– Jo, sa jag, det blev lite ojämnt.

– Inte då, sa hon. Du passar i mörkt, även om du är en naturlig blondin.

Hon log uppmuntrande, och jag visste att hon ljög. Färgen klädde mig inte alls särskilt bra, men jag ville smälta in i mängden och inte bli rånad mer.

– Stämmer det att ni har bott i Danmark? frågade jag och bytte ämne.

– Kobenhavn, sa hon med dåligt danskt uttal, och sedan log hon. På Österbrogade, det var förfärligt kallt och blåsigt. Men jag gillade människorna, och jag älskade det skandinaviska ljuset. Jag är konstnär, ser du. Vad gör du när du inte är här?

Jag fyllde på hennes kaffemugg och funderade intensivt i några sekunder.

– Böcker, sa jag, för det var ju sant på sätt och vis.

– *Oh my*, sa Valerie imponerat. Vad då för böcker?

– Självbiografiska, sa jag. Fast mest tar jag hand om barnen.

Den amerikanska kvinnan nickade.

– Jag med. Det är klart att barnen kommer i första hand. Just nu gör jag mest keramik, Bruce har låtit inreda en studio där jag kan dreja, men det är klart att barnen är viktigast. Har du fler än Emma och Robin?

Jag skakade på huvudet.

– Vi har en son, Scott, sa Valerie, som precis börjat på college hemma i The States. Det är otroligt ensamt utan honom, trots att vi har tvillingarna kvar hemma. Tänk, hur det kommer att bli när de flyttar! *How awful!*

Hon reste sig och ställde den tomma muggen på bänken.

– Tack för kaffet. Jag ska inte störa längre. Säg till om det är något du behöver hjälp med!

Jag tackade för erbjudandet och vinkade av henne.

Först långt senare insåg jag att Valerie hela tiden trodde att jag drev serveringen som en välgörenhet, någon sorts tidsfördriv.

Hon fattade aldrig att den stod för nästan hela vår försörjning.

Någon vecka senare blev vi bjudna till ett kalas, ett *kids' party*, hemma hos Charlie och Isabelle. Jag frågade vem som fyllde år, men Valerie bara log och sa att ingen fyllde år, de hade party ändå.

Familjen bodde i en av villorna ovanför skolan som var helt och hållet dold från insyn från vägen. Det enda man såg var en hög, brun tegelmur med en enorm häck av barrträd innanför. Entrégrindarna var i massivt, mörkt trä och sträckte sig närmare tre meter upp. Flera snötäckta bergstoppar anades när jag höjde blicken bortom grindarna. Stora kaktusar kantade vägbanan just här och förstärkte intrycket av otillgänglighet.

En chilensk man, kanske trädgårdsmästaren, öppnade porten och släppte in oss.

– *Welcome,* ropade Valerie och vinkade oss bort till barbequeanläggningen intill poolområdet på baksidan av huset.

Det var massor av folk överallt, många barn kände jag igen från skolan. På varje tänkbar plats på hela tomten hängde en ballong, serpentin eller kulört lykta.

Barnen rusade iväg och lekte, jag frågade om det var något jag kunde hjälpa till med.

– Du kan hämta drickorna, de står i köket, sa Valerie.

Jag gick nyfiket bort mot villan. Själva huset var inte så märkvärdigt, en trävilla i ett plan, men tomten var stor och välskött och hade både pool och tennisbana på baksidan.

Det var alltså så här de rika bodde.

Jag hittade läsken och bar ut den till grillen.

– Vilket fint hus, sa jag.

– Det duger så länge, sa Valerie. Köket är väldigt dåligt planerat, men vi hyr det bara något år till, så jag har lovat Bruce att stå ut. Nu, alla barn, får ni komma och äta!

Hon serverade hamburgare med samma lugn som allting annat hon företog sig.

Jag kunde inte låta bli att påverkas av hennes självklarhet.

Livet var till för fester, barn, konst och pratstunder.

Så ville jag också att det skulle vara.

En kväll, precis när vi skulle sätta oss ner och äta, knackade det på dörren. Knackningen var så försynt att jag först trodde att jag hört fel, men när den upprepades gick jag och öppnade.

Det stod en liten pojke där ute. Han var mindre än Robin, men han hade en gammal mans blick. Hans hår var eldrött och ansiktet fräknigt. Byxorna var trasiga, t-tröjan smutsig, han var barfota i den kalla kvällen.

– *Señora*, sa han, *por favor, comida, un poco de comida por favor, señora...*

Han gjorde gester att han stoppade mat i munnen och tuggade, ögonen var vaksamma och benen spända till flykt.

Jag vet inte vad som hände med mig i det ögonblicket, men något gick sönder. Mitt pansar rämnade och fattigdomen och eländet omkring mig vällde över mig med full kraft.

Gode Gud, ett litet barn, sju åtta år, utsvulten och barfota på den frusna marken, hans rädda ögon vädjade att jag inte skulle slå honom.

– *¡Pase!* sa jag och öppnade dörren på vid gavel. Visst ska du få lite mat. Du är välkommen in.

Emma såg misstänksamt på den smutsiga lilla gestalten som klev in i rummet.

– Vem är det där? frågade hon och rynkade på näsan. Han luktar illa!

– Han är hungrig, sa jag och gick ut i arbetsköket och hämtade en stanniolform som jag fyllde med bönor och *lomitos*.

Pojken trodde inte sina ögon när jag räckte honom formen.

– *¡Toma!* sa jag. Det här är till dig.

Han tog maten, såg upp på mig och stirrade vilt. Sedan tvärvände han och rusade ut ur huset med formen i handen.

När jag var på väg att somna dröjde sig pojkens fräkniga ansikte kvar på min näthinna. I drömmen kom hans röda hår att brinna, och jag vaknade kallsvettig med en intensiv längtan att han skulle komma tillbaka.

Det gjorde han.

Redan nästa kväll stod han utanför vår garageport, om möjligt ännu mer nervös.

– *Por favor, señora, comida...*

– *Sí*, sa jag, men först ska du bada.

Vi hade redan ätit, barnen satt i sitt rum och gjorde läxor.

Jag tog med pojken ut i badrummet, bad honom klä av sig. Kläderna samlade jag ihop i en plastpåse som jag gick raka vägen ut i soptunnan med. Under eftermiddagen hade jag plockat ut plagg som Robin vuxit ur. De var inte många, men de var betydligt bättre än trasorna som pojken haft på sig.

Pojkens lilla kropp var sårig och full av blåmärken men såg inte ut att kräva läkarvård. Han badade länge, verkade tycka om det varma vattnet. Tvålen använde han som man skulle men fattade inte poängen med schampo. Jag visade honom och undrade i mitt stilla sinne om han hade löss.

Sedan fick han klä på sig Robins gamla kläder, och därefter placerade jag barnet vid matbordet med en tallrik full av kyckling, ris och sallad.

Han åt fort och med fingrarna, trots att jag lagt fram både kniv, gaffel och sked. När han var klar ville han genast rusa iväg, men jag höll lugnande upp min hand.

– Vänta lite, sa jag. Vad heter du?

Pojken såg på mig med förundran i blicken.

– Jag vet inte, sa han.

– Du måste ju ha ett namn, sa jag. Vad kallar man dig?

– Grabben, sa han.

– Var bor du?

Han ryckte på axlarna, såg ängslig ut igen.

– Är du polisen? sa han.

– Nej, tok, sa jag. Jag vill bara veta var du bor. Har du några föräldrar?

Han skakade intensivt på huvudet.

– Så du bor ensam?

Huvudskakningarna fortsatte.

– Vi är flera grabbar, sa han, men de andra är större. De tar min mat.

– Går du i skolan?

Pojken sjönk ihop lite och stillnade.

– Jag har ingen bok och ingen skoluniform, sa han.

– Men du är chilenare? Du är från Santiago?

Han funderade ett ögonblick.

– Jag tror det, sa han.

Jag satt tyst en stund och studerade barnet. Hans ålder var svår att gissa, men han var inte äldre än Robin i alla fall. Tydligen hade han inga minnen av sin familj eller sitt ursprung.

– Du har rätt att gå i skolan, sa jag. Vill du att jag ska följa dig dit?

Han spärrade upp ögonen.

– Men jag kan inte läsa, sa han.

– Det är sådant du får lära dig, sa jag och reste mig.

I köket hämtade jag en stor smörgås med köttfärsbiff och tomat som jag virade in i plast.

– Här har du, sa jag. Kom hit i morgon bitti så följer jag dig bort till skolan och pratar med rektorn.

Barnet tog smörgåsen, tvekade några sekunder och stack sedan iväg ut genom dörren, kvick som en vessla.

Veckor kom och gick och vi såg inte till pojken mer. Uppriktigt sagt hade jag nästan glömt bort honom när han plötsligt stod utanför vår port en torsdag morgon, smutsig och med ett fult sår i pannan.

– Men vad har hänt? frågade jag bestört och såg på det levrade blodet, men pojken verkade helt obekymrad om skadan.

– Jag vill gå i skolan, sa han.

Emma och Robin fick åka utan mig till El Arrayán den dagen,

vilket innebar att serveringen höll stängt.

Efter att pojken badat och bytt kläder tog jag honom med mig bort till den kommunala skolan i Recoleta.

Rektorn var måttligt intresserad av att ha pojken som elev.

– Vi har dålig erfarenhet av gatubarn, sa hon. De kommer och går som de vill och stjäl skolmaterialet. Dessutom kräver vi att barnen bär skoluniform, och det har han ingen.

– Han kommer att ha en i eftermiddag, sa jag, och rektorn gav upp.

– Namn? frågade hon och sträckte sig efter en penna, jag tittade på pojken. Han stirrade tillbaka på mig.

– Manuel, sa jag. Manuel Eriksson.

Sedan köpte vi de skolböcker som krävdes, en skoluniform och ett par nya skor.

På kvällen åt pojken middag tillsammans med oss, efteråt fick han några stora smörgåsar att ha till frukost och skollunch nästa dag.

– Kom hit i morgon kväll så får du middag, sa jag.

– Manuel, sa Anders sedan pojken försvunnit ut i natten. Varför sa du att han hette Manuel?

– Jag vet inte, sa jag. Kanske efter servitören i Fawlty Towers, han som är från Barcelona.

Anders började skratta, och det värmde mig.

Historien med Manuel fick mig att fundera över en del saker.

Först och främst måste jag få hjälp i serveringen. Det skulle komma andra dagar när jag inte hade möjlighet att stå där själv. Det mest naturliga var givetvis att Anders ställde upp. Han umgicks allt mer med Enrico Fernandez, men några andra bekantskaper hade han inte. Det var inte så konstigt, han talade ju inte språket. Det bästa vore om han kunde lära sig så pass mycket att han kunde prata med folk och hjälpa mig i serveringen.

Under helgen studerade jag telefonkatalogen noga och hittade en hyfsat billig intensivkurs i spanska som tog fyra veckor. Där kunde Anders lära sig grunderna i språket, som att hälsa, prata om vädret och ta betalt.

Efter viss diskussion gick Anders med på att gå kursen och sedan hjälpa mig uppe på skolan.

Så småningom fick vi ett riktigt bra samarbete, och Anders lärde sig spanska så att han kunde ta sig fram och mer därtill.

DET HADE HUNNIT bli juli och vintern hade kommit till Santiago. Den innebar kalla morgnar med is i luften och frostbiten växtlighet.

Varje dag väntade jag på beskedet att våra saker anlänt från Sverige. Jag längtade mest efter min dammsugare, barnen saknade tv-n, videon och alla filmerna. Den gamla Askungen låg oanvänd och samlade damm. Anders muttrade över sina verktyg, hammaren och skruvmejslarna och tängerna och allt det där man aldrig tänker på förrän man behöver dem.

Jag kunde inte låta bli att sakna mina kristallglas, de få som jag hade kvar efter vårt bröllop. Det skulle kännas fint att duka med dem här i vårt garage.

– Leveransen är försenad, sa en man på rederiet och lät uppriktigt bekymrad.

– Sakerna skulle ha varit här för länge sedan, sa jag irriterat. När kommer de?

– Inom två månader, det kan vi garantera.

– Men herregud, sa jag. De skulle ha varit här senast i april.

– Jag är mycket ledsen, sa mannen.

Det var bara att ge sig till tåls.

En eftermiddag när jag och barnen satt på bussen på väg hem till Recoleta ryckte Robin plötsligt tag i min hand.

– Mamma, väste han fram, jag mår inte bra.

Jag hade suttit i andra tankar och såg förvånat på pojken. Han var svettig i pannan och alldeles vit i ansiktet, ångesten lyste ur ögonen. Från luftrören hördes ett pipande ljud, hela bröstkorgen hävdes när han kämpade för att få i sig luft.

– Men snälla barn, sa jag förskräckt. Vad är det som har hänt?

Pojken svarade inte utan sjönk ner i mitt knä och fällde sig framåt med armarna hängande mot golvet. Hans lilla kropp var varm och kantig i min famn.

– Vill du kräkas? frågade jag, men fick bara ett gurglande ljud till svar.

Jag strök hans lugg ur pannan för att känna efter om han hade feber.

– Mamma, fick han fram, jag kan inte andas.

Och sedan ramlade hans huvud ner mellan skuldrorna på honom och min panik var ögonblicklig.

– Emma, ropade jag. Ta kassarna och min väska, vi måste gå av.

Jag reste mig upp och försökte få Robin att hänga över min ena axel i stället, men bussen krängde så att jag ramlade över både Emma och en gammal farbror med kryckor.

– *¡Pare el autobús!* skrek jag. *¡Ahora!*

Busschauffören uppfattade mitt panikslagna ansikte i backspegeln och ställde sig på bromsen, alla passagerarna flög framåt och jag tumlade ut genom den öppna dörren och rusade ut på gatan.

– Taxi! skrek jag och kastade mig handlöst ut i trafiken med Robin hängande över mig och Emma bakom mig med två stora matkassar, handväska och skolväska. *¡Taxi!*

En stor, gul gammal amerikanare tvärnitade framför mig och en förskräckt taxichaufför stack ut huvudet genom den nedvevade rutan. Jag slet upp bakdörren och knuffade in Emma i baksätet, placerade Robin framåtlutad bredvid henne, öppnade framdörren och ställde in alla väskor där och hoppade sedan in med barnen.

– *¡Un hospital!* skrek jag och böjde mig fram över pojken. *Mi hijo está enfermo.*

– *¿Qué hospital?* frågade taxichauffören.

– Spelar ingen roll vilket, ett sjukhus i närheten!

Taxiföraren lade i ettan och bilen rasslade iväg med halsbrytande hastighet. Pipandet i pojkens luftrör hade slutat. Jag strök hans svettiga lugg ur pannan och för ett ögonblick trodde jag att anfallet var över.

– Hur är det, Robin? Mår du bättre?

Det tog någon sekund innan jag insåg att hans läppar och naglar började bli blå. Att det inte pep längre berodde på att han knappt fick i sig någon luft alls.

– *¡Rápido! ¡Por favor!*

Bilen flög norrut, genom Providencia och upp mot Vitacura, och snart såg jag skyltarna med det karaktäristiska röda korset på vit botten, och så namnet, *Clínica Alemana*. Vi var på väg mot Tyska sjukhuset.

– Vad är det för fel på Robin? frågade Emma med uppspärrade ögon.

– Jag vet inte, viskade jag och tvingade tillbaka gråten, höll honom i min famn och vaggade honom.

Andra gatuskyltar rusade förbi, utsirade svarta lyktstolpar, och sedan bromsade taxin in intill ett högt hus i ljusgrå betong med ogenomskinliga spegelglas till fönster som ett brett streck utmed alla våningsplan. *Centro de diagnostica* stod det ovanför entrén, men vi körde vidare, förbi två parkerade ambulanser och bort mot *Acceso urgencias*.

– Hjälp mig, hjälp oss, fort!

En säkerhetsvakt öppnade dörren åt mig, jag hoppade ut och drog pojken med mig.

– Min pojke dör! skrek jag. Han kan inte andas! Hjälp mig!

Jag kände att jag höll på att tappa honom, jag höll på att ramla, jag skrek och skrek men plötsligt fanns en bår där, vita rockar svärmade runt oss och Robin lyftes ur min famn och en allvarlig ung man försökte fånga min blick.

– *Señora*, vad har hänt?

– Han kunde plötsligt inte andas, han bara föll ihop! ropade jag.

– Har det hänt förut?

– Nej, aldrig! Vad är det med honom?

Läkaren vände sig bort från mig och gick efter båren som raskt rullades in genom akutmottagningens mörka spegelglasdörrar.

– Astma, ropade han till sköterskorna, ett ord som är detsamma på många språk.

Sedan följde en rad ord som jag inte förstod men antog var medicinska termer.

Jag sprang efter in i sjukhusbyggnaden och hann se hur personalen pressade en mask över Robins livlösa ansikte, hur de injicerade något i bägge armvecken samtidigt, och sedan gick dörren igen.

– Mamma, sa Emma med tårarna hängande i ögonfransarna. Ska Robin dö nu?

Jag insåg att jag befann mig i total panik, och det gagnade inte situationen på något sätt. Ändå kunde jag inte hejda mig. Jag började storgråta och tog flickan i min famn. Så mycket rann ur mig på en gång, så mycket oro och saknad och ängslan, och alltsammans hamnade på min lilla dotters röda tröja.

– Nejdå, sa jag efter en stund och torkade snor på min blusärm. Doktorn tar hand om honom nu. Det blir nog bra, ska du se.

Jag ringde Anders från mobilen, han skulle komma så snart han kunde.

Men innan han hann fram kom den unge läkaren ut och tog mig åt sidan.

– Är han död? frågade jag.

– Inte alls, sa läkaren och log. Din son hade ett mycket kraftigt astmaanfall. Det är en svår och dödlig sjukdom, och den kräver regelbunden och noggrann medicinering. Kan du vara vänlig att följa med mig så ska jag förklara.

Han tog in mig på ett litet behandlingsrum, Emma fick sitta på en stol bredvid mig.

– Bakgrunden till den här typen av andningssvårigheter är att luftrören svullnar igen och krampar, sa han och talade överdrivet långsamt för att jag skulle hinna med. Detta leder till att inandningen försvåras, man måste kämpa för att dra in luft, och sedan följer svårigheter att andas ut. Det senare leder till att allt mer koldioxidberikad luft ansamlas i lungorna, vilket ytterligare försvårar syresättningen. Det viktigaste för unge *señor* Eriksson nu är att han regelbundet inhalerar cortison för att dämpa svullnader i luftvägarna och ständigt har bronkvidgande inhalatorer till hands för akuta besvär. Den här typen av symptom kan lindras mycket effektivt idag.

– Men Robin har aldrig varit sjuk förut, sa jag. Varför fick han det här just nu?

– Har han haft någon infektion på sistone? Hostat mycket?

Jag tänkte efter.

– Han har hostat mycket, men det beror på luftföroreningarna.

Läkaren reste sig.

– Ni kommer att få både förebyggande och direktverkande medicin med er när ni åker härifrån, och sedan recept för att hämta ut mer på apoteket. Det är mycket viktigt att ni hämtar ut dem och ser till att han tar dem.

– Givetvis, sa jag.

Trodde han att vi skulle slarva med något som var vår sons livförsäkring? Trodde han inte att vi brydde oss om vårt barn, bara för att vi var utlänningar? Det var först när jag fick prislappen på inhalatorerna klar för mig som jag förstod läkarens kraft i orden.

De kostade hundratusen pesos. Styck. Jag insåg att många inte hade råd att hämta ut så dyr medicin.

Robin fick ligga kvar på *Clínica Alemana* över natten. Händelsen förstärkte min uppfattning att vi måste ordna våra tillstånd så att vi kunde vistas i landet på laglig väg, få jobba med vanliga jobb och teckna riktiga sjukvårdsförsäkringar.

Enrico Fernandez hade en bekant som var jurist och jobbade med internationell rätt.

– Vad ska ni ha uppehållstillstånd till? frågade han förvånat när vi sökte upp honom på hans kontor i Providencia. Ni kan teckna försäkringar ändå, de är lika dyra vare sig ni är medborgare eller ej. Lunchserveringen behöver du inget arbetstillstånd för att driva.

Jag sjönk bakåt mot stolsryggen. På något sätt hade jag inbillat mig att saker och ting fungerade som i Sverige, att allting blev nästan gratis om man bara var inne i systemet. Så var det inte här.

– Men vad händer om vi vistas illegalt här och blir upptäckta? frågade Anders. Då blir vi ju utkastade.

– Ni kan vara här på turistvisum, sa juristen. Det gäller i tre månader, sedan tar ni bussen över till Mendoza och får ett nytt visum. Tro mig, det är det allra smidigaste.

Jag och Anders såg på varandra, det hade vi inte tänkt på.

Så småningom kom vi att följa juristens råd. Jag och Anders åkte över gränsen var tredje månad. I början hade vi barnen med oss, men sedan struntade vi i det. De kunde inte utvisas.

Arrangemanget visade sig fungera alldeles utmärkt. Vi vistades aldrig illegalt någonstans under åren i Sydamerika, men vi fanns heller inte inskrivna i några offentliga register.

Precis som vi ville ha det.

I MITTEN AV SEPTEMBER skulle boken om mig utges i Sverige. Förlaget ville att jag skulle komma hem till publiceringen, och jag såg fram emot utgivningen med både bävan och spänning.

Uppriktigt sagt var det obehagligt att åka tillbaka till Sverige. Familjen skulle följa med, eftersom barnen hade vinterlov, och det kändes både bra och dåligt. I ett halvår hade vi intalat oss att vi inte var förföljda, att det inte var farligt att gå ut. Nu skulle vi vara tillbaka under hot, vara tvungna att leva isolerade. Samtidigt ville jag inte vara borta från min familj i flera veckor.

Att boken nu kom ut innebar massor av saker. Människor jag aldrig sett eller träffat skulle läsa om mig, få ta del av mina innersta hemligheter och värsta kränkningar. Jag skulle intervjuas av journalister och berätta min historia för både tidningar och kanske tv, det gjorde mig nervös och osäker.

Han som förföljde oss kanske skulle höra vad jag sa. Han kanske skulle förstå att det var honom det handlade om. Han kanske skulle leta upp mig, eller barnen, eller hämnas på mina föräldrar. Blotta tanken fick det att krypa i skinnet på mig.

Samtidigt kändes det fantastiskt att min historia var så viktig och intressant att ett stort, prestigefyllt förlag ville ge ut den. Kanske kunde det hjälpa någon annan kvinna som var på väg att dras in i samma sak.

När jag bestämt mig för att åka ringde jag till Hanna. Hon lovade att gå igenom hur det hela skulle gå till, förbereda mig på vad journalisterna kunde tänkas fråga, och vara med mig under intervjuerna om jag tyckte att det blev för jobbigt.

Vi flög från Santiago tidigt en tisdag morgon och kom fram till Stockholm onsdag kväll. Jag var dödstrött, nervös och pirrig när jag passerade genom tullkontrollen på Arlanda.

En kvinna från förlaget mötte oss i ankomsthallen.

– Intresset för boken är stort, sa förlagsrepresentanten. Det är många reportrar som vill träffa dig. Det sitter faktiskt en på förlaget och väntar redan nu.

Jag försökte hålla blicken fokuserad.

– Ikväll? sa jag. Men… jag skulle träffa Hanna, hon skulle…

– Hanna jobbar, sa förlagskvinnan. Har du alla väskor?

Jag var hungrig, törstig och alldeles yr av jetlag när jag gick in till den första intervjun.

Reportern var en kvinna som verkade mycket van vid situationen. Hon hade block och pennor och bandspelare och fingrade på sina glasögon och anteckningar.

– Jag har läst din bok, sa hon, och det är några saker jag undrar över. Varför polisanmälde du inte den här mannen?

– Jomen, sa jag, det gjorde jag.

Reportern tittade i sina papper.

– Nej, sa hon, det gjorde du ju inte.

– Jo, sa jag och tystnade.

Journalisten letade lite i anteckningarna.

– Tycker du inte att du borde varit lite mer medveten? frågade hon.

– Om vad? sa jag.

– Han var ju en muslimsk man, kände du inte till de kulturella skillnaderna?

– Det är klart jag gjorde, sa jag. Jag tycker mycket om den arabiska kulturen.

Förvirrad strök jag håret ur pannan, svarade jag fel? Varför ställde hon så konstiga frågor?

– Man trodde ju inte att sådant här kan hända i Sverige, sa reportern. Varför gjorde inte polisen och rättsväsendet någonting?

– Jag vet inte, sa jag tyst och kände att jag snart skulle börja gråta.

Resten av intervjun har jag bara dimmiga minnesbilder av, och det var med oerhörd lättnad jag slapp ut därifrån.

Vi inkvarterades i en sommarstuga som ägdes av någon av de anställda på förlaget. Den låg långt ute på landet, det tog nästan två timmar att åka buss in till stan. Varje dag åkte jag in för att göra intervjuer för tidningar, radio eller tv-program. Mitt schema var så pressat att jag inte hann hem innan barnen somnade.

Jag tyckte intervjuerna var svåra och jobbiga, jag blev uppriven och osäker. Varje dag bad jag att Hanna skulle få vara med mig, men personalen svarade att hon jobbade och inte hade tid med mig.

– Det är dig journalisterna är intresserade av, sa presschefen.

Till slut fick jag nog.

Jag skulle sitta med i en direktsändning i tv från Göteborg med bland andra justitieminister Laila Freivalds. Programmet var annonserat i förväg, vilket innebar att mina förföljare skulle kunna räkna ut var jag befann mig under kvällen. Därför ordnade Sveriges Television livvakter både under sändningen, på hotellet och till och från flygplatsen.

Det blev för mycket, jag orkade inte mer.

Utan att be förlaget om lov ringde jag till Hanna och frågade om hon hade möjlighet att följa med mig.

– Javisst, sa hon. När ska jag komma?

Jag tvekade lite, men så sa jag:

– Förlaget sa att du inte hade tid med mig.

– De har aldrig frågat, sa Hanna.

Sedan gick jag in till presschefen och meddelade att Hanna skulle med till Göteborg.

Kvinnan blev bestört.

– Men det går inte, sa hon. Jag har bara en biljett.

– Jag åker inte utan Hanna, sa jag. Jag vill att hon är med mig.

– Men vi har inte planerat det så!

Jag lade armarna i kors och svarade inte.

Presschefen reste sig.

– Mia, sa hon, du ska veta att vi är mycket nöjda med den här boken. Faktiskt så nöjda att vi vill göra en uppföljare.

Hon ställde sig intill mig och sänkte rösten.

– Men då vill vi göra det, bara du och vi.

Jag såg förvirrat på henne.

– Vad menar du?

– Vi vill att du gör dig av med Hanna Lindgren. Hon har ingenting med det här att göra, och vi vill faktiskt sälja böcker.

Ilskan som byggts upp under många dagar rann över.

– Ni begriper ju ingenting, sa jag hett. Det här är min historia, och Hanna har skrivit den. Vi har gjort det här tillsammans, och det kommer vi att fortsätta med.

Presschefen blev flammig i ansiktet.

– Jaha, om det är så du vill ha det...

Resan till Göteborg blev omtumlande, men allt gick bra. Äntligen fick jag och Hanna tid att prata om allt som hade hänt. Och tv-sändningen gick bättre än jag hoppats. Det var egentligen helt osannolikt, tänk att Sveriges justitieminister debatterade de saker som drabbat mig!

På hotellet efteråt tog jag och Hanna ett gemensamt beslut: om vi någon gång skulle göra en uppföljare till boken, så skulle vi ge ut den på eget förlag.

Terminen hade redan börjat när vi kom tillbaka till Santiago. Vi hade några bråda dagar då vi köpte nya skolböcker och skoluniformer, städade upp serveringen och fyllde på förråden och tog hand om all post.

Det var först på femte dagens morgon jag insåg vad vi hade glömt.

Jag uppfattade en skugga bakom ett plank när vi var på väg till bussen, såg någon haltande försvinna just när jag tittade dit.

Gode Gud, det var Manuel!

– Manuel! skrek jag och sprang mot planket. Manuel, är du där?

Jag hittade pojken bakom en container inne på en bakgård. Han var smutsigare än jag någonsin sett honom. Han hade sin skoluniform på sig, men den var så trasig att jag knappt kände igen den.

– Manuel, sa jag och knäböjde vid honom, förlåt. Jag var tvungen att åka bort, men nu är jag tillbaka igen.

Pojken såg upp på mig med torra ögon, jag hade aldrig sett honom gråta. Hans ansikte var utmärglat, han kanske inte hade ätit på tre veckor.

– Kom, sa jag, så ska du få lite gröt.

Han följde med mig utan protester.

Sedan han ätit och badat satte jag mig ner och talade med pojken. Jag sa att vi skulle vara tvungna att åka bort flera gånger, och att han behövde ett riktigt hem att bo i.

– Jag vill inte till polisen, sa pojken förskräckt.

– Nej, nej, sa jag lugnande. Men du tycker om att gå i skolan, eller hur?

Han nickade entusiastiskt.

– Jag har hört talas om en skola där barnen får sova också, sa jag. Där kanske du kan få gå.

Skolan jag hört talas om var ett barnhem som drevs av några nunnor norr om Valparaiso. Undervisningen var gratis, hemmet finansierades av välgörenhet. Det innebar att de tog sig an Manuel mot en mindre donation.

När helgen kom lånade Anders en bil av Enrico Fernandez. Emma, Robin och Manuel satte sig i baksätet, jag låste ordentligt och sedan rullade vi iväg.

Trafiken var hetsig, på gränsen till vansinnig. När man åkte buss märktes det inte riktigt lika mycket, men när vi satt i den lilla bilen kom de andra fordonen mycket närmare.

Dessutom fanns gatuförsäljarna överallt, på trottoarer, torg, marknader och gågator, men också överallt mitt ute i trafiken. Det tog en timme innan vi krånglat oss över ringleden, och sedan tog landsbygden vid.

Santiago ligger i en gryta med Andernas skyhöga bergstoppar som stora väktare runt omkring. Omgivningarna runt själva staden består av en alldeles platt slätt, bränd av solen men uppodlad av människan. Bergen är torra, bruna och dammiga, enbart beklädda med enstaka risiga buskar.

Barnhemmet låg strax utanför ett samhälle som hette Quillota. Ett sextiotal barn i varierande åldrar fick bostad och undervisning där.

Jag hade aldrig träffat riktiga nunnor förut, så jag kände mig lika blyg och bortkommen som Manuel.

Vi blev lite stelt men vänligt välkomnade. Först togs vi med på en kort rundvandring på hemmet, det gick uppriktigt sagt ganska fort. Hemmet bestod bara av en enda stor byggnad, som varit en industri för länge sedan.

Två stora rum var fulla med våningssängar, ett för pojkarna och ett för flickorna. Ett rum fungerade som kapell, andra som undervisningssalar.

Manuel fick sin säng i en underslaf i pojkarnas sovsal. Snart flockades en hel hög barn i dörröppningen, jag vinkade in dem.

Manuel blev varmt och nyfiket mottagen av de andra barnen.

Jag stod en bit bort och hörde honom berätta varifrån han kom och varför han var där.

Han var från Recoleta i Santiago, hade ingen mamma och ingen pappa, men han hade en tant från ett land långt borta som tog hand om honom, men hon måste åka iväg ibland och därför skulle han vara här ett tag.

De andra barnen accepterade hans historia och ville ha med honom ut och leka på den dammiga planen utanför byggnaden.

– Kan du bara vänta ett litet tag? undrade jag och satte mig bredvid honom.

Manuel stökade med sina saker på hyllan intill sängen, Robins avlagda kläder, några skolböcker och en My Little Pony han fått av Emma.

– Jag kommer snart och hälsar på dig, lovade jag. Och till jul kan du kanske komma och hälsa på oss, om du vill. Och så har jag och barnen köpt en liten sak till dig.

Jag räckte över ett paket med vackert omslagspapper som innehöll ett pennskrin med sudd och vässare.

– Tack, sa han tyst.

– Nunnorna har lovat att du får ringa till oss om något skulle hända, sa jag. De har vårt telefonnummer.

– Okey, sa grabben.

Egentligen hade jag velat krama om honom, men något i hans hållning fick mig att avstå. Den lille pojken hade stor integritet.

– Lycka till, sa jag i stället och räckte fram min hand.

– *Gracias, señora*, sa Manuel.

Dagen därpå skulle vi lämna tillbaka bilen. Eftersom det var söndag var trafiken något mindre hysterisk, och vi passade på att köra runt lite i staden och se oss omkring. Först åkte vi till Jumbo, ett stort varuhus öster om staden. Vi gick runt och tittade i ett köpcentrum och köpte *lomitos* till lunch av en försäljare utanför.

På vägen tillbaka passerade vi flera olika *comunas*. Länge körde vi på huvudstråket genom Providencia, och plötsligt drabbades jag av en stark och tydlig déjà vu.

En sommar, för ungefär hundra år sedan, bilade jag runt i Spanien tillsammans med min syster. En glödhet augustikväll hade vi förirrat oss in i Madrids norra förstäder, och här i Providencia flöt minnet ihop med verkligheten. De höga bostadshusen med sina röda och bruna tegelfasader runt omkring mig, de många balkongerna och de stora glaspartierna, de arkitektritade, oregelbundna formerna, de breda gatorna, med ens var jag i Madrid och Europa igen och jag drabbades av en stark och oerhörd hemlängtan.

– Här vill jag bo, sa jag till Anders. Just här. Precis just här.

VÅRA SAKER FRÅN SVERIGE hade fortfarande inte kommit, och nu hade det gått ett halvår. En dag i oktober tog Anders hand om serveringen medan jag gav mig tusan på att få klarhet i vad som hänt med vårt bohag.

– Vi är mycket ledsna, sa mannen på rederiet, men det verkar ha försvunnit.

– Försvunnit? ekade jag. Vad menar ni? Har båten sjunkit? Eller är allting stulet?

– Vi har inte förlorat några fartyg, men vad som hänt med ert gods vet vi faktiskt inte. Vi beklagar, sa han.

Jag lade handen över ögonen.

Att elektronikprylarna var borta var inte det värsta, sådana gick alltid att köpa nya. Den stora förlusten var Emmas leksaker och teckningar. Psykologerna i Ludvika hade varit mycket tydliga i sina instruktioner: det var oerhört viktigt att Emma hade tillgång till referenspunkter ur sitt förflutna, foton och teckningar, leksaker och musik.

– Ni kan väl leta lite noggrannare? sa jag. Grejerna kanske bara står på fel ställe?

– Vi har letat ett halvår, sa mannen uppgivet. Hela containern är borta.

– Jahapp, sa jag och försökte lugna min puls. Vad gör jag nu? Ska jag fylla i några försäkringspapper?

– Vi har ingen försäkring, sa mannen.

– Men jag har försäkring, sa jag och läste innantill på fraktsedeln. Det står här. ”Godset är försäkrat till ett värde av 25 000 kronor.” Jag har betalat också, kvittot är här.

– Ja du, sa mannen och lät inte lika beklagande längre. Vi kan inte betala ut några pengar i alla fall.

– Johodu, sa jag. Ni har skrivit på det här avtalet. Nu har ni slarvat bort alla saker vi äger i den här världen, och jag har papper på att ni ska betala vad det kostade.

– Det får du ta med vår advokat, sa han kort.

– Det kan du ge dig på, sa jag.

Samma eftermiddag fick jag tag på en advokat som gick med på att driva vårt fall mot transportbolaget. Det skulle inte kosta oss några pengar nu, men om han lyckades skulle han få en del av försäkringspengarna.

Jag skrev på pappren och beslöt mig för att inte gå ner mig för det här.

Högsommaren närmade sig och luftföroreningarna gick upp i svart igen. Robins hosta blev allt värre, och två gånger var vi tvungna att åka till akuten för hans astma. Vi fick köpa nya mediciner, både cortison som förebyggde och luftrörsvidgande för akuta besvär.

När det var som värst fick han vara hemma från skolan. I slutet av november höll vi honom inne en hel vecka.

Första dagen som Robin var tillbaka i skolan ringde Hanna med goda nyheter.

– Jag har precis talat med ett produktionsbolag som vill göra film av boken. De erbjuder oss femtontusen kronor var för en option.

Femtontusen! Kronor!

Mitt hjärta slog dubbelslag. Jag satt precis med recepten till Robins inhalatorer framför mig, pengarna kunde inte komma lägligare.

– Vad är en option? sa jag.

– De köper inte själva rättigheterna, bara rätten att utreda om de kan göra en film. Det finns väl inget att förlora, eller vad säger du?

– Det där vet du bäst, sa jag. Hur är det förresten, säljer boken någonting?

– Vet inte, jag hör aldrig något från förlaget. Den syns inte på några bestsellerlistor i alla fall.

Som så många andra böcker gled den obemärkt ner i glömskans hav, men jag var ändå glad att vi gjorde den.

I början av december åkte jag och Anders över till Mendoza var sin gång och förnyade våra visum.

Sedan var det dags att tänka på jul- och nyårsfirandet.

Jag ringde till barnhemmet och pratade med Manuel, han ville gärna hälsa på oss över julen. Jag förstod senare att detta var mycket speciellt, att ha någon att besöka över helgen. Paradoxalt nog fick det mig att känna skuld, jag borde hälsa på pojken oftare.

Dagen före julafton tog jag bussen till Quillota och hämtade honom. Han var nyklippt och välkammad, jag tyckte att han hade vuxit.

På juldagen, då julen verkligen firas i Chile, åt vi middag hemma i huset. Dagen därpå hade vi bjudit in familjen Fernandez och några grannar från Recoleta på en liten fest, det var trevligt även om Enrico blev rätt full.

Sedan följde jag Manuel tillbaka till barnhemmet, han verkade nöjd med att vara tillbaka bland nunnorna och sina vänner igen.

Barnen hade sommarlov och serveringen var stängd. För att dryga ut kassan stekte jag mina *lomitos* och sålde dem utanför evenemang och på olika marknader. Det höll oss flytande och mer därtill tills skolan började igen.

SÖNDAGEN DEN 3 MARS hade vi varit exakt ett år i Sydamerika. Terminen hade börjat om, barnen hade gått i skolan en vecka.

Jag höll precis på att rulla pannbiff till middag när telefonen ringde. Först hade jag tänkt strunta i att svara, eftersom jag var alldeles köttfärskladdig på händerna, men apparaten bara ringde och ringde så till slut lyfte jag på luren med två fingrar.

Det var Hanna.

Jag kastade en blick på mitt armbandsur.

– Är du uppe så här sent? frågade jag glatt.

– Registren, sa Hanna, och bakom telefonledningens knaster lät hon pressad. Ni syns. Alla era skydd är försvunna. Sekretessmarkeringen, kvarskrivningen, allt har tagits bort.

Flottet fick köttfärsbiffarna att spraka och sprätta i gjutjärnspannan.

– Du måste ha sett fel, sa jag.

– Alla era personuppgifter är helt öppna och synliga. Era gamla identiteter, de nya namnen, er gamla adress i Smedjebacken ligger kvar på historiska uppgifter.

Jag drog stekpannan av spisen, såg till min stora irritation att jag bränt alla biffar på ena sidan.

– Det är inte möjligt, sa jag och hörde hur skeptisk jag lät. Hur har du fått för dig det här?

– Jag sitter nattchef den här veckan, sa Hanna. Det är bara jag kvar på tidningen, innan jag drar hem måste jag få besked om tryckstart ute i Akalla. Medan jag väntade tänkte jag kolla upp att registren ser ut som de ska, så jag slog ditt personnummer och höll på att dö när allting bara ramlade fram på skärmen.

Jag släppte stekspaden i golvet.

– Vad är du inne i för databas?

– Folkbokföringen, sa Hanna. Statens person- och adressregister. Jag har slagit både dig och Anders och ungarna, alla syns helt och hållet, vilka uppgifter jag än begär: familjeanknytning, historik, personnummer, rubbet.

Allt syre i rummet försvann, jag tog stöd med handen mot köksväggen.

– Är du säker?

– Bomb.

– Hur länge har vi varit öppna?

– Jag kollade i julas, och då var ni fortfarande skyddade.

Med ens blev ljuden runt omkring mig skarpa och fientliga. Vi syntes, vi kunde hittas. Vi kunde ha dem här när som helst. Kanske stod våra förföljare och väntade på oss nedåt gatan. Kanske lurpassade de utanför skolan.

– Står det att vi är i Sydamerika? fick jag fram.

– Ni är skrivna hos dina föräldrar.

– Bra att du ringde, sa jag. Jag måste kolla vad som gått fel.

Mina händer darrade så att jag knappt fick på kranen när jag skulle tvätta av mig köttfärsen. Ändå fanns det inte så mycket jag kunde göra just nu. Klockan var kvart över ett på natten i Sverige, jag fick tåla mig fram till midnatt i vår tidszon innan jag kunde börja ringa.

Jag vet inte hur länge jag satt hopsjunken över köksbordet innan barnen kom inrusande med Anders i släptåg.

– Vad får vi för mat, mamma?

När barnen somnat talade jag om för Anders att Hanna ringt. Medan jag berättade vad hon sagt blev han allt vitare i ansiktet, till slut trodde jag han skulle svimma.

– Det är slut, sa han matt, det är lika bra att ge upp.

– Nej men, sa jag, det måste ha blivit något fel. Jag ringer lokchefen därhemma om några timmar och ber honom rätta till det.

Till min bestörtning började min man storgråta. Han sjönk ihop med händerna för ansiktet och hulkade så att han tappade andan.

– Men älskling, sa jag och lutade mig ner bredvid honom. Det här ordnar vi. Vi fixar det här.

Han slog armarna om mig och jag hjälpte honom i säng.

Snart sov han, med alla kläder på.

Halv ett på natten fick jag tag i chefen på lokala skattemyndigheten i min gamla hemkommun.

Han ställde sig helt frågande till mitt påstående att vårt skydd tagits bort.

– Varför skulle det ha försvunnit? sa han lite irriterat.

– Jag har fått uppgifter om att så skett, sa jag. Kan du vara vänlig att kontrollera om uppgifterna är korrekta?

Han försökte dölja en suck medan jag gav honom mitt personnummer.

– Ett ögonblick, sa han och försvann från luren.

Två minuter senare var han tillbaka.

– Jo, sa han, du har rätt. Du är helt synlig.

Jag svajade till.

– Hur kommer det sig?

– Har inte den blekaste, sa lok-chefen. Låt mig kolla upp det så ringer jag tillbaka till dig.

– Nej, sa jag. Jag ringer dig. När?

– Ge mig två timmar.

Jag lade ner luren och gick försiktigt in i barnens rum. De sov som små änglar, Emma med sitt mörka hår utslaget över kudden, Robin som vanligt med täcket nedsparkat kring fötterna. Jag stoppade om min pojke, han rörde sig oroligt när jag strök honom över håret. Sedan gick jag ut i badrummet och tvättade mig i ansiktet. När jag torkade mig tittade jag upp i den flammiga badrumsspegeln och mötte blicken hos en kvinna jag inte kände igen.

Mina ögon hade blivit så egendomligt distanserade och färglösa. Jag hade inte vant mig vid att vara mörkhårig. Jag rörde vid mina bleka kinder.

Det var inte bara hårfärgen.

Jag var på väg att bli någon helt annan, en kvinna jag ännu inte kände.

Klockan hann bli närmare halv fyra på morgonen innan jag fick tag på lok-chefen igen.

– Det är inte vi som gjort fel, sa han. Skyddet har tagits bort av skattemyndigheten i Dalarna.

– Varför? frågade jag bara.

– De kan inte svara på det, de vet inte ännu.

– Nå men då så, sa jag. Kan du genast se till att sätta tillbaka det?

Skattechefen drog på svaret.

– Tyvärr är det inte så enkelt, sa han. För att återställa ert skydd krävs en helt ny sekretessutredning, vilket innebär att vi måste börja om från början.

– Men herregud, sa jag och ställde mig upp med luren i handen, det här är ju löjligt.

– Det är skattemyndigheten i Dalarna som kommer att göra om alltsammans, eftersom det är hos dem det gått fel. Du måste tala med chefen där och förklara alltsammans.

– Varför det? sa jag. Hur många människor ska jag behöva dra in i min soppa? För varje person som vet något om mig ökar risken för läckage. Se bara på det här!

– Jag försöker bara hjälpa dig, Maria.

Jag tryckte fingertopparna mot mina ögonlock.

– Förlåt, sa jag. Vad heter personen jag ska tala med?

Jag skrev upp hans namn och telefonnummer.

Smedjebackens kommun hade ingen egen lokal skattemyndighet utan hörde till Ludvika, men det riktnummer jag fick gick inte dit. De människor jag nu skulle tala med hade jag aldrig tidigare haft kontakt med. Ingen av dem visste någonting överhuvudtaget om min situation.

Jag drack ett glas vatten medan jag funderade över vad jag skulle säga.

Sanningen, förstås, men så lite av den som möjligt.

Det enda jag verkligen behövde hålla inne med var vår nuvarande vistelseort. Om den kom ut var alla våra ansträngningar förgäves.

Med detta i mitt medvetande ringde jag lok-chefen på kontoret i Dalarna. Tröttheten fick det att snurra i huvudet, jag slog fel nummer första gången och hamnade i telefonsvararen hos en familj i Avesta.

Sedan hade jag skattechefen i luren. Han talade utpräglat dalmål och verkade ganska ointresserad av mitt ärende.

– Vi kan inte hemligstämpla folk hur som helst, sa han lite indignerat när jag bad honom skydda våra personuppgifter. Jag kan ju inte kvarskriva dig utan att saken granskats.

– Vi har utretts in och ut under många år, sa jag och fick hålla igen för att inte skrika åt människan.

– Då får ni ta och komma hit, hela familjen, så att vi kan göra en sekretessutredning, sa han.

– Komma? sa jag dumt. Till Dalarna?

– Ja, jag har tid nu i eftermiddag.

Jag knep ihop ögonen hårt, det var måndag vid lunchtid i Sverige.

– Det blir lite svårt att hinna, sa jag.

– Hurså? sa mannen, plötsligt nyfiken. Var bor ni någonstans?

– Vi har en bit att åka, sa jag, och i morgon har ett av barnen ett viktigt utvecklingssamtal i skolan, så vi kan egentligen inte komma förrän på onsdag. På eftermiddagen, helst.

– Det går fint, sa mannen. Ska vi säga vid två?

Jag tänkte så att hjärnan sprakade.

Flygresan till Sverige tog drygt ett dygn med byten och väntan, och planen lyfte oftast på kvällen. Eftersom vi skulle flyga österut tappade vi dessutom tid. Om vi hade riktig tur kanske vi kunde hitta fyra biljetter till en flight till Europa i kväll, vilket innebar att vi skulle landa på Arlanda allra tidigast onsdag förmiddag. Därifrån var det en bra bit till kontoret i Dalarna.

– Kan vi säga vid tre? undrade jag.

Mannen tvekade men gav med sig.

– Det får gå, sa han.

Sedan ringde jag Hanna och berättade vad som hänt.

– Han kommer inte att ge sig förrän jag säger var vi bor, sa jag, och det vore katastrofalt om han fick reda på det.

– Säg att ni bor på Stationsgatan 39 i Luleå.

– Varför just där? frågade jag och rotade fram en penna. Vad finns på den adressen?

– Domkyrkan i Luleå. Ring om det är något jag kan göra.

Jag lade mig på sängen och slumrade till någon timme innan jag steg upp och började ordna i kaoset. Först ringde jag skolan och berättade att vi fått influensan hela familjen och att de inte skulle räkna med oss under veckan som följde.

– Det var inte bra, sa rektorns sekreterare bekymrat. Både vi i personalen och barnen har vant oss vid serveringen.

Nästa steg var att ringa runt till resebyråerna, och genom en rejäl dos tur lyckades vi hitta en flight med det brasilianska flygbolaget Varig som gick till Frankfurt via São Paulo. Planet lyfte redan klockan 18.10 samma kväll, vilket gav oss sju timmar att packa ihop, hämta biljetterna och komma iväg till flygplatsen. Returen bestämde vi till lördag 16 mars. Då fick saken lov att vara utagerad.

Jag kastade ner lite varma kläder i en väska, både till mig och barnen. Så rotade jag fram alla mina gamla papper, utredningarna från socialtjänsten, domarna, läkarintygen, polisutredningarna, åklagarbesluten, hela högen av anmälningar om allt från mordförsök till skadegörelse och stöld. Min gamla portfölj var tung som en sten sedan jag packat in alla handlingar i den.

Barnen ville inte alls lämna Chile, skolan och sina kamrater, inte ens för en vecka.

– Vi har friluftsdag på onsdag, sa Robin. Vi ska spela fotboll hela eftermiddagen.

– Varför måste vi åka dit? sa Emma och hennes ögon var stora och runda.

– Det blir en snabbis, sa jag. Vi ska bara träffa en farbror och förklara några saker för honom, och så måste pappa och jag skriva på en massa papper.

– Jag tycker inte om Sverige, sa Emma.

Vi tog lokalbussen ner till city, löste ut biljetterna och hoppade på flygbussarna ut till Aeropuerto Internacional Arturo Merino Benítez.

– Hur mycket kostade biljetterna? frågade Anders när bussen svängde ut på ringleden på väg till flygplatsen.

Jag tittade ut genom fönstret, såg torra palmer och industribaracker i plåt fladdra förbi.

– Alldeles för mycket, sa jag tyst.

Faktum var att de slukat hela betalningen för optionen på filmen, och lite till.

Flygplatsen i São Paulo i Brasilien var trång och sliten, med havsgröna heltäckningsmattor och trånga taxfreebutiker. Planet lyfte nästan i tid, bara en halvtimme försenat.

Under natten flög vi sedan från södra halvklotets höst till norra halvklotets spirande vår.

Barnen låg över varandra och sov skönt, Anders hade lutat sätet bakåt och såg ut att ha det ganska bra.

Själv satt jag vid fönstret och tittade ut i den stjärnklara himlen. Långt under mig brusade och dånade Sydatlanten, ibland syntes små glimmande ljus långt där nere, antingen öar eller stora lastbåtar.

Jag slumrade in frampå småtimmarna, en orolig och mycket lätt sömn.

På morgonen landade vi i Europa. Bara att stiga av i Frankfurt kändes nästan som att komma hem. Eftersom vår flight varit lite försenad fick vi springa på rullbanden och nedför trappor genom den gigantiska terminalen.

På SAS-planet mot Stockholm serverades en frukostbox med en smörgås med renkött på svenskt rågbröd.

– Mamma, sa Emma misstänksamt. Den här mackan är konstig, jag tycker inte om den.

– Drick upp juicen, sa jag mekaniskt.

Vi skulle landa klockan 11.15 lokal tid, om vi inte blev försenade.

Måtte vi hinna, tänkte jag.

Vi passerade tullen på Arlanda utan problem och hyrde en bil i ankomsthallen. Barnen kinkade av trötthet och jetlag och satte igång ett slagsmål i baksätet så snart vi rullat ut på E4:an. Anders fick nästan vråla åt dem innan de tystnade, och sedan somnade de igen.

Själv var jag illamående och kände mig febrig. Jag dåsade bort emellanåt, vaknade till då och då med ett ryck och såg granskogen rusa förbi som en mörkgrön vägg utanför bilrutan.

– Ska vi stanna och äta något? frågade Anders när vi rullade igenom ett litet samhälle.

– Jag är inte hungrig, mumlade jag.

Vi var framme utanför den lokala skattemyndigheten klockan halv tre, ett brunt tegelhus i tre plan. Anders stängde av motorn, lutade sig fram över ratten och somnade. Jag lät honom sitta så i tjugo minuter, sedan väckte jag honom och barnen. Tillsammans gick vi upp till andra våningen, där lok-chefens kontor var beläget.

Han var en kort och korpulent man med gles hårväxt.

– Så bra att ni kunde komma förbi, sa han.

Jag sjönk ner på en stol vid hans skrivbord och tog upp min bunt med myndighetspapper.

– Någon här på myndigheten har ställt till det något alldeles förskräckligt för oss, sa jag. Vi har fått utrett i alla instanser upp till kammarrätten att vi måste ha det största skydd som går att få, och nu har ni tagit bort det.

– Det var ett mänskligt misstag, sa skattechefen. Den assistent som gick igenom alla skyddade personuppgifter i länet sparade era uppgifter på fel sätt. Det kan hända vem som helst.

Han log förbindligt, men jag orkade inte besvara det.

I stället lade jag fram pappret som bekräftade våra nya identiteter och förklarade vad det var. Jag placerade dokumentet som angav våra tillfälliga personnummer framför mannen. Sedan gick jag igenom utredningarna från alla olika sociala myndigheter, domarna från tingsrätt och länsrätt och kammarrätt, åklagarbeslut och läkarintyg.

Barnen blev allt tröttare och gnälligare ju fler dokument jag drog fram. Lok-chefen lyssnade, kliade sig på näsan och antecknade stödord emellanåt. Han inflikade små frågor ibland, vilka visade att han inte hade några större kunskaper vare sig kring kvarskrivning eller andra personskydd.

När det gått en och en halv timme stortjöt bägge barnen och jag insåg att vi inte kunde fortsätta.

– Vi måste få åka och vila nu, sa jag. Du får ursäkta, men vi har haft en lång resa.

– Jaså minsann, sa den lille mannen och hans ögon började blänka av nyfikenhet. Hur kommer det sig? Var bor ni någonstans egentligen?

– I Luleå, sa jag. Vi har kört sedan klockan tre i morse.

Han låtsades bli bestört.

– Men kära nån då, sa han. Om jag vetat att ni bodde så långt bort så hade ni inte behövt komma hit.

Jag försökte le mot honom, men det lyckades inte.

Sluta ljuga, tänkte jag. Du hade aldrig hjälpt oss om vi inte kommit hit.

– Var i Luleå bor ni? frågade mannen.

– Hurså? kontrade jag snabbt.

– Jag måste veta det för att ta beslutet.

– Stationsgatan 39, sa jag. Kom barn, vi ska åka och vila en stund innan vi åker hem.

– Ni kan inte åka ännu, sa chefen. Det kommer att ta en vecka innan vi kan ta ett beslut om kvarskrivning, och under tiden måste vi kanske träffa er igen.

– Okey, sa jag. Men jag utgår ifrån att ni spärrar våra personuppgifter omgående.

– Jag ska utreda saken.

Jag reste mig ur stolen, tog två snabba steg runt skrivbordet och fick hålla i mig för att inte flyga på karln.

– Det är ni som har gjort fel, sa jag, men det är vi som får betala priset. Sätt igång och gör ditt jobb, annars har du och din myndighet en hel bunt med JO-anmälningar på halsen.

När jag gick ut var jag så illamående att jag höll på att kräkas.

Vi sjönk ihop i hyrbilen alla fyra och blev sittande där en lång stund. Vi befann oss flera tusen mil hemifrån, det var mörkt och kallt och vi hade ingenstans att ta vägen. Tankarna vandrade, vart skulle vi åka?

– Finns bara ett ställe, sa Anders till slut.

Jag nickade i mörkret.

– Björsjö skogshem, sa jag.

Ägarna stod bakom disken när vi klev in i receptionen. De trodde inte sina ögon när de fick syn på oss, båda sprang fram och kramade om oss. Vi hade inte setts på många månader, ändå kändes det som om det var igår. De visste att vi flyttat utomlands, men inte vart.

– Inte ska vi ha några pengar av er, sa ägarinnan bestämt när jag frågade om vi kunde få betala i efterskott. Ni är våra vänner, det är bara roligt att ni hälsar på.

Jag förklarade kort att vi fått trubbel med en korkad myndighet, och de himlade lite med ögonen. Som egna företagare visste de allt om myndighetskrångel.

Sedan fick vi nycklarna till lägenheten ovanför köket, och en kvart senare sov vi allihop.

Nästa morgon mådde jag ännu sämre än kvällen före. Sömnen hade inte hjälpt. Jag var illamående och yr, men när jag tittade mig i spegeln såg jag oförskämt frisk ut. Jag var rosig och fin på kinderna, till och med lite solbränd.

– Det är bara jetlag, sa Anders.

Men dagen gick och jag kände mig inte bättre. Jag var trött, ville inte äta, och på kvällen började jag kräkas. Jag hade ont i magen, liksom under revbenen, och kände mig febrig.

Jag sov oroligt på natten.

Morgonen därpå hade vi planerat att åka ner till Västerås, men redan när jag satte mig i bilen kände jag att det skulle bli tufft. Jag började kräkas innan vi ens kommit ut på stora vägen, och i Fagersta gick det inte längre.

– Kör tillbaka så att jag får vila, sa jag.

– Jag tycker du ska gå till doktorn, sa Anders. Du har ju haft det här i flera dagar nu.

– Det blir bra bara jag får sova ordentligt, sa jag.

Anders bromsade in.

– Nu är vi ju i Sverige, sa han, och för en gångs skull har vi faktiskt rätt till sjukvård. Är det inte bättre att du kollar dig?

Jag tittade ut och såg de snötyngda granarna gunga därute.

– Okey, viskade jag.

Och så kom det sig att jag hamnade på Bergslagssjukhuset i Fagersta.

Läkarna visste inte vad de skulle tro.

De undersökte mig noggrant, klämde och kände och lyste överallt och sedan tappade de mig på ett oändligt antal provrör med blod. Jag fick lämna urinprov och avföringsprov och massor med andra prover. De frågade om jag nyligen varit på någon utlandsresa, vilket resmål, vilken tidpunkt? Vad hade jag för yrke och var arbetade jag? Övriga familjemedlemmars yrken? Vistades barnen på skola eller daghem? Var jag blodgivare? Mottagit någon blodtransfusion? Ägnade jag mig åt intravenöst missbruk? Inte?

Jag försökte svara så sanningsenligt jag kunde. Det gick inte särskilt bra. Att förklara vad min familj gjorde i Fagersta hade varit komplicerat även om jag varit fullt frisk, och nu kunde jag knappt sitta upprätt. Allting snurrade runt omkring mig, om jag hade haft något att kräkas upp hade jag gjort det.

Till slut svimmade jag.

När jag kvicknade till låg jag i ett enskilt litet rum med vita fördragna gardiner. Ett litet bord, en fåtölj, till höger fanns en toalett.

En glasvägg vette ut mot en liten hall. Allt var tyst.

– Hallå? sa jag.

Inget svar.

Jag tog mig mödosamt på benen och gick mot dörren.

Den var låst!

Jag var inspärrad!

För ett ögonblick drabbades jag av total panik, jag var tillbaka i Chile igen, jag satt fängslad i tortyrcentret Villa Grimaldi i väntan på plåga och död, Pinochet var tillbaka och jag skrek efter mina barn. Jag skrek och skrek och tryckte på alla knappar som fanns intill sängen och två sköterskor i full skyddsutrustning kom rusande, jag såg dem genom glasväggen, de låste upp min dörr och sedan var de inne hos mig.

– Jag har inte gjort något! ropade jag upprört. Ni kan inte spärra in mig så här!

– Doktorn kommer om ett litet ögonblick, sa sköterskan som jag tror var den äldre, det var svårt att avgöra bakom alla handskar och hårskydd och ansiktsskydd.

En läkare i liknande mundering kom in i rummet och sa åt mig att lugna ner mig. Sköterskorna stod i bakgrunden, redo att ingripa om det skulle behövas.

– Du har en åkomma som enligt smittskyddslagen klassas som samhällsfarlig sjukdom, sa läkaren. Blodproverna visar på mycket höga transaminer, ASAT och ALAT, och också mycket högt bilirubinvärde.

Jag sjönk ihop på min säng, kunde inte svara.

– Någon exakt diagnos kan vi inte ställa, fortsatte läkaren, men konsekvensen av din sjukdom är att din lever har slutat fungera. Det har i sin tur inneburit att njurarnas funktion är nere under tio procent, vilket gör att du måste genomgå en omedelbar dialys.

– Vad? sa jag matt.

– I dagsläget har vi ingen prognos, sa läkaren allvarligt. Vi vet inte vad som drabbat dig och vi kan inte förutspå sjukdomsförloppet. Det vi måste göra är att genast anmäla ditt fall till smittskyddsläkaren i länet, till miljökontoret i kommunen och till Smittskyddsinstitutet. Därför behöver jag få tillgång till alla dina personuppgifter.

– Nej, flämtade jag. Du får inte anmäla mig någonstans.

– Det är lag på det, sa läkaren.

– Då går jag härifrån, fick jag fram.

– Det får du inte. Om du gör ett försök att lämna sjukhuset kommer du att tvångsvårdas.

– Det här är ju inte klokt, sa jag. Var är min man och mina barn?

– Du får inte träffa dem. Det är för deras skull. Du måste hållas isolerad tills vi hittar en diagnos eller tills sjukdomen gett vika. Vi kan inte ta några risker.

Jag drog upp landstingsfilten till hakan, och mitt nästa minne är att mitt blod rinner ut ur mig och in i en vit maskin med filter, vätskor och mätare.

Efteråt mådde jag sämre än jag gjort i hela mitt liv.

– Kommer jag att dö? viskade jag till sköterskan.

Hon vände sig bort utan att svara.

De följande dagarna låg jag instängd i rummet med de vita gardinerna. Med jämna mellanrum rullade de in maskinen med mätarna och slangarna, och sedan fick jag ligga i fem timmar och se mitt blod rinna ut ur ena armen, in i maskinen och sedan in i den andra.

Ibland grät jag, men mest sov jag. Sköterskor i rymddräkter frågade vad jag ville ha att äta, men jag skakade bara på huvudet. Till slut fick jag dropp mest hela tiden.

Fredagen den 15 mars kom läkaren in i mitt rum och såg allvarlig ut bakom sina skydd.

– Din familj är här, sa han. Jag har förklarat att de inte får träffa dig, men barnen är otröstliga. De säger att de ska åka hem, och de vill säga hej då.

Naturligtvis, returbiljetterna! De var utställda till den 16 mars och inte ombokningsbara.

Om Anders och barnen inte använde dem så skulle de inte ha råd att återvända på lång tid, kanske aldrig. Och i El Arrayán stod skolan, serveringen och alla klasskamraterna och väntade, i Recoleta fanns det gamla garaget som var vår plats på jorden.

– De måste åka, sa jag. När kan jag följa efter dem?

Läkaren satte sig ner på min säng och tog min hand mellan sina, handskbeklädda.

– Maria, sa han. Jag vet inte. Jag kan inte lova dig att du tillfrisknar från den här sjukdomen. Om proverna inte blir bättre snart är vi rädda att din lever inte återhämtar sig. I sådana fall krävs en levertransplantation för att du ska överleva. Jag vill att du ska veta om det när du tar farväl av dina barn.

Jag hörde mig själv flämta, ett ögonblick svartnade det för ögonen.

Det kanske var sista gången jag såg dem.

Sedan kom de in, Emma först och Robin efter henne. De var utstyrda som astronauter bägge två, med skydd från topp till tå. Det hindrade dem inte från att kasta sig över mig och hålla mig hårt, hårt.

– Mamma, snyftade Emma. Jag vill stanna här hos dig.

– Det går inte, älskling, sa jag och strök henne över ryggen. Du måste följa med pappa och Robin hem till Chile. Jag kommer efter så snart jag kan.

– Varför är du sjuk? frågade Robin.

– Doktorerna vet inte, sa jag. De vet bara att jag är dålig.

– Kommer du att bli frisk? undrade pojken.

Tårarna svämmade över och jag log genom dimman.

– Det är klart, viskade jag. Det är klart jag blir frisk. Jag kommer snart efter er. Det blir ensamt att ligga här, jag kommer att sakna er, men vi ses snart igen, eller hur?

Emma och Robin nickade allvarligt.

– Jag älskar er, sa jag. Jag älskar er mest i hela världen. Ni är det bästa som finns i mitt liv, kom ihåg det. Gå nu, gå till pappa...

Sköterskorna ledde iväg barnen, de kastade blickar över axeln när de klev ut ur min isoleringscell. Det sista jag såg var Emmas lilla hand som vinkade till mig, och sedan grät jag resten av dagen.

I fyra veckor låg jag isolerad i rummet med de vita gardinerna, men det kunde ha varit ett år, eller en dag. Tiden löstes upp och flöt ihop, jag sov och grät och försökte äta men kunde inte. Tre gånger i veckan renades mitt blod via dialys, timmarna jag satt fast i apparaten var oändliga.

En gång talade jag med Anders. Han ringde från Santiago och berättade att hemresan gått bra och att barnen var tillbaka i skolan igen.

Samtalet gjorde mig lugn. Livet fungerade utan mig. Min man och mina barn hade en framtid även om jag inte var med dem längre. Den natten sov jag tio timmar i sträck, och dagen därpå förbättrades mina värden för första gången.

Två veckor senare slapp jag isoleringen, men jag var tvungen att få dialys i ytterligare sex veckor innan jag blev utskriven.

Det var nästan sommar när jag klev ut från Bergslagssjukhuset i slutet av maj. Solen sken, luften var ljummen och len. Jag stannade till utanför portarna och drog in doften av björk och syrener, vad Sverige var underbart! Det gjorde ont i hjärtat att behöva åka härifrån just nu när hela naturen vaknade.

Paret från Björsjö skogshem kom och hämtade mig. Den första

natten sov jag hos dem. Sedan skjutsade de mig till stationen. Jag tog tåget ner till Stockholm för att ordna med min hemresa. Jag bodde några nätter i bankens representationsvåning på Alströmergatan och passade på att träffa Hanna på Thelins konditori.

– Fick du aldrig någon diagnos? frågade Hanna och hällde upp mera kaffe.

Jag suckade och skakade på huvudet.

– Någon form av gulsot, men ingen av de vanliga.

– Är du frisk nu då?

Jag ryckte på axlarna.

– Jag smittar inte längre i alla fall, men läkarna vet inte om jag fått några framtida men. Och så måste jag undvika alkohol, förmodligen för all framtid.

– Här, sa Hanna, ta en bakelse till. Det behöver du.

Långt efteråt, när läkare studerat mitt fall, har de kommit fram till att jag förmodligen drabbades av hepatit E, en form av gulsot som upptäcktes så sent som i början av 1990-talet. Den kan vara dödlig, framför allt för gravida kvinnor, och finns enbart i tredje världen. Smittkällan är smutsigt vatten eller smutsig mat, inkubationstiden är vanligtvis sex veckor. Att sjukdomen bröt ut just när vi kom till Sverige var alltså tur i oturen.

– Har det löst sig med registren, frågade Hanna.

Jag nickade.

– Har du hört något om Evigheten? frågade jag och sköt diskret bakelsen ifrån mig. Jag hade gått ner femton kilo i vikt och hade fortfarande svårt att äta.

Nu var det Hannas tur att sucka.

– Såvitt jag vet har Katarina inte lagförts. Inget åtal är väckt, inget skadestånd utkrävt. Hon fortsätter som förut och har startat nya företag. Sist jag kollade var ett av hennes bolag på väg upp i tingsrätten på grund av obetalda skulder.

– Ibland undrar jag hur samhället är konstruerat, sa jag, när det var helt i sin ordning att Katarina exploaterade vettskrämda och dödshotade kvinnor och deras barn och fullständigt acceptabelt att bara fakturera socialtjänsterna miljoners miljoner av skattebetalarnas pengar.

– Vet du, sa Hanna, jag orkar inte bli förvånad längre. Enda gången jag höjer på ögonbrynen numera är när någon bryr sig. För några veckor sedan gjorde jag en löpsedel när två småbarnsmammor mördats i Stockholm samma helg. Båda hade ungefär samma historia som du. Dagen därpå blev jag inkallad till chefen. Han frågade om det verkligen inte hänt någonting under helgen, eftersom jag placerat två vanliga kvinnomord på ettan och löpet. Så är det: att mammor mördas spelar ingen roll.

Jag sköt bort kaffekoppen också.

Söndagen den 2 juni var jag tillbaka på flygplatsen i Santiago. Jag klev ut i ankomsthallen på skakiga ben och med huvudet fullt av jubel, och där var de! Haha! Där var de, de kom springande emot mig med stora ögon och fladdrande hår och jag fångade dem mitt i språnget, bägge barnen flög på mig och satt fast runt min hals som om de aldrig skulle släppa taget.

– Du har varit borta jättelänge, mamma, sa Emma förebrående.

– Jag trodde aldrig du skulle komma tillbaka, Robin var gråtfärdig.

Jag sjönk ihop på golvet med barnen intill mig, och de övriga resenärerna fick kliva över mig, för jag vägrade flytta på mig.

JAG LEVDE, och livet var egentligen helt underbart.

Jag hade en man och två ljuvliga barn och ett eget hem och ett arbete att gå till. Det fanns mening med min tillvaro, det fanns skäl att fortsätta kämpa. Santiago var mitt hem, jag hade ändå någon sorts plats här, barnen hade utbildning och vänner och Anders hade också börjat finna sig till rätta.

Min man hade skött om serveringen så gott han kunnat medan jag varit borta, och jag måste säga att jag var imponerad. Han hade inte stått och stekt *lomitos* och bakat pizza på kvällarna, men han hade köpt halvfabrikat som han mikrat upp i ugnen. Det hade fått serveringen att gå runt, även om den inte gjort någon större vinst. Hans initiativförmåga hade gjort att verksamheten fanns kvar, och det styrkte mig. Att det aldrig blivit någon bilverkstad med Enrico Fernandez verkade han inte sörja.

Det jag byggt upp var livskraftigt. Det skulle finnas kvar, även om jag försvann. Jag hade givit min familj förutsättningen att överleva, och det gjorde mig mer tillfreds än något annat jag åstadkommit.

Jag var väldigt trött de där första veckorna, och fick vara ytterst noga med vad jag åt och drack. Anders fortsatte att hjälpa mig med serveringen, och jag fick tid att ströva runt på ett sätt jag aldrig gjort förut.

På dagarna var vindarna ljumma trots att det var vinter, folk knäppte upp sina jackor, fåglar flockades på gatorna.

En eftermiddag hamnade jag i Santiagos historiska delar. Mitt hjärta började banka fortare när jag insåg att jag stod på Plaza de la Constitución.

Rakt framför mig låg Palacio de La Moneda, Chiles neoklassicistiska presidentpalats. Det var här Augusto Pinochets militärkupp avgjordes den 11 september 1973. Det var härifrån den störtade presidenten Salvador Allende höll sitt berömda radiotal och manade sitt folk till kamp mot diktatorn. Det var här han hittades död samma kväll sedan Pinochet beordrat flygvapnet att bomba palatset sönder och samman. Det fanns folk som påstod att Allende hittades med ett maskingevär bredvid sig och skulle ha skjutit sig själv, medan andra menade att det var lögn och förbannad propaganda. Själv visste jag inte, men åsynen av palatset gav mig rysningar längs ryggraden.

Det tog nästan tio år för Pinochet att restaurera det efter bombningarna.

Nere till vänster på torget fanns en mörk staty, föreställande den störtade presidenten. En inskription på sockeln talade om hans fullständiga namn och den tid han levat: Salvador Allende Gossens, 1908-1973.

Längst ner fanns ett citat ur radiotalet till medborgarna:

”Tengo fe en Chile y su destino.”

Jag tror på Chile och dess framtid.

En lång stund stod jag där och tänkte på alla de människor som dött för att de trott på sin folkvalda president. Jag mindes de flyktingar jag mött och hjälpt när de flytt undan Pinochets död och tortyr. Allende hade sannerligen inte haft några politiska patentlösningar på Chiles problem i början av 1970-talet, men något värre än Pinochets skräckvälde var svårt att tänka sig.

Till min förvåning var palatsets innergårdar öppna för allmänheten. Två beväpnade vakter kontrollerade min handväska, sedan fick jag själv strosa genom de stillsamma gårdarna. Där fanns både historiska pjäser som gamla kanoner, men också modern konst och grönskande citronträd.

Längst in plaskade en fontän, på botten glimmade mynt i gul och vit metall.

Jag kastade i hundra pesos, och medan slanten singlade mot botten tänkte jag:

För fred och demokrati i Chile.

I augusti, när vinterlovet började, var det dags att skänka pengar till Manuels skolgång och omvårdnad igen. Vi åkte upp och hälsade på honom på barnhemmet i Quillota hela familjen. Han hade vuxit över tio centimeter och var nästan lika stor som Robin.

Med stor entusiasm sprang han omkring och visade oss vad han lärt sig och var han brukade leka. Barnen såg friska, glada och välnärda ut. Både jag och Manuel hade haft tur.

På kvällen stannade vi kvar och åt middag med nunnorna och alla barnen. Vi satt bredvid Manuel, han lyste upp hela matsalen med sina glittrande ögon och jublande skratt.

När det var dags för oss att åka hem dröjde han sig kvar vid vår lånade bil, ville inte släppa iväg oss.

– Ni kommer väl tillbaka? frågade han gång på gång. Señora Maria, du kommer väl tillbaka till mig?

Och jag tog pojken i hand och lovade honom att vi skulle träffas snart, senast till jul.

Jag blev allt starkare, och jag använde min nya energi till att städa upp i vårt hus. Det gick inte särskilt bra. Som bostad betraktad var kåken faktiskt rätt eländig. De gamla garagedörrarna mot gatan var fuktskadade, målarfärgen flagade praktiskt taget överallt och de få fönstren var otäta. Jag köpte gummilister och försökte täta dem, och två burkar ljusgul färg till barnens rum, men sedan besinnade jag mig. Hittills hade huset fyllt sin funktion, men det var inte värt att lägga ner mer kraft eller pengar på. Det var dags att gå vidare.

Jag ville ha ett riktigt hem, och jag ville ha det i ett område jag tyckte om. Någonstans där det såg ut som Europa, där husen var höga och blanka.

Jag började läsa bostadsannonserna noggrant igen.

En ny termin började och redan första dagen fick barnen med sig lappar hem om ett årsmöte i föräldraföreningen. Det skulle hållas onsdag kväll veckan därpå, jag såg till att ha kaffe, bröd, vin, ost och oliver att servera vid mötet.

Sammanträdet öppnades av Cathrine de Geus, en holländska som bott i Chile i tio år men nu skulle flytta tillbaka till Europa. Som vanligt upptogs mötet av vardagliga trivialiteter, som aktiviteterna på idrottsdagarna eller inköp av nya skolböcker.

Men sist på dagordningen fanns en ovanlig punkt: val av ny president för föräldraföreningen. Eftersom Cathrine flyttade hem stod föreningen utan ordförande, vilket tydligen tagit valberedningen på sängen.

– Förslag på ny president? frågade Cathrine, men fick inget svar. Hon väntade en liten stund, sedan upprepade hon frågan:

– Ny president till föräldraföreningen på Colegio Inglese International, förslag?

Valerie reste sig upp.

– Jag föreslår Maria Eriksson, sa hon och sneglade bort mot mig.

Jag höll på att tappa kaffekannan jag höll i, så paff blev jag.

– Fler förslag?

– Men…, sa jag. Ska jag…?

– Vilket utmärkt förslag! sa Cathrine. Maria Eriksson känner både rektorn, styrelsen, eleverna och de flesta föräldrarna. Om hon bara vill tycker jag det är en strålande lösning.

Jag valdes enhälligt.

Mina dagar kom nu också att fyllas av möten med föräldraföreningen, förhandlingar med rektorn och styrelsen, planering av fester och aktiviteter.

Valerie var fortfarande min närmaste väninna, men nu fick jag flera bland de andra mammorna. En var Rosana från Brasilien, hon hade två pojkar som gick några klasser över mina barn. Hon var mycket mörk och hade långt svart hår och skrattade jämt. Hennes familj bodde åt mitt håll, så ibland åkte jag bil med henne från skolan. En annan var Bianca från Venezuela. Hon hade en pojke i Emmas och Robins klass och en flicka som var två år yngre, hennes man var diplomat.

Bianca hade arbetat som modell i sin ungdom, nu ägnade hon sig åt barnen, mannens karriär och sin stora passion: fotografering. Såvitt jag kunde bedöma var hon en duktig fotograf, särskilt när det gällde att porträttera människor.

En hel vecka i oktober tillbringade hon i min kiosk och tog kort på mig och alla som handlade.

– Det kan bli en utställning på biblioteket, sa hon när folk frågade vad hon höll på med.

Vi kom att tala en hel del den där veckan, bland annat om heminredning och bostäder. Jag berättade att vi letade efter ett hus eller en lägenhet någonstans i stadens östra *comunas*, och bara någon vecka senare stack Bianca åt mig en lapp med ett telefonnummer.

– Ring och tala med señor Pastene, sa hon. Han kanske kan hjälpa er.

Lägenheten låg på nedre botten i ett grått hus med trafiken dånande en meter från fönstret, men det gjorde ingenting. Tre stora rum, med ett riktigt kök och tvättmaskin i badrummet, möblerade och klara med både tv och stereo.

– Det kan inte bli bättre, sa jag.

Fastigheten låg i utkanten av Providencia, precis i det område där jag mest av allt ville bo. Hemkänslan var stark, inte minst eftersom gatan hette Avenida Suecia, Svenska avenyn.

Hyreskontraktet gällde i ett år och vi skrev på utan att tveka. Visserligen var hyran för dyr för oss, men en av de första dagarna i november fick jag fyrtiofemtusen kronor i royalty från försäljningen av vår bok. För mig var det en hel förmögenhet. Vi betalade fyra månaders förskottshyra, sedan räknade jag kallt med att framtida hyror skulle ordna sig på något sätt.

Bianca kom och hälsade på när vi flyttat in, och hon rynkade lite på näsan åt de gamla möbler som stod där.

– De här byter ni förstås ut när ni fått pengarna för ert försvunna bohag, sa hon.

Ingen av de andra mammorna på skolan förstod någonsin hur fattiga vi var.

ATT HITTA EN barnpsykolog till Emma var något som hamnat i skymundan, eftersom så mycket annat hänt. Vår levnadssituation hade blivit någorlunda normal, och när flickan fått chansen att fungera som alla andra barn så gjorde hon det.

En incident på skolan fick mig emellertid att tänka om. Även om Emma var det sötaste och normalaste barn som fanns, så blödde hennes sår strax under ytan.

En lunchrast blev Emma, Isabelle och ytterligare några flickor jagade på skolgården av en grupp äldre pojkar. Det som börjat som en glad och rolig lek utvecklades snart till ett ganska hårdhänt knuffande och brottande.

Några av flickorna, bland annat Emma och Isabelle, tog sin tillflykt in till serveringen där jag just stod och sålde en hamburgare.

– Ni får inte vara här, sa jag över axeln medan jag tog betalt.

– Men de jagar oss, mamma, sa Emma.

– Jaga tillbaka då, sa jag, och sedan vet jag inte riktigt vad som hände, men någon skrek och i ögonvrån såg jag Emma kasta sig fram emot bänken där jag nyss stått och hackat lök, och i ett enda handgrepp fick hon tag på min kökskniv och kastade den mot barnen i dörröppningen.

– Aj! ropade Isabelle till. Du stack mig!

Jag vände mig om, tog tag i Emmas överarm med ena handen, föste ut alla ungarna utom Isabelle med den andra, stängde dörren och tog upp kniven.

– Hur gick det? frågade jag och böjde mig över Isabelle. Gjorde du dig illa?

Flickan höll upp sin hand, där blodet sipprade fram ur en liten rispa intill långfingret. Hon darrade lite och tårar hängde i hennes ögonfransar. Det var ett minimalt sår, så hennes upprördhet bottnade snarare i chock än smärta.

– Jag har plåster, sa jag tröstande och log. Jag skär mig hela tiden.

– Men jag skar mig inte, sa Isabelle. Hon kastade kniven på mig!

Flickan höjde ett anklagande finger mot Emma.

– Det var en olyckshändelse, sa jag bestämt. Emma skulle aldrig skada dig, det förstår du väl. Du är ju hennes bästa vän! Emma skulle hjälpa mig, men hon tappade kniven. Hon kommer att säga förlåt till dig nu, och sedan gör hon aldrig om det. Kom här, Emma.

Emma var också gråtfärdig och upprörd, precis som hon brukade bli efter sina attacker.

– Förlåt, mumlade hon.

– Bra, sa jag, och i samma stund ringde skolklockan. Seså, in och plugga nu!

Jag körde ut dem och stängde dörren efter dem.

Så här kunde det inte fortsätta. Hemma gömde vi fortfarande knivar och skärp av ren rutin, men det löste inte Emmas problem.

Om jag inte fick bort flickans destruktiva anfall kunde hon en dag komma att skada någon riktigt ordentligt, antingen sig själv eller någon annan.

Samma kväll gick jag igenom de papper jag haft med mig från Sverige. Jag visste att jag skrivit upp namn och telefonnummer till en internationellt beryktad barnpsykolog någonstans, och efter en timmes idogt letande hittade jag lappen i helt fel hög.

Nästa dag ringde jag barnpsykologen från mobilen och berättade om Emmas problem.

Han blev intresserad av att ta sig an Emmas fall. Taxan gick på åttiotusen pesos i timmen, ungefär åttahundra svenska kronor.

Vi fick en tid veckan därpå.

Jag vet inte riktigt vad jag förväntat mig, men det var inte det här sjaskiga huset på den här bullriga gatan nere i centrum av Santiago.

Den internationellt ryktbare psykologen hade sin mottagning bakom en enkel dörr, på nedre botten mot gården. Vi klev in i ett rum där några personer, föräldrar och deras barn, väntade på enkla pinnstolar och i en nedsutten brun soffa. Bakom ett litet skrivbord satt en äldre kvinna med en kalender och telefon framför sig.

Vi gick fram till henne och anmälde oss, hon bad oss sitta ner.

Sedan väntade vi, och väntade och väntade.

En och en halv timme senare fick vi gå in till läkaren. Han var liten och mycket rund och hade alldeles runda glasögon. Faktum är att han påminde om en skurk i någon Tintinbok, men jag kunde inte komma på vilken.

Hans mottagningsrum var obetydligt större än väntrummet och fullständigt belamrat med papper och böcker. Det var dammigt, men inte direkt smutsigt. Det enda fönstret var dolt bakom tjocka, bruna gardiner.

– Så, här har vi Emma, sa han och hälsade på flickan. Hur är det, tycker du om chokladpraliner?

Jag kände min skepsis växa, vad var det här för en gubbe?

Men Emma nickade lite blygt och fick välja en stor chokladbit ur en ask med glanspapper.

– Du får en till när vi är färdiga, sa han till flickan, men först ska du och jag ge oss ut på en resa.

Hon spärrade upp ögonen lite som hon brukade när hon var förvirrad eller förvånad.

– *¿Adónde?* frågade hon. Vart då?

– I tiden, sa han och vände sig mot mig. Jag ska hypnotisera barnet och föra henne tillbaka till de tidpunkter då hennes trauman inträffade. Vill ni vara så vänlig att vänta därute?

Så tog han fram en liten pendel i gul metall.

I den sekunden var jag ungefär en millimeter från att ställa mig upp och springa därifrån med barnet, det här var ju rena Kalle Anka! Än idag vet jag faktiskt inte vad som höll mig tillbaka. Jag slutade bara andas en liten stund och gick sedan beskedligt ut i väntrummet medan psykologen utförde sin behandling.

I en timme satt jag utanför dörren, ivrigt lyssnande till varje ljud där inifrån. Jag uppfattade ibland mumlande röster, både läkarens och flickans, men jag hörde inga ord eller vilket språk de talade.

Receptionisten satt bakom sitt skrivbord och antecknade något emellanåt. Två gånger ringde telefonen och störde mitt lyssnande. Vi sa ingenting till varandra.

När jag äntligen fick komma in till läkaren igen var jag alldeles svettig och darrig, men oron släppte genast. Emma såg lite yrvaken men mycket lycklig ut, hon mumsade som bäst på en stor pralin.

– Nu är det lilla dockans tur att vänta en stund, sa gubben och föste ut Emma i det angränsande rummet.

– Hur gick det? frågade jag.

Läkaren tryckte fast glasögonen på näsan och log lite.

– Jo tack, sa han. Flickan är mycket intelligent och har livlig fantasi. Sådana är drömpatienter för den här typen av behandling, och hon gick också snabbt in i en mycket djup hypnos.

Jag svalde ljudligt.

– Tösen har djupa trauman, fortsatte psykologen. Jag förstod inte allt hon sa, ibland talade hon svenska, men jag fick en ganska klar uppfattning av vad som jagar henne.

– Så vad gör man åt det?

– Jag talade om för henne att hon inte behöver vara rädd mer. Hon behöver inte frukta knivar eller snaror, för hon måste aldrig mer försvara sig. Den svarte mannen är borta, han kommer aldrig tillbaka.

Jag blev så upprörd att jag ställde mig upp.

– Emma kommer inte ihåg något om den mannen, sa jag. Hon har inga minnen alls från Sverige. Hon vet inte vad som har hänt henne. Ni får inte berätta det för henne hur som helst!

Läkaren log lite till.

– Bästa señora, sa han. Det var inte jag som berättade det för henne, det var flickan som berättade för mig.

Jag kom av mig mitt i en inandning och stirrade på mannen.

– Såren är djupa, sa läkaren. Jag behöver flera sejourer med henne. Det finns flera trauman, vi måste lösa upp dem alla. Be att få boka en tid i nästa vecka.

Jag stängde min gapande mun och gick ut till kvinnan bakom skrivbordet i väntrummet och fann Emma i hennes knä, ritande fjärilar i bokningskalendern.

Fyra gånger till tog jag flickan till den runde barnpsykologen i hans murriga mottagning. Fyra gånger försatte han henne i en djup sömnliknande dvala, där han redde ut de övergrepp hon utsatts för.

Efteråt kom hon aldrig ihåg någonting. Hon visste bara att hon fick en chokladpralin med vaniljfyllning, lade sig ner och somnade. Efteråt var hon glad men trött, och så fick hon rita lite i tantens stora block.

När vi fått klartecken från läkaren plockade vi fram knivar och skärp och vassa nålar och lät dem ligga framme, först i korta perioder och sedan allt längre stunder. Hela tiden studerade vi Emma noggrant.

Efter ett tag började hon använda dem, och det var med hjärtat i halsgropen jag såg henne skära upp en brödskiva första gången.

– Vad är det? frågade hon förvånat när hon lade ner kniven på skärbrädan och uppfattade min nervösa blick.

Nu har det gått över åtta år, och hon har aldrig mer skadat vare sig själv eller någon annan.

Julen 1996 blev den lyckligaste på länge. Vi kände verkligen att vi var på väg åt rätt håll. Den nya bostaden var bra på alla sätt. Jag mådde bra efter min sjukdom, Emma var frisk och Robins astma och hosta gick att hålla i schack med cortison och olika luftrörsvidgare. Anders började också finna sig till rätta, han pratade om att köpa en begagnad bil av Enrico Fernandez.

Själva juldagen firade vi ensamma hemma, men sedan hämtade vi Manuel och bjöd flera av våra vänner på fest till nyår.

– Ni har verkligen fått det fint här, sa Carita Fernandez när hon gick husesyn i vår lägenhet, och jag tyckte hon lät lite ledsen.

– Har Enrico inte hittat något jobb? frågade jag.

Hon bara skakade på huvudet.

När skolan började igen kallades jag upp till ägaren, mr James Prior-Gattey. Jag funderade inte särskilt mycket över det. Vi hade alltid haft en tät kontakt, framför allt efter att jag blivit föräldraföreningens president.

Men så fort jag klev in i hans stora kontor märkte jag att något var på gång. Alla de gamla affischerna var nerplockade från väggarna, det stod travar med flyttlådor utmed ena väggen.

– *¿Qué pasa?* frågade jag muntert.

– Maria, sa rektorn allvarligt och tog mina händer i sina. Kom och slå dig ner.

Jag stelnade till i hela kroppen, kunde inte röra mig.

– Vad är det? frågade jag. Får barnen inte gå kvar?

Han såg förvånat på mig och skrattade sedan.

– *Oh dear*, sa han och satte sig ovanpå pappren på sitt skrivbord. Vad får dig att tro något sådant? Sitt, min vän!

Jag satte mig ytterst på besöksstolen.

– Du kan säga det på en gång, sa jag. Vill du bli av med oss?

– Maria, sa han. Jag har sålt skolan.

Det blev alldeles tyst en stund.

– Sålt? sa jag dumt. Kan du bara sälja den så där utan vidare? Vad säger styrelsen?

– Sälja kan jag göra, men styrelsen måste godkänna den nya köparen. Det är här du kommer in i bilden. Jag vill att du bildar dig en uppfattning om den nya ägaren, och hon vill träffa dig.

Jag kände hur axlarna slappnade av.

– Ja, sa jag. Javisst, naturligtvis. När då?

– I eftermiddag?

Jag höjde lite på ögonbrynen, mr Prior-Gattey hade bråttom.

Hon var amerikanska och hette Lauren Gardner. Hon var utbildad lärare, men hade inte arbetat i yrket sedan hennes dotter föddes för nästan tjugofem år sedan. Hennes man hade varit militär, *högt uppsatt* militär, och hon och dottern hade flyttat med honom över hela jordklotet, men nu var det dags för henne att tänka på sin egen karriär, och därför hade hon beslutat sig för att köpa den här skolan i Santiago.

Detta berättade hon i ett enda andetag samtidigt som hon sjönk ner bakom mr Prior-Gatteys stora och nu även välstädade skrivbord. Hon var kort, ljus och smal, och bar en rosa dräkt som såg dyr ut.

– Nu är jag här, sa hon, lutade sig fram och knäppte händerna ovanpå skrivbordsskivan. Vad är det du undrar över?

Jag satte mig förvånat, jag trodde det var hon som ville träffa mig.

– Jag undrar förstås vad du vill med skolan, sa jag sedan jag hämtat mig. Vilka konsekvenser ägarbytet får för eleverna och personalen. Om någonting kommer att förändras i undervisningen, om villkoren för utbildningen ändras på något sätt, och i så fall hur?

Hon nickade medan jag talade.

– Jag förstår fullkomligt, sa hon med eftertryck. Naturligtvis är detta något som måste diskuteras mycket ingående med både styrelsen och föräldraföreningen. Vem av dem företräder du?

– Bägge, faktiskt. Så vad har du för planer?

Lauren Gardner nickade ännu eftertryckligare.

– Mycket bra fråga, sa hon. Det känns väldigt skönt att ha ett sådant stöd från de andra parterna i en sådan komplex organisation som en utbildningsanstalt ändå är.

Utbildningsanstalt?

Jag harklade mig.

– Du svarar inte riktigt på min fråga, sa jag. Vad vill du med skolan? Har du tänkt förändra den, och i så fall hur?

Hon reste sig och lät fingertopparna glida längs skrivbordets blanka yta, en gest som uttryckte både grace och makt.

– Det är förstås svårt att svara på idag, sa hon och log ner mot mig. Om något behöver förändras så tycker jag vi tar den diskussionen när den kommer.

Vid nästa styrelsemöte, som inföll bara två dagar senare, fick jag frågan av styrelsen om jag ville tillstyrka mrs Gardner såsom ny rektor för Colegio Inglese International.

Jag tvekade, eftersom jag visste att mitt svar skulle protokollföras och Lauren Gardner skulle läsa det.

– Jag fick ingen uppfattning om hennes planer och ambitioner med sitt förvärv av skolan vid vårt möte, sa jag. Jag kan varken tillstyrka eller avslå.

Majoriteten av styrelsen godkände köpet, ingen avslog men jag och personalrepresentanten lade ner våra röster.

Så hade skolan fått en ny ägare.

Det visade sig snart att den nya ägarinnan inte bara hade stora planer för skolan, hon tvekade inte att sätta dem i verket per omgående.

Först av allt ville hon renovera samtliga lokaler, vilket gjorde att klasserna fick slås ihop och delvis undervisas utomhus och i baracker.

Sedan ville hon bygga ut, vilket tog en del av basketplanen i anspråk.

När allting var som rörigast ville hon gå igenom och skriva om studieplanen.

Då krävde föräldraföreningen ett möte med henne, och som president var det jag som fick föra vår talan.

– Vi föräldrar känner att det händer lite för mycket på alltför kort tid. Med lite bättre framförhållning skulle undervisningen inte bli så lidande. Om man exempelvis renoverade ett klassrum i taget i stället för alla på en gång så skulle…

– Är du ekonom? bröt mrs Gardner av.

– Vad? sa jag. Nej.

– Då förstår du inte det här, kära du, sa ägarinnan. Något annat?

Jag samlade mig.

– De nybyggda omklädningsrummen på baksidan, sa jag. Behöver de verkligen rivas?

– Var inte oroliga, de kommer att byggas upp igen.

Hon reste sig som ett tecken på att mötet redan var slut.

Jag följde hennes exempel.

– Det finns väl inget självändamål i att riva för rivandets skull, sa jag.

– Kära Maria, sa ägarinnan honungslent. Du ska inte vara så rädd för förändringar. Ta och prova någon emellanåt, det skulle faktiskt göra dig gott!

Jag bara stirrade på kvinnan, oförmögen att svara.

Två veckor senare revs omklädningsrummen för att byggas upp femtio meter längre bort.

I slutet av mars ringde advokaten som drev vårt fall mot transportbolaget.

– Jag har fått ett förlikningsbud som är alldeles strålande, sa han. De bjuder nittio procent av försäkringsvärdet, alltså tjugotvåtusen femhundra svenska kronor.

Jag suckade, så lite ull för så mycket skrik.

– Okey, sa jag. Och hur mycket ska du ha av det?

– Mitt arvode blir femtontusen.

Jag stirrade ner i luren.

– Femtontusen?! Men det är ju nästan alltihop!

– Med tanke på hur mycket jobb jag lagt ner är det faktiskt billigt, sa advokaten.

Och så blev det.

Till slut fick vi knappt åttatusen kronor i ersättning för alla våra stulna saker, och de pengarna använde jag till att betala tillbaka på lånet till Hanna.

Höstlovet kom som en lättnad. Det var skönt att slippa röran på skolområdet, även om det innebar att serveringen var stängd och våra inkomster minskade dramatiskt.

Vi tillbringade en del tid med Manuel. Först sov jag över en natt uppe på barnhemmet, sedan bodde han hos oss i en vecka. Han växte så det knakade, hade för länge sedan passerat Robin, som skulle fylla nio. Jag undrade hur gammal pojken egentligen var. Axlarna hade blivit bredare, håret mörknat från eldrött till flammande kastanj.

Jag började leka med tanken att ta pojken till oss på heltid. Adoptera honom, helt enkelt.

I september fick vi emellertid ett brev som vände upp och ner på hela vår tillvaro ytterligare en gång.

Vi fick inte bo kvar i lägenheten. Den skulle hyras ut till någon annan från 1 november.

Vi hade sex veckor på oss att hitta en ny bostad.

Jag beslöt mig för att tänka i nya banor. Santiago var en stor stad, jag måste verkligen ge den en chans. Varför skulle jag nödvändigtvis bo österut, bara för att det påminde mest om Europa?

Det här var Chile, ett fattigt land i Sydamerika, och jag hade valt att bosätta mig här. Skulle jag bli kvar fick jag acceptera tillvaron, det vara bara anpassa sig eller flytta vidare.

Därför hade jag en helt annan attityd när jag hörde mig för om en ny bostad.

Varför skulle vi inte kunna bo väster om staden?

Via Enrico Fernandez fick vi höra talas om en fin villa med tre små sovrum och egen trädgård i stadsdelen Renca.

Vi åkte dit en lördag eftermiddag i början av oktober.

Bussen skramlade och skakade i en halv evighet på gropiga vägar innan vi äntligen var framme. Gatan kantades av låga hyreshus med flagnande fasader och galler för alla fönster, även på tredje våningen. Jag trängde undan en lätt klaustrofobisk känsla.

Vid en övergiven järnväg pågick en sorts informell loppmarknad, människor stod i gruset och sålde de småsaker de kunde undvara. Jag hann uppfatta porslin, urtvättade barnkläder, husgeråd, prydnadssaker och begagnad elektronik. Graffitin var massiv, bitvis täckte den all byggnation som fanns.

Många av gatorna var uppgrävda. Bussen blev stående vid ett av vägbyggena, jag tittade ut till höger och stirrade rakt in i ögonen på en liten flicka som satt alldeles stilla utanför ett fönsterlöst plåtskjul. Hennes hud var mörk och håret svart, hon var barfota men hade på sig en alldeles kritvit klänning med små röda blommor. Bredvid henne stod ett rostigt bilvrak, på andra sidan skjulet låg några omkullvälta oljefat. Marken var svart av sot. Bakom flickan, i en öppning in till skjulet, anade jag en människa som rörde sig. Så kom en ung kvinna ut ur dunklet med en baby på höften, mamman böjde sig ned intill flickan och sa något och log, och i den stunden visste jag att jag inte kunde bo i Renca.

Det spelade ingen roll vad jag intalade mig själv. Det må vara västerländskt, hycklande eller bara fegt, men jag klarade inte fattigdomen.

Det hyreslediga huset visade sig vara en vitrappad villa i spansk stil med rosenträdgård intill verandan och citronträd på bakgården, men det hjälpte inte.

Jag höll god min medan vi tittade runt, och Anders var entusiastisk, men faktum kvarstod.

Flickan i den vita klänningen bodde bara ett par hundra meter bort. Kåkstaden försvann inte bara för att jag blundade för den, och jag kunde inte leva med sådan misär inpå mig så fort jag gick ut.

Besöket i Renca fick mig för första gången att äntligen se sanningen i vitögat:

Santiago kanske inte var min stad.

PÅ SKOLAN VAR ALLTING rörigare än någonsin. Tre av de bästa lärarna sade upp sig under terminens första veckor. Byggnationerna fortsatte, utan synbart ändamål.

På uppmaning av föräldrarna uttryckte både jag och styrelsen vår oro över situationen. Vi kom med flera konkreta förslag på hur man kunde underlätta undervisningen och stabilisera skolmiljön medan alla renoveringar och omorganiseringar genomfördes, men vi talade för döva öron.

Snart började också eleverna att söka sig bort från skolan. Flera av Emmas och Robins klasskamrater anmälde sig till andra skolor, många skulle börja efter jullovet.

Den årliga julfesten, som brukade vara terminens gladaste upptåg, fick därför en mycket annorlunda karaktär det här året. I stället för julklappsutdelning blev festen ett avsked.

Jag, Valerie och Bianca hade stått för största delen av arrangemanget, och vi stannade också kvar för att plocka undan efteråt.

– Tänk, sa Valerie plötsligt och lät disktrasan sjunka. Scott ska gifta sig.

– Vad roligt! sa jag.

– Ja, men tänk att ha en son som är så stor. Han har träffat en flicka på college, och de ska gifta sig till våren. Är det inte otroligt? Jag måste vara urgammal.

Bianca skrattade.

– Så då kommer du att åka på bröllop i USA?

Valerie blev med ens allvarlig.

– Mer än så, sa hon. Det är inte klart ännu, men det verkar som om Bruce kommer att befordras.

– Men det är ju fantastiskt! sa jag och kramade om henne. Hälsa honom och gratulera!

Valerie sköt mig ifrån sig.

– Det är som sagt inte offentligt ännu, men jag vill ändå att ni ska veta. Det innebär att vi flyttar hem.

Jag tittade på henne några sekunder.

– Vart då? sa jag sedan. I mitt huvud bodde Valerie i huset med den höga trägrinden på bergssidan ovanför skolkomplexet.

– Till vårt hem i USA. Vi åker nog redan nästa vecka.

Jag blev alldeles stum.

– Men, sa jag, kommer ni inte tillbaka?

Hon skakade på huvudet, och jag såg att hon hade tårar i ögonen.

– Högst osannolikt, viskade hon.

Bianca, som ställt ut en sopsäck, kom in igen.

– Vi åker också vidare, sa hon, fast det blir inte förrän i februari. Min man har fått en ny stationering, i Beirut.

– Åh, sa Valerie, det är en fantastisk stad!

Jag vände mig bort. Min förföljare var från Libanon, mannen som tvingat oss att lämna vårt hemland och sitta fast i den här eländiga avkroken.

Plötsligt kunde jag inte vara kvar i serveringen en sekund till. Jag lämnade nycklarna till Valerie som förvånat såg efter mig när jag rusade ner mot busshållplatsen.

Så småningom hamnade vi i Recoleta igen. Via en annons i tidningen fick vi tag i ena halvan av ett parhus bara ett par kvarter från garaget där vi bott tidigare. Det var inte möblerat, vilket innebar att vi sov och åt våra måltider direkt på golvet.

– Vi kan inte ha det så här, sa Anders.

Det blev jul och nyår igen, och jag kunde inte låta bli att jämföra den här helgen med den förra, då vi bott i den fina lägenheten på Avenida Suecia i Providencia. Nu satt vi och åt julmiddag på ett provisoriskt bord av spånplatta på bockar och stolar av drickabackar. Robin hostade och hostade sig igenom hela jullunchen, jag blev allt oroligare över hans lungor.

Manuel var hos oss, han märkte att jag var ledsen och frågade mig till slut vad som stod på.

Jag sa bara att jag hade lite problem, vilket fick honom att se ytterligt brydd ut.

– Har *du* problem, *señora*? sa han. Men du har ju ett hem, och du har en man, och du har en fin servering!

Han blinkade oförstående.

– Du kan nog bara ha små problem.

Jag var tvungen att le mot hans fräkniga ansikte.

Efter helgerna var det dags igen. Jag tog mig åter, för vilken gång i ordningen visste jag inte, till Estación Central söder om Santiago för att ta bussen till Mendoza.

Det kändes hemtamt när den ene av de bägge chaufförerna gick runt och bjöd på kex och kaffe i små plastmuggar. Jag hade börjat tycka om drycken, så söt att den kändes som att äta en tårtbit med mockasmak.

Filmen kom igång på en liten tv-monitor under taket. Den skulle flimra där de närmaste timmarna, alltid på hög volym med dubbad spanska. Någon gång hade jag försökt titta, men det hade gjort mig rejält illamående och jag aktade mig för att göra om misstaget.

I stället fällde jag sätet bakåt så långt det gick och tittade ut över det platta landskapet, och sedan slumrade jag till. Jag vaknade av att bussen krängde hårt, stigningen över Anderna hade börjat. Tankarna vandrade medan serpentinkurvorna ringlade sig över bergmassiven. Jag tänkte på inkafolket som begravt sina döda på över femtusen meters höjd i just dessa berg, på Brad Pitt som spelat in filmen "Sju år i Tibet" här, och på att jag nästa gång nog var tvungen att ta med barnen för att få nytt visum.

Älven utanför mitt fönster hoppade mellan stenarna ungefär som Río Mapocho utanför barnens skola, ravinerna var hisnande. Några räcken existerade inte, på flera ställen reste sig kors vid vägkanten till minne av människor som kört ihjäl sig.

Bergen blev högre, brantare och svartare. Lavan som en gång skapat dem hade stelnat mitt i fallet och låg nu sotsvart på bägge sidor om vägen. Kurvorna blev så tvära att bussen behövde bägge filerna för att ta sig runt dem, men eftersom trafiken var mycket begränsad brukade det gå bra. Fickor med snö blev synliga runt omkring oss, trots att det var sensommar.

Så dök Cerro Aconcaguas vita jättevägg upp till vänster om mig. Med sina nästan sjutusen meter var det världens högsta berg utanför Himalayamassivet. Då visste jag att vi snart var inne i Argentina.

Den faktiska gränsen mellan Chile och Argentina ligger mitt inne i en tunnel på drygt tretusen meters höjd, men gränskontrollen fanns i Los Horcones någon mil därifrån. Den jättelika betongbaracken var alltid iskall, till och med mitt i sommaren.

Chauffören viftade ut oss och sedan började köandet. Först en för att komma ut ur Chile, en andra för att släppas in i Argentina, och sedan en tredje där vi förtullade vårt bagage. Jag köpte en smörgås med stekt griskött vid den mobila serveringen utanför gränskontrollen för motsvarande tolv kronor.

Så rullade vi in i Argentina. Landskapet blev mjukare både till form och färg. Sluttningarna var insvepta i växtlighet som varierade i alla möjliga former av grönt. Högre upp antog bergen alla tänkbara nyanser av jord, från ljusgult till ockrafärgat, mörkrött och nästan lila. Himlen var så blå att det gjorde ont i ögonen.

Det var verkligen otroligt vackert.

Bergsälven blev bredare och blåare och liknade alltmer en riktig flod. Vägen raknade och bussen ökade farten, vi åkte längs med klipphyllor och i tunnlar.

Snart skulle raksträckan komma där bussen alltid blev omkörd. Sedan skulle floden ta av åt vänster och vi skulle köra in i lervällingen från det nybyggda småhusområdet…

Plötsligt slogs jag av en tanke som fick halsen att snöras samman.

Hur många gånger till skulle jag sitta och skaka på den här bussen? Skulle jag åka här fram och tillbaka resten av mitt liv? Var det så här min ålderdom såg ut? Var det detta jag hade i arv till mina barn? En tillvaro i marginalen, inte olaglig men inte heller legitim, aldrig riktigt delaktig?

I tre år hade jag försökt bygga upp ett liv i Santiago, och tidvis hade det känts som om det skulle lyckas. Men allting var så skört, vid minsta törn gick allting i kras. Vi var helt utan skyddsnät, utelämnade till oss själva och folks goda vilja. Massor med människor hade meningsfulla och kärleksfulla liv i Chile, de levde och dog där, men var det verkligen meningen att jag skulle göra det?

Jag var uppriven och gråtfärdig när bussen parkerade på plats nummer sexton på busstationen i Mendoza.

Vad skulle jag göra? Vart skulle jag ta vägen? Skulle vi kanske prova Buenos Aires trots allt? Eller kanske flytta hit? Luften var mycket bättre än i Santiago.

– Åh Gud, sa jag högt, jag vet inte vad jag ska göra!

– *Qué?* sa en man förvånat och tittade upp på mig.

Jag småsprang bort till biljettkassan inne i stationsbyggnaden och köpte en biljett tillbaka till Santiago samma natt. Det var lika bra att åka på en gång. Jag skulle ändå inte få en blund i ögonen.

Medan jag väntade på att gå ombord på bussen dånade vissheten i mig:

Jag kan inte ha det så här. Jag vill inte leva så här. Det går inte längre.

Vart, hur eller när jag skulle åka vidare visste jag inte, men jag skulle inte leva mitt liv i Santiago.

Veckan före terminsstarten fick jag brev från Valerie. Hon var lyrisk över att vara tillbaka i USA, hade inte fattat hur mycket hon saknat sitt hemland, skrev hon.

De hade installerat sig i sin villa igen. Bruce hade börjat jobba och barnen hade fått plats i den vanliga, kommunala skolan i området.

Själv var hon fullt upptagen med att arrangera Scotts bröllop. Datumet var spikat till i slutet av maj och det var hysteriskt mycket som skulle ordnas.

”Ni är hjärtligt välkomna att närvara vid vigseln”, skrev Valerie. ”Vi har ett jättestort hus, ni kan bo här hos oss. Jag skickar en formell inbjudan om några veckor.”

En eftermiddag åkte jag upp till skolan för att städa till i serveringen innan allt satte igång. Sommaren hade varit het och skoningslös med stekande sol, mitt hår hade blekts så att det nästan återfått sin naturliga ljusa färg. Luftföroreningarna hade legat på svart i nästan två veckor, det gjorde ont att andas.

Förgäves spanade jag efter något moln på himlen, någon liten tuss som kunde förebåda regn eller väderomslag, men icke.

Jag hade precis låst och skulle gå ner till *la parada* när ägarinnans sekreterare kom emot mig.

– Mrs Gardner vill träffa dig, sa hon.

– Kan det inte vänta tills i morgon? sa jag.

Jag hade fortfarande inte handlat mat och tänkte åka förbi marknaden vid Mapocho på vägen hem till Recoleta.

– Mrs Gardner tar emot dig på sitt rum. Nu.

Med en ljudlös suck följde jag efter sekreteraren upp till skolbyggnaden.

Ägarinnan satt bakom sitt skrivbord med händerna knäppta när jag klev in i rummet.

– Slå dig ner, kära du, sa hon, och jag följde hennes uppmaning utan att säga något.

– Jag har letat överallt efter kontraktet som preciserar dina åtaganden med serveringen på skolgården, sa Lauren Gardner, men jag hittar det inte. Har du någon kopia?

Jag kände hur jag blev alldeles blek.

– Det finns inget kontrakt, sa jag. Min verksamhet grundar sig på en muntlig överenskommelse med den tidigare rektorn.

– På så sätt, sa ägarinnan och lutade sig ännu längre fram. Då är det nog dags att vi diskuterar hur vi ska ha det, du och jag.

Jag svarade inte.

– Jag har funderat, sa Lauren Gardner, och jag tror att det finns mycket bättre användningsområden för byggnaden vid ingången än att driva lunchservering där. Jag har faktiskt funderat på att göra om den till omklädningsrum.

– Du kan inte göra det, sa jag och försökte hålla rösten under kontroll. Jag har byggt upp verksamheten från grunden, renoverat byggnaden och etablerat en mycket sundare mathållning på skolan. Du kan inte lägga ner den hur som helst.

– Jodå, sa ägarinnan, det kan jag visst. Om du inte har något kontrakt så gör jag vad jag vill med det där huset.

Jag satt tyst en lång stund, känslorna flög som ilskna bålgetingar i mitt inre. Min spontana önskan var att kasta mig över skrivbordet och strypa tanten framför mig, men jag insåg att det inte var särskilt smart.

Därför tog jag ett djupt andetag och beslöt mig för att satsa allt på ett kort. Jag kunde inte ett dyft om chilensk lagstiftning, men jag anade att mrs Gardner inte heller gjorde det.

– Nu får du nog ta och kontakta din advokat, sa jag, för här har du faktiskt fel. Jag vet att mitt avtal gäller. Muntliga överenskommelser är precis lika giltiga som skriftliga i Chile, såvida bägge parter är eniga om dem. Både själva överenskommelsen och enigheten är mycket lätta att bevisa i det här fallet.

– Det tror jag inte, sa mrs Gardner, men hennes ögon flackade.

– Hört talas om tradition och hävd? De är mycket tunga juridiska begrepp i den chilenska lagstiftningen, drog jag till med.

– Hävd? sa hon förvånat.

– Jag har drivit serveringen sedan 1995, under sex terminer. Det tar betydligt kortare tid än så att etablera tradition och hävd. Serveringen är min, och du blir aldrig av med den. Eller mig.

Lauren Gardner stirrade på mig i flera sekunder, men sedan sken hon upp.

– Om jag inte köper ut dig, sa hon. Du kan överlåta serveringen på mig, och sedan gör jag vad jag vill med den.

Jag såg henne stint i ögonen. Förmodligen hade jag ingen chans att vinna om kvinnan skulle dra mig inför rätta.

– Så kan vi naturligtvis göra, sa jag. Jag kan sälja verksamheten till dig, men priset måste förstås grunda sig på vinst och omsättning.

Hon tog upp ett checkblock ur en skrivbordslåda.

– Hur mycket vill du ha? sa hon och klickade några gånger med sin kulspetspenna.

– Tiotusen amerikanska dollar, sa jag.

Lauren Gardner skrev ut checken utan att blinka.

– Jag utgår från att dina barn kommer att undervisas på någon annan skola nästa termin, sa hon.

Jag tog emot checken, tiotusen US dollar, vek ihop den och stoppade den i fickan.

– Helt korrekt, sa jag, reste mig och gick.

Jag hade givit upp.

Jag hade sålt mig själv, mina barn och vår försörjning för hundratusen svenska kronor. För den summan blev mrs Lauren Gardner inte bara av med serveringen, utan också med en stridbar president i föräldraföreningen, tillika en representant i styrelsen som inte godkänt hennes förvärv av skolan.

Egentligen sålde jag mig för billigt.

Vi var alltså tillbaka där vi började. Barnen hade ingen skola. Vi hade ingen försörjning. Vi bodde i ett råtthål utan möbler.

När jag kom hem, utan mat, förmådde jag inte berätta för Anders och barnen vad som hänt. I stället föreslog jag att vi skulle äta ute på restaurang, något vi praktiskt taget aldrig gjorde.

Vi gick till en fin italiensk trattoria och åt både antipasto till förrätt, krämig pasta till huvudrätt och tiramisú till efterrätt.

Efteråt såg Robin alldeles blek ut.

– Hur är det, gubben? frågade jag och rufsade om hans hår. Har du ätit för mycket?

– Jag mår inget bra, sa pojken.

Samma natt fick han ett av de värsta astmaanfallen någonsin. Mitt i natten åkte vi in till *Clínica Alemana*, hamnade ännu en gång vid *Acceso urgencias* där vi togs emot av samma akutläkare som senast. Efter flera timmars väntan fick vi åka hem med Robin, men min oro var inte borta.

Chilenarna skulle aldrig erkänna det, men jag var säker på min sak: det var den dåliga luften som förstörde min pojkes lungor och luftrör.

Dagen därpå var Robin väldigt trött. Han sov som en stock på sin madrass hela förmiddagen.

– När ska vi börja skolan igen? frågade Emma när vi satt och åt gröt vid spånplattebordet.

Jag lade ned min sked och tog sats.

– Jag vet inte, sa jag. Det viktigaste nu är att Robin blir frisk, och jag tror inte han kan bli det så länge vi bor kvar i Santiago.

Flickan gjorde stora ögon.

– Ska vi flytta?

– Jag vet inte, sa jag. Vad tycker du?

– Men alla mina kompisar bor ju här! sa hon upprört. Jag vill inte lämna mina kompisar! Och skolan!

Jag drog flickan intill mig, placerade henne i mitt knä. Drickabacken gungade under vår gemensamma tyngd.

– Människor flyttar, sa jag, så är det. Isabelle har ju åkt hem till USA, och flera andra av dina klasskompisar har ju börjat på andra skolor.

Emma började gråta i min famn, stilla och tyst.

– Jag förstår att det är svårt, men vi kan nog hitta något bra ställe att bo på, ska du se.

– I så fall vill jag flytta till Isabelle, sa Emma.

Jag log lite, strök henne över håret.

– Lilla älskling, det kan vi inte göra.

Hon såg trotsigt upp på mig.

– Varför inte?

– Vi får inte, vi är inte amerikaner.

– Vi är inte chilenare heller, och vi får ju bo här?

Jag stirrade på barnet.

Hon hade ju alldeles rätt. Vi hade bott i Chile i tre år utan tillstånd och utan att bryta mot några lagar, varför skulle inte det fungera någon annanstans?

Om jag nu skulle leva rättslös så kunde jag göra det var som helst i världen.

– Vet du vad, sa jag. Vi kanske skulle fråga om vi får bo i Amerika.

– Och då vill jag gå i samma skola som Isabelle, sa Emma och hoppade ner på golvet igen, gick tillbaka till sin plats och åt raskt upp gröten.

Hanna ringde en dag i början av april. Anders och Emma var ute någonstans, Robin låg på sin madrass och läste en australiensisk äventyrsbok, jag tog samtalet i köket.

– Försäkringskassan vill ha tag i dig, sa Hanna. Jag sa att du var hos doktorn och skulle ringa dem i eftermiddag.

– Okey, sa jag och skrev upp namn och nummer till personen jag skulle tala med.

– Har ni hittat någon ny skola? frågade Hanna.

– Jag har inte letat.

– Varför inte?

Jag tvekade.

– Vi kanske lämnar Chile, sa jag svävande.

– Har det hänt något? frågade Hanna.

Jag såg till att dörren in till Robin var stängd, och sedan rann det bara ur mig.

– Allting är borta! sa jag. Inte bara är serveringen såld och barnen utkastade från skolan, jag har ingen försörjning, våra möbler är borta och vi sover direkt på golvet. Allt jag kämpat för i tre år har varit förgäves. Jag klarar inte det här, Hanna, jag kan inte leva så här längre!

– Har ni någonstans att ta vägen?

– Vi kommer aldrig att passa in här, sa jag, inte på riktigt. Vi kan aldrig bli chilenare, och vi kan aldrig riktigt bli som de andra utlänningarna, de som kommer hit och jobbar på fina företag ett par år och sedan flyttar hem igen.

– Men vart vill du?

Jag hade nära till tårarna, fick hålla ner mitt tonläge för att inte höras ut till Robin.

– Barnen har ju lärt sig språket nu, jag kan inte bryta upp en gång till…

– Men var vill du bo i stället?

– Var som helst, sa jag, men inte här.

I samma sekund som jag uttalat orden fylldes jag av en enorm och ögonblicklig skuldkänsla.

– Förlåt, sa jag. Jag menade inte så. Det har varit bra här, jag är glad att jag fått bo i Chile. Här är vackert. Bergen är fantastiska, städerna ute vid kusten också. Här finns fina hus och bra vägar, folk är vänliga och ärliga. Det är inte värre än i andra länder med samma villkor, snarare tvärt om…

Hanna avbröt min harang.

– Du behöver inte försvara dig. Var vill du bo, egentligen?

Jag stannade upp, blundade och tog sats.

– I USA tror jag.

– Jamen, det är ingen dum idé! sa Hanna. Har du någonstans att ta vägen där?

– Vi kanske kan bo hos en vän till mig.

– Men vad bra! Har ni bara kommit in i landet och fått tak över huvudet så hittar du ett sätt att stanna kvar, det är jag övertygad om.

– Fast jag vet ju ingenting om USA, sa jag. Jag har aldrig varit där.

– Det är helt okey där, sa Hanna, om man står ut med alla konservativa idioter. Sedan måste man hacka i sig the American Way of Life: värna familjen, putsa på gräsmattan, be till Gud, sjunga nationalsången och umgås med grannarna.

Jag kunde inte låta bli att skratta.

– Låter som rena drömmen.

– Du har rätt till det, Mia.

– Barnen vill flytta dit, sa jag.

– Då så. När åker ni?

– Vi är bjudna på bröllop i slutet av maj.

– Glöm inte att ringa försäkringskassan. Jag vet inte vad tanten ville, men hon lät extremt angelägen.

En kvinna svarade efter sjätte signalen, det knastrade och brusade på ledningen.

– Det gäller barnet Emma Eriksson, sa kvinnan. Vi måste utreda om det ska utgå något bidragsförskott.

– Jag har haft bidragsförskott för henne i snart elva år, sa jag. Vad är det som plötsligt ska utredas?

– Mannen säger att han inte får träffa sin dotter och att han inte vill betala underhåll för henne. Därför måste vi kontrollera om du saboterar umgänget.

Jag höll på att kasta telefonen rakt in i väggen.

– Det finns inget umgänge, sa jag. Jag har ensam vårdnad om flickan enligt en dom i tingsrätten från juni 1992, där det slås fast att något umgänge inte ska förekomma. Har du inte läst utredningen? Inte domen heller? Dessutom är det en omöjlighet att mannen i fråga plötsligt vägrat betala underhåll. Han har nämligen aldrig börjat.

Det var tyst i luren några sekunder.

– Så han betalar inget underhåll?

– Aldrig ett korvöre.

– Men han har i alla fall rätt att veta var hans barn finns, sa kvinnan på försäkringskassan och morskade upp sig. Det kan ingen ta ifrån honom, så det har jag berättat för honom.

Jag trodde jag skulle svimma. Färgerna försvann, alla ljud blev dova.

– Vad? fick jag fram. Vad... har du sagt?

– Sanningen. Att ni bor på Stationsgatan 39 i Luleå.

Några kvällar senare åkte vi upp till Huechuraba och hälsade på familjen Fernandez.

Enrico var full när vi kom. Han somnade på soffan redan före middagen.

Sedan vi ätit försvann alla barnen ut, Anders följde efter dem.

Jag hjälpte Carita att duka av.

– Jag kan inte ha det så här, sa kvinnan plötsligt och lät diskborsten sjunka. Vet du Mia, jag orkar inte längre.

– Orkar inte med vad?

– Enricos alkoholism, sa hon. Han är full nästan jämt, men då är det ändå någorlunda fridsamt i huset. Problemet är när han nyktrar till, då blir han ond som en djävul.

Jag tittade förvånat på kvinnan, så många ord hade hon inte sagt till mig på samma gång under de tre år vi bott i Santiago.

– Söker han inga jobb? frågade jag.

Hon skakade på huvudet.

– Och mina löner räcker inte till hans sprit längre, sa hon. Jag får försöka gömma pengar för att kunna köpa mat.

– Kan du inte skilja dig? frågade jag.

Hon skrattade bittert.

– I det katolska Chile? *Mi amiga*, vi är inte i Sverige nu.

– Men ni är ju svenska medborgare bägge två, sa jag. Du kan ju skilja dig i Sverige. Eller så kan du bara flytta till Sverige och ta barnen med dig, du behöver inte ens begära skilsmässa. Ta en paus bara, och tänk över saken.

Carita Fernandez såg på mig med skepsis i blicken.

– Men så kan jag ju inte göra, sa hon. Jag kan inte köpa en flygbiljett och bara åka iväg.

– Men du måste ju ta ansvar för dig själv och dina barn, sa jag.

Hon lade armarna i kors, arg i uppsynen.

– Skulle du göra det? sa hon. Skulle du svika din man när han har det så här?

– Din situation är omöjlig, du kan inte hålla på på det här viset.

Genom att du ställer upp och dubbeljobbar så gör du det möjligt för honom att fortsätta att dricka.

Hon vände ryggen mot mig.

– Det är dags för dig att gå ut ur mitt hus, Maria, sa hon.

Jag hämtade min handväska och lämnade huset. På vägen ut mötte jag Anders, Robin och Emma.

– Vi åker nu, sa jag. Vi har mycket att göra.

– Vad då? undrade Robin.

– Packa, sa jag.

Först av allt ringde jag Valerie.

– Jag skulle vilja be dig om en väldigt stor tjänst, sa jag.

– Javisst, sa min väninna förvånat. Vad kan jag göra för er?

– Vi kanske beslutar oss för att flytta till USA, sa jag och kämpade för att dölja min nervositet. Skulle vi kunna få bo hos dig och Bruce tills vi utrett möjligheterna att stanna?

– Självklart, sa Valerie. Ni kan stanna här hur länge ni vill. Var det inget annat?

Jag tackade henne, och sa att vi i så fall skulle komma till Scotts bröllop.

– Åh, utbrast Valerie. Det vore så roligt! Vi skulle bli så glada om ni kunde vara med! Du ska se Dolores, hon kommer att bli den vackraste bruden i världshistorien!

Jag lovade att återkomma med besked.

Sedan samlade jag barnen och Anders vid vårt provisoriska bord.

– Vi måste bestämma oss för var vi ska bo, sa jag och försökte utstråla lugn och tillförsikt. Det finns flera olika ställen att välja mellan.

– Kan vi inte bo kvar här? sa Robin.

– Jovisst, sa jag. Det är mycket som är bra i Santiago. Vi hittar i stan, och ni har kompisar här. Men vi måste få tag på en ny skola, och jag och pappa har inga jobb, och så är luften så dålig att den gör oss sjuka. Vi kanske skulle bli friskare allihopa om vi bodde i en annan stad, eller i ett annat land.

– Jag vill bo där Isabelle bor, sa Emma.

Robins ögon blev stora.

– Kan vi bo där, mamma? Kan vi bo i Amerika?

– Jag vet inte, sa jag, kanske. Skulle du vilja det?

– Får jag gå i Charlies skola?

– Jag tycker inte du ska slå i barnen en massa lögner, sa Anders.

Jag blev blixtrande arg, men bet ihop om min ilska.

– Vad menar du?

– Vi kan väl inte bo i USA heller, vad är det för trams? Vi undersökte ju det innan vi flyttade hit, du sa ju själv att det var omöjligt.

– Då kände vi ingen där, sa jag. Nu kan vi bo hos Valerie och Bruce tills vi tagit reda på möjligheterna att bli kvar. Dessutom har vi lärt oss jättemycket på de här åren, vi har helt andra förutsättningar att ta oss fram idag än vi hade för tre år sedan.

– Vad då lärt oss? sa Anders. Vi har väl inte lärt oss något?

Tala för dig själv, tänkte jag.

– Det bästa sättet att ordna upp situationen är att göra det på ort och ställe, sa jag. Det går inte att fixa uppehållstillstånd i USA så länge vi sitter här, det är en sak som är säker. Men om vi väl är där kan jag undersöka massor med möjligheter...

Anders reste sig hetsigt från bordet.

– Du och du och du! Du tänker aldrig på någon annan än dig själv!

– Bråka inte! sa Robin tyst.

– Anders, sa jag. Snälla, sätt dig.

Han gick en liten runda i det minimala rummet, sjönk sedan ner på drickabacken igen och stirrade i golvet.

– Så hur hade du tänkt dig att det skulle gå till? frågade han trött.

Jag försökte tala lugnt och sansat.

– Vi får ta det som det kommer, sa jag. Vi köper enkla biljetter, åker in på turistvisum, bor hos Valerie. Om vi inte kommit på något sätt att stanna efter tre månader åker vi tillbaka hit.

Anders såg upp på mig.

– Tillbaka? Till Santiago?

– Jag tror säkert stan står kvar, sa jag och log lite. Eller vad tror ni, barn?

När vi reste oss från bordet var vi eniga om att försöka bosätta oss i USA, alla fyra.

Dagen därpå sade jag upp hyreskontraktet på huset, köpte flygbiljetter, ringde runt och meddelade att vi skulle flytta och stängde sedan av telefonen.

Vi packade, städade och slängde allt som vi inte skulle ha kvar.

Sedan återstod bara en sak.

Jag åkte ner till Estación Mapocho för att ta bussen till Quillota.

Där satt en ung kvinna lutad mot en vägg, i famnen hade hon en liten baby. Bredvid henne stod ett stort plakat med texten: ”Min baby behöver en hjärttransplantation, annars dör hon. Jag har inga pengar. Snälla, hjälp mig.”

Jag vände mig bort, orkade inte mer. Jag gick på de dammiga gatorna och kände att jag storknade, det var nog nu, det var över.

Varken Anders eller barnen var med mig. Jag ville vara ensam med Manuel när jag berättade för honom att vi skulle åka vår väg.

Han blev väldigt förvånad när jag kom upp till barnhemmet en vanlig vardag, ögonen uttryckte både glädje och oro.

Jag satt med pojken i klassrummet hela dagen, läste hans böcker med honom, hjälpte honom med räknetalen. Han var riktigt duktig, och han visade sig ha en fantastisk sångröst. Både jag och alla nunnorna applåderade honom efter aftonsångens solo.

På natten sov jag över i en stenhård säng i nunnornas avdelning. Efter frukosten gjorde jag upp med abbedissan om en summa pengar som täckte Manuels kostnader de närmaste åren.

Sedan tog jag pojken åt sidan, satte mig bredvid honom på baksidan av byggnaden och såg ut över Andernas sluttningar.

– Jag kommer kanske inte tillbaka till dig, sa jag.

Han stelnade till, stirrade ner på sina skor.

– Vi ska åka långt bort, sa jag. Till USA, vet du var det ligger?

Han nickade stumt.

– Det är möjligt att vi aldrig återvänder till Chile, sa jag, men jag vet inte ännu.

– Ska ni bo där?

– Kanske, vi får se.

– Ska dina barn bo hos dig?

Min röst höll inte längre, så det var min tur att nicka.

Pojken som kommit att heta Manuel Eriksson fortsatte att stirra ner i gruset. Tårarna trängde upp i mina ögon, jag blinkade bort dem.

– Du kommer att få bo kvar på barnhemmet tills du blivit stor och gått ut skolan, sa jag. Sedan får du själv välja vad du vill göra. Nunnorna kommer alltid att hjälpa dig.

Pojken svarade fortfarande inte, lät sin smala nacke böjas närmare marken.

– Så jag säger farväl nu, sa jag. Jag önskar dig ett gott och lyckligt liv.

Han rörde sig inte, visade inte med en min att han hade hört mig.

Jag blev förlägen, visste inte vad jag skulle göra. Klappa honom på ryggen? Smeka hans hår?

Tårarna rann nedför kinderna och jag reste mig upp.

– Hej då, sa jag tyst, tog min övernattningsväska och gick ner mot busshållplatsen.

Bussen syntes som ett dammoln i fjärran när jag plötsligt hörde springande steg bakom mig.

– *Señora Maria, señora Maria!!*

Manuel kom rusande med sitt mörkröda hår som en kvast bakom sig, ansiktet randigt av tårar.

– Ta mig med! ropade han. Ta mig med till Amerika, *señora Maria!* Lämna mig inte kvar!

Jag släppte väskan och fångade pojken när han kastade sig i min famn. Det var första gången jag höll den smala barnkroppen i mina armar och jag kramade honom och vaggade och grät.

– Jag kan inte, viskade jag. Det går inte, Manuel. Jag får inte.

– Men jag kan vara ditt barn, *señora Maria*. Jag ska vara så snäll!

Han grät så han tjöt, jag skakade i hela kroppen, vi sjönk ihop i gruset, jag kände att jag aldrig kunde släppa taget, jag skulle inte kunna lämna den här pojken.

– Manuel, sa plötsligt en lugn och saklig röst intill oss. Det är dags för señora Maria att åka iväg.

Abbedissan stod intill oss, och bakom henne bromsade bussen till Valparaiso in.

– Hur skulle det gå för oss om du åkte iväg, Manuel? frågade nunnan. Vem skulle sjunga solot till aftonsången? Vem skulle hjälpa Benito med bokstäverna? Och vem skulle Angelo leka med?

Jag drog ett djupt andetag och tvingade mig till lugn, nunnan hade naturligtvis rätt.

Det var här Manuel hörde hemma. Han hade hela sitt liv här.

– Vi har geografi nu, sa hon. Vi ska läsa om Amerika, dit señora Maria ska åka. De andra barnen väntar på dig.

Pojken tvekade. Hans ögon uttryckte ett kaos av känslor, han tittade upp på mig som om han sökte stöd.

Jag torkade tårarna och log.

– Kila iväg, sa jag. Dina vänner saknar dig.

Och så lommade han iväg med sin hand i nunnans, med böjt huvud och tunga fötter.

Han vände sig om en gång och lyfte handen till en hälsning. Jag vinkade tillbaka, men jag tror inte han såg mig genom bussens smutsiga fönster.

DEL 3

ASYL

GENOM LÅNGA GÅNGAR leddes flygplanspassagerarna in i ett enormt, fönsterlöst utrymme. Det var lågt i tak, golvet var täckt av någon sorts grov heltäckningsmatta. Ett monotont sus av osynliga fläktar dränerade lokalen på syre.

Detta var Ingenmansland, utrymmet före den amerikanska immigrationskontrollen, järnridån mellan första och tredje världen.

Vi föstes in i en kö som redan ringlade sig likt en fet orm fram mot glasburarna där gränsvakterna satt. Människor från jordens alla hörn rörde sig sakta och stötvis framåt, framför oss stod en familj från Indien, bakom oss hamnade ett gammalt par från Japan.

Med blicken följde jag en man med sydamerikanskt utseende som just var på väg fram till passkontrollen, han var blek och verkade nervös när han lade upp sina handlingar på disken. Mitt eget obehag tilltog när gränsvakten inne i buren kallade på mer personal. Snart var de en hel grupp bistra män som tillsammans studerade den sydamerikanske mannens pass, de bläddrade och pekade och pratade, de slog på en dator, och sedan kom tre uniformerade vakter och förde mannen åt sidan. Mannen protesterade inte, höll huvudet sänkt, helt förkrossad.

Paniken slog klorna i min uttröttade hjärna.

Gode Gud, tänk om de inte släpper in oss? Vad i all världen skulle vi göra då?

– Mamma, sa Emma plötsligt och drog mig i handen. Jag har ändrat mig, jag vill inte bo i Amerika.

Jag böjde mig hastigt ner över flickan.

– Tyst, viskade jag. Du får inte säga att vi ska bo här. Vi ska bara säga att vi ska hit och hälsa på.

– Men mamma, då ljuger vi ju! Du har ju sagt att vi ska bo här.

Giv mig styrka! Men vilken tur, åtminstone, att hon talade till mig på svenska och inte engelska eller spanska.

– Vi måste fråga först, sa jag och försökte låta lugn och förtroendeingivande. Först ska vi hälsa på Isabelle och Charlie, och så ska vi ju gå på bröllop.

– Men du har sagt att...

– Tyst! sa jag hårt, plötsligt helt tömd på kraft och tålamod.

Om vi inte släpptes in i USA skulle jag inte orka mer. Visserligen hade vi svenska pass, vilket innebar att vi borde släppas in utan visum och få stanna i tre månader, men våra handlingar var fullkomligt fullsmockade med stämplar till och från Argentina och Chile, och jag var rädd att passkontrollanten skulle ana oråd om de insåg att vi varit borta från Sverige av och till i över tre år.

– Ni måste vara tysta nu, båda två, sa jag till barnen. Inte ett ord förrän vi kommit igenom immigrationskontrollen, hör ni det!

– Lugna ner dig, sa Anders förebrående, och jag vände mig bort och stirrade rakt fram i den indiske mannens nacke.

Långsamt maldes vi framåt i människomassan, jag hade svårt att andas. Flygningen hade varit lång och obekväm, med två byten. Barnen kinkade bakom mig, men jag orkade inte bråka på dem. De var naturligtvis lika slutkörda som jag.

När det äntligen blev vår tur och vi vinkades fram till passkontrollen av en överviktig säkerhetsvakt var jag gråtfärdig av spänning och trötthet. Min puls hamrade så högt i öronen att jag först inte hörde vad gränsvakten sa.

– Ursäkta? sa jag och lutade mig mot hans glaslucka.

– *Business or pleasure?* sa mannen igen samtidigt som han bläddrade i mitt pass.

Nytta eller nöje?

– Nöje, sa jag och försökte le. Vi är bjudna på bröllop.

Gränsvakten tittade upp ett ögonblick, såg hastigt på oss och granskade mitt pass igen.

– Hur länge tänker ni stanna?

– Fyra veckor, sa jag, precis som jag övat in.

– Fyra veckor? sa vakten och såg på mig igen.

Jag svalde och nickade.

– Kan jag få se på returbiljetterna?

Oh Gud, han ställde den fråga som jag hoppats undvika, hjälp, hjälp, vad gör jag nu?

– Vi ska inte tillbaka till Chile efteråt, vi ska hem till Sverige, sa jag. De biljetterna har jag inte köpt ännu, de är mycket billigare i USA.

Och så log jag, så avspänt jag kunde, här var vi, en rik svensk familj som åkte jorden runt och gick på bröllop hos vänner och bekanta.

Vakten såg avvaktande på mig några sekunder.

– Okey, sa han och tog upp Anders pass. Hur mycket kontanter bär ni på er?

Vad skulle jag svara på det? Sanningen, tolvtusen dollar? Var det för mycket? Eller var det bra att ha mycket pengar?

– Jag vet inte riktigt, sa jag svävande. Vi har med oss pengar för att köpa en riktigt fin bröllopspresent till Scott och Dolores, och så biljetterna hem...

– Mamma, sa Emma och ryckte i min tröja, jag vill...

– Tyst, bröt jag av och stirrade på henne så hårt jag kunde.

Vakten tittade upp, förvånad över mitt skarpa uttryck.

– *Is there a problem?* frågade han.

Hade jag något problem?

Ja, faktiskt, det fanns ett par stycken, var skulle jag börja?

Jag samlade mig en halv sekund och lutade mig sedan framåt mot vakten.

– Nästa gång du reser utomlands för att få lite avkoppling, sa jag lågt och menande, lämna barnen hemma.

Passkontrollanten skrattade till.

– Okey, sa han och stämplade mitt pass. *Welcome to the US. Have a nice stay.*

Jag blev så lättad att knäna nästan vek sig.

– *Thank you*, viskade jag, och sedan var vi igenom, vi var inne i USA, vi var i Amerika, på tre månaders turistvisum.

Vi tumlade mot bagagebandet, vi hade fixat det, det skulle gå vägen.

Alla våra skeden i livet verkade börja och sluta på flygplatser, och allt som fanns kvar från det senaste kom glidande på rullbandet framför oss.

Två slitna resväskor var hårt packade och ombundna med rep och snören, allt som allt åtta bagage: här har du ditt liv, Mia Eriksson.

– Mamma, sa Emma, jag vill…

– Vad? sa jag. Vad är det nu?

– Mamma, jag vill kissa. Får jag det?

Jag hejdade mig, vad var det jag höll på med?

Förfärad böjde jag mig ner till flickan.

– Förlåt, sa jag. Jag är så trött. Kom så följer jag med dig.

Till skillnad från immigrationskontrollen var ankomsthallen ljus och luftig. En ljummen vind drog in genom en öppning någonstans, förde med sig en doft av fukt och gräs. Sned morgonsol letade sig in i fönstren under taket, fick de ljusblå väggarna att blänka. Genom rutorna fick jag syn på en rad amerikanska flaggor som vajade sakta i brisen, och av någon anledning gjorde synen mig alldeles tårögd.

Flaggorna var verkliga. USA fanns på riktigt. Vi var äntligen här!

– Mia! Oh Mia, *finally*!

Jag hörde Valerie innan jag såg henne, hennes ljusa, glada, lugna stämma. Vi föll i varandras armar och jag kramade henne, länge.

Valerie hade sin son Scott med sig, vi hälsade och lyckönskade honom till bröllopet. Tillsammans lassade vi upp bagaget på olika vagnar.

– Bilen står precis utanför, sa Valerie och sköt iväg med en av dem.

Väskorna var tunga och skrymmande, jag undrade hur vi skulle få in dem i bara en enda bil, men ”bilen” visade sig vara en jättelik pick-up med sex sittplatser och stort flak. I Sverige hade den garanterat klassats som lätt lastbil. Faktum var att parkeringen nästan dominerades av sådana bilar, stora bilar, enorma bilar, sådana som raggare eller limousinföretag hade hemma i Sverige.

Vägen ut från flygplatsen var ett myller av motorleder och avfarter, men snart var vi ute i stadens förstäder. Raka, breda gator med en sträng av gräs mellan körbanan och trottoaren, människor som rörde sig utanför sina hem i den vackra försommarmorgonen.

Vinden virvlade in genom den nedvevade rutan och fick mitt hår att stå åt alla håll. Bilens mjuka fjädring gungade mig rofyllt. Robin satt lutad mot mig, halvsovande, Anders hade lagt upp sin arm på ryggstödet. Jag lutade mitt huvud mot hans hand och lät mig uppfyllas av den värld som passerade.

Betonggjutna uppfarter, små hus i puts eller panel, tätt sammanpackade. Staket som ramade in tomterna, lövträd som kastade långa skuggor över förstukvistarna. Grönt gräs, blå himmel, vita hus, röda bilar, hög och klar luft. Kvinnor som packade matkassar ur bilar, barn som cyklade eller åkte skateboard.

Skulle det här bli mitt nya hem?

Valeries hus var en gigantisk trävilla, belägen på Oak Street i ett av stadens bättre kvarter. Huset hade två hela våningsplan och en vind med vackra takkupor, på baksidan låg en stor och välskött trädgård med soldäck och pool.

– Fantastiskt, sa jag imponerat efter husesynen. Hur kan du lämna ett sådant här hem när Bruce jobbar utomlands?

Men Valerie hörde inte allvaret bakom mina ord utan log bara.

Charlie och Isabelle kom rusande någonstans ifrån, de följde efter oss som små hundvalpar. Emma blev så glad att hon blev alldeles blyg, det gjorde mig varm att se.

Vi installerades i två av sovrummen högst upp i huset, barnen i ett och jag och Anders i rummet bredvid, mellan oss fanns ett gemensamt badrum med badkar och dusch. Alltsammans var inrett med blommor och volanger, de mjuka pastellerna gick rakt in i min trötta och överlastade hjärna och gjorde mig gråtmild igen.

– Får vi bada, mamma? ropade Emma från sitt rum.

– Ni får fråga Valerie, ropade jag tillbaka.

– Hon säger att vi får om vi får för dig mamma, får vi? Säg ja!

– Okey, sa jag lågt.

– Är det verkligen så lämpligt? sa Anders. Nu när de är så trötta.

– Jag kan se till dem, sa jag.

– Jag tänker vila i alla fall, sa Anders.

Tillsammans med hela unghögen gick jag ner till poolen, vimmelkantig av sömnbrist.

De närmaste dagarna såg vi inte mycket av vare sig Valerie, hennes man eller familj. Alla var upptagna från tidiga morgnar till sena kvällar med förberedelserna för bröllopet. Jag erbjöd mig att hjälpa till, och några gånger kunde jag vara behjälplig med att ta emot bud eller låsa upp dörrar, men mest försökte vi hålla oss undan så mycket som möjligt för att inte vara i vägen.

En morgon när jag städade i våra rum kikade jag rutinmässigt in under barnens sängar för att kontrollera att jag inte dammsög upp en strumpa eller gammalt äppelskrutt. Längst in under Robins säng låg mycket riktigt någonting som jag lirkade fram med hjälp av munstycket.

Det var pojkens astmamedicin.

Jag blev tvärilsken. Robin visste hur viktig medicinen var för honom, och han visste också hur dyr den var.

– Slarvpelle, muttrade jag och gick för att leta upp honom ute i trädgården.

Innan jag hittade honom hann jag emellertid fyllas av både skuld och vånda.

Jag hade inte kontrollerat att han tagit medicinen de senaste dagarna, vilket jag nästan alltid brukade göra. Det var orimligt att lägga hela ansvaret med doceringen på en nioåring, det var min uppgift.

Pojken rusade runt poolen och jagade sin syster, båda tjoade och tjöt av glädje.

– Robin, ropade jag, kom hit!

Barnen tystnade omedelbart och kom skamset springande bort till mig.

– *Sorry mom*, sa Robin. Vi ska inte skrika, jag vet.

Jag böjde mig ner, strök pojken över håret och granskade hans ansikte och bröstkorg.

– Hur mår du? frågade jag. Hur är det med andningen?

En snabb rädsla drog över hans ansikte.

– Jag har glömt medicinen, mamma, sa han.

– Men hur känns det? sa jag. Mår du bra?

Han drog prövande efter andan, som om han inte reflekterat över saken, nickade.

– Vet du, sa jag, jag har din medicin här. Ta en liten dos nu, och sedan väntar vi och ser hur du mår ikväll. Om allt känns bra då så behöver du inte ta någon förrän i morgon bitti, okey?

Jag höll fram sprayen och pojken drog snabbt i sig en liten dos.

– Du kan inte ta mig! skrek Emma och sprang mot poolen igen.

Jag reste på mig och såg sträng ut.

– Inte störa och leva om, sa jag.

De vinkade och kastade sig i vattnet.

Den kvällen hoppade vi över Robins medicin, och likaså nästa kväll.

En vecka senare lade vi bort den helt, och han har aldrig någonsin behövt ta astmamedicin igen.

Så småningom fylldes det stora huset med människor som kom resande från både andra delar av USA och resten av världen för att vara med på Scotts bröllop. Kvällen före den stora dagen var jag med och ordnade blomsterarrangemangen i den stora bankettsal som hyrts för själva festen. Den såg helt sagolik ut.

Ett hav av runda bord med blanka dukar och gnistrande kristall svävade i halvskymningen från de svagt glödande ljuskronorna. Blommornas doft var bedövande. Över trehundra gäster var bjudna på bröllopet, vilket gjorde det till det överlägset största kalas jag någonsin varit på, men för amerikanerna var det inte särskilt märkvärdigt.

– *A good sized, normal American wedding*, som Valerie belåtet uttryckte det innan vi låste och åkte hem för kvällen.

När jag vaknade dagen därpå hade Valerie och hela hennes familj redan åkt iväg för att ordna de sista detaljerna. Vi hade ett bekymmer: varken jag, Anders eller barnen hade någonting passande att sätta på oss. Med mig i kassan från Chile hade jag ju tolvtusen amerikanska dollar, ungefär etthundratjugo tusen svenska kronor, en summa som utgjordes av resterna av royaltyn från boken och försäljningen av serveringen. De var allt vi hade för att kunna starta ett nytt liv, jag kunde inte satsa dem på att köpa festkläder.

Anders hade en brun kavaj som han haft med sig från Sverige, den var noppig på sidorna och blanksliten på armbågarna men fick lov att duga. Jag borstade den ordentligt med en klädborste och strök hans beiga sommarbyxor. Barnen fick ha delar av sin skoluniform från Chile, både Robins byxor och Emmas kjol var aningen för korta, men alternativet var jeans och det gick inte alls. Emma hade också en rosa t-shirt med blomtryck och Robin en mörkblå tröja.

Själv drog jag till sist på mig min blåa kjol. Dragkedjan var lagad flera gånger, men det syntes bara om man gick nära. Till det hade jag min vita blus som jag nästan alltid haft när jag stod i kiosken, jag hoppades att Valerie inte skulle känna igen den. Jag brukade ju ha förkläde över.

Den oro jag känt inför våra enkla kläder försvann emellertid när vi kom fram till kyrkan. På backen framför den kritvita kyrkan fanns alla stilar och klädsmaker representerade, från överdådigt exklusivt och utmanande till enkelt strikt och nästan kyskt. En excentrisk onkel kom till och med i träningsoverall.

Så ringde klockorna ovanför våra huvuden, vi gick in och satte oss i den vackra kyrkan och jag fylldes av precis samma högtidliga förväntan som alltid inför bröllop. Strupen snördes samman, jag blev rörd till tårar.

När Scotts blivande fru, Dolores, kom glidande nedför gången vid sin fars arm kunde jag inte hålla mig längre. Hon såg ut som en dröm, klänningen i vit spets hade långt släp och var helt underbar, jag fick diskret plocka fram min näsduk.

Prästen talade, ljuset flödade genom de kolorerade fönstren, församlingen sjöng och Scott och Dolores lovade att älska varandra i nöd och lust tills döden skilde dem åt. De bytte ringar, Scott hade problem att få på sig sin, paret välsignades av prästen och så kysste de varandra och jag var tvungen att snyta mig.

Efteråt kastade vi risgryn över dem på trappan och stod i en lång kö för att krama och lyckönska dem. En öppen Cadillac förde brudparet till fotograferingen och gästerna drog långsamt bort mot hotellet och bankettsalen.

Jag och några av de andra kvinnorna som övernattade hos Valerie åkte tillbaka förbi huset på vägen till hotellet. Där smög vi oss in i Scotts och Dolores rum och bäddade säck i deras säng.

Sedan följde den romantiska bröllopsfesten, fördrink på hotellet medan vi väntade på brudparet, därefter ytterligare ett köande med lyckönskningar och kramar innan vi satte oss till bords. Under middagen hölls tal och utbringades skålar, några släktingar hade klippt ihop en film av gamla videor och smalfilmer om Scott och Dolores när de var små, alla tyckte den var väldigt charmig. Under kaffet och tårtan smet Anders och några av de andra gästerna iväg och knöt fast burkar under deras bil.

Efter brudvalsen drog sig brudparet tillbaka, vi öppnade fönstren för att vinka av dem och tjöt av skratt när vi hörde skramlet från burkarna.

Vi och resten av gästerna dansade inpå småtimmarna till en levande orkester.

Sent på natten, när vi låg i vår säng med barnen snusande på andra sidan badrummet, kröp Anders upp intill mig.

– Har du tänkt på en sak? viskade han. Det här var nästan som vårt bröllop, fast större.

Jag nickade mot hans bröst.

Medan min man sov på min arm vandrade tankarna iväg. Santiago kändes så oändligt långt borta, som om åren där bara varit en dröm. Bilder rann förbi i min övertrötta hjärna, den lilla flickan i blommig klänning utanför skjulet i Renca, kvinnan med babyn på armen som tiggde pengar till en hjärttransplantation på busstationen, Manuels röda hår och vuxna ögon.

Det högg i mitt hjärta vid tanken på pojken.

Han var det enda jag saknade från Sydamerika.

När de andra bröllopsgästerna åkt hem föll ett stort och tyst lugn över huset på Oak Street. Scott och Dolores var på bröllopsresa på Hawaii, Charlie och Isabelle hade åkt på *summer camp* hela veckan och Bruce var på konferens på företagets huvudkontor.

En eftermiddag när jag gick ner till poolen såg jag Valerie sitta och gråta längre bort i trädgården. Jag skyndade fram och undrade hur det var fatt.

Hon torkade hastigt sina kinder och jag tog tag i hennes händer.

– Du behöver inte dölja dina tårar för mig, sa jag. Berätta vad som har hänt.

Då satte hon igång att gråta som om hjärtat skulle brista, och jag sjönk ner bredvid henne och vaggade henne tills attacken långsamt ebbade ut.

– Det är så fånigt, sa hon och torkade sig på en näsduk som jag räckte fram. Egentligen är jag väldens lyckligaste, det är bara det att... jag vet inte. Scott kommer att flytta, barnen börjar bli stora, det är så tomt...

– EPD, sa jag. Efter-produktions-depression.

Valerie såg förvånat upp på mig, jag log mot henne.

– Det är ett känt svenskt fenomen, sa jag. Efter en intensiv arbetsperiod där man gått in till hundratio procent för någonting, och sedan inser att allting är över, då inträder EPD. Man blir tom och ledsen och gråter trots att man fått precis som man vill.

– Tror du verkligen det? undrade Valerie.

– Efter bröllopet är det nog bara naturligt att du reagerar så här, sa jag.

Min väninna kramade mig hårt.

– Det är sådan tur att du är här, sa hon, jag har saknat dig. Lova att du stannar länge!

– Vi skulle gärna bo här ett tag, sa jag försiktigt, om det går bra för dig.

– Så länge du vill! skrattade Valerie och reste sig. Kom, så dricker vi kaffe!

VI KOM ÖVERENS om att hela familjen skulle stanna kvar i huset på Oak Street tills vårt turistvisum gick ut i mitten av augusti.

Så småningom fylldes huset igen, Bruce kom tillbaka från konferensen, barnens läger tog slut. Anders fick ärva ett gammalt tennisracket, han som inte spelat sedan tonåren åkte iväg och tränade med Bruce några gånger.

Emma och Robin fick låna cyklar och satte igång att göra upptäcktsfärder i kvarteren omkring. Det resulterade i mitt och Anders första riktiga gräl i USA.

– Vi kan inte låta barnen fara omkring på stan utan tillsyn, sa han upprört en kväll när han sett dem cykla tillsammans med Charlie och Isabelle.

– Varför inte? sa jag förvånat. De klarar den lilla trafik som är här, och de åker aldrig längre än till parken.

Anders satte sig på sängen och rev sig oroligt i håret.

– Det är ju farligt, sa han, förstår du inte det?

– Nämen, sa jag och satte mig bredvid honom, ingen hittar dem här. De som letar efter oss släpps inte in i USA. Här kan vi verkligen vara trygga.

Men Anders reste sig och gick ut och satte sig i mörkret i trädgården.

Själv stannade jag kvar i vårt rum och läste, jag hade blivit storkonsument på stadens bibliotek. Mitt mål var att utröna möjligheterna att söka uppehållstillstånd i USA och få så kallat grönt kort.

På biblioteket hittade jag de böcker jag behövde, men de juridiska formuleringarna var svåra att förstå, och något engelsk-svenskt lexikon fanns inte att uppbringa i hela staden.

Den där kvällen stod det klart för mig att jag inte skulle klara av att reda ut alla möjligheter och villkor på egen hand. Min erfarenhet av advokater var inte den bästa, inte sedan vårt chilenska ombud norpat åt sig större delen av ersättningen för vårt försvunna bohag, men jag insåg att jag inte hade något val. Jag behövde juridisk hjälp.

Dagen därpå frågade jag Valerie om jag fick använda hennes telefon.

Hon sa att det gick fint.

Från början trodde jag att det skulle bli en enkel match att hitta en advokat som jag kunde anlita, och jag började med kontoren i de lokala Gula Sidorna.

– Vi arbetar inte med asylärenden, sa den första.

– Men jag behöver inte nödvändigtvis söka asyl, sa jag, jag vill bara stanna här.

– Vi arbetar inte med uppehållstillstånd heller, sa de. Lycka till och ha en trevlig dag.

Så ringde jag till nästa byrå på listan, och fick samma svar där.

Jag ringde den tredje, fjärde och femte också innan en ung kvinna ens orkade lyssna på mig.

– Du behöver en människorättsadvokat, sa hon, men vi har ingen sådan här på vårt kontor.

– Finns det någon annan här i stan som jobbar med sådana frågor? frågade jag.

– Jag vet inte, sa den unga kvinnan, men jag tror inte det.

Så jag ringde och ringde och ringde, och till slut visste jag med säkerhet: ingen advokatbyrå i hela staden arbetade med människorätt.

Efter att jag ringt den sista byrån i den lokala telefonkatalogen bet jag ihop tänderna och satte igång att ringa advokatkontoren i de andra städerna i delstaten.

Nobben överallt.

Med Valeries välsignelse satte jag igång att kontakta advokatfirmor från New York till San Francisco, och gång på gång berättade jag min historia.

Inte en enda ville ta sig an mitt fall.

– Du är svensk, sa de, och du uppfyller inte ett enda kriterium för att få stanna i det här landet. *You don't have a case* – du har inget fall.

– Jag ska vara alldeles uppriktig, sa en känd människorättsadvokat i Chicago som jag slutligen fått tag i efter att ha jagat honom i två veckor. Jag kan ta mig an dig och din familj, men det skulle vara djupt oetiskt. Det finns nämligen ingen som helst möjlighet för dig att få stanna här. Om jag accepterar dig som klient kan det bara sluta på ett sätt: jag tar alla dina pengar, och sedan kastas du ut i alla fall. Jag vet det, och därför avstår jag.

Den kvällen grät jag ner i kudden sedan Anders hade somnat, och efter det ringde jag inga fler advokatbyråer.

Sommaren stod på sin höjdpunkt när jag släppte telefonluren och gick ut i solen till min familj igen. Barnen var rosiga och högljudda på ett sätt de inte varit tidigare, och jag upplevde det enbart som positivt. Tidigare hade de varit tysta och givit ett lite försagt intryck, vilket troligtvis berodde på språksvårigheterna. Runt omkring dem i kvarteret i Santiago hade ju folk talat spanska, men i skolan hade barnen undervisats på engelska, vilket gjorde att de aldrig riktigt blivit helt hemma på spanskan.

Nu rörde de sig emellertid på mammas gata rent språkligt, deras engelska hade länge varit bättre än svenskan. De hade hittat kompisar i kvarteren runt omkring, och jag lånade också en cykel och följde med dem på deras utflykter.

Ganska snart upptäckte jag att bebyggelsen var väldigt blandad i grannskapet. I kvarteren runt Oak Street var husen stora och tomterna enorma. Men bara ett par gator längre bort krympte villorna. De hade små muromgärdade tomter och smala gångar mellan husen. På sätt och vis tyckte jag nästan det var mysigare, det gav en känsla av trygghet och ombonad värme.

– Där bor Linda, sa Emma och bromsade in sin cykel och pekade på ett gult litet hus med veranda mot gatan.

Jag hade hört talas om Linda, en flicka som Emma brukade leka med i parken.

I samma stund kom en blond flicka i tioårsåldern utspringande ur huset och vinkade.

– *Hi Emma, come on in!*

Bedjande ögon riktades mot mina.

– Får jag, mamma?

Jag tvekade lite.

– Jag känner ju inte hennes föräldrar…

Emma hade redan vänt cykeln och var på väg mot det gula huset.

– Men följ med då! ropade hon över axeln. Lindas mamma är jättesnäll.

Och så kom det sig att jag för första gången klev in i Sandras kök.

– *Well well well*, sa Sandra och torkade av händerna på en handduk och kom mig till mötes. Du måste vara den upptagna mamman från Chile som alltid sitter och ringer i telefonen, jag har minsann hört talas om dig. Stig på, för all del. Får man bjuda på en kopp kaffe? Eller en cola, kanske?

Jag tog hennes hand och log, tackade ja till läsken.

Sandra var liten och smal, med brunt kort hår och energiska rörelser.

– Oj, vad varmt det är, sa hon och fläktade sig med handen

samtidigt som hon hällde upp den bruna drycken i två gigantiska plastglas fulla med is. Har du någonsin varit med om att det varit så här varmt här förut?

Jag skrattade lite och svarade att jag aldrig varit i USA tidigare och därför inte kunde svara på det.

Sandra spärrade upp ögonen, stora, bruna och vackra.

– Men, sa hon, var har du då varit?

Jag skulle snart lära mig att för amerikaner fanns bara USA, allt annat bortom gränskontrollerna var ett diffust dunkel. Så jag förklarade att jag var från Sverige men hade bott i Sydamerika, vilket hon ju redan visste.

– Men du pratar ju engelska, sa hon.

Ja, jo, jag förklarade att man lär sig det i skolan i Sverige.

– Wow, sa Sandra imponerat, jag fick aldrig lära mig några andra språk i skolan. Kom så går vi ut.

Flickorna hade försvunnit in på Lindas rum, vi satte oss i skuggan ute på verandan med våra stora läskglas.

– Och ni bor hos Valerie?

Jag blev lite förvånad men visade det inte, Sandra var tydligen en välinformerad person.

– Valerie är fantastisk, sa Sandra, vi är så glada allihopa att hon är tillbaka. Nu hoppas vi att vi får ha henne här hos oss ett tag innan Bruce drar iväg med henne till andra sidan jordklotet nästa gång. Ska ni flytta hit?

Hon såg nyfiket på mig över kanten på glaset.

Jag tittade ner och svarade något undvikande, att jag inte visste om det skulle gå att ordna.

– Jamen, sa Sandra, det är ingen konst, ser du. Jag känner varenda kotte här, letar du efter ett hus ska du prata med mig. Både Charlestons och Emersons ska åka bort och behöver hyra ut, är du intresserad?

Jag vet inte vad det var som fick mig att besluta mig så pass omgående, kanske var det något i kvinnans fullständigt äkta och genuina intresse. Jag ställde ner dricksglaset på bordet och sa precis som det var: vi hade ingenstans att ta vägen. Vi kunde inte återvända till Chile och inte heller till Sverige. Det fanns ingen advokat i hela USA som var villig att hjälpa oss att få uppehållstillstånd, det fick vi lov att ordna själva.

– *Jeezez*, sa Sandra. Ja, det där med gröna kort vet jag ingenting om, men om du behöver en kåk att bo i eller tips och råd om de bästa extrapriserna, då ska du prata med mig. Och så kan jag ta med dig i församlingen, vi har en mycket aktiv församling här, vad är du?

– Protestant, svarade jag.

– *Great!* Det är vi också. Vill du följa med på söndag? Barnkören ska sjunga, det brukar bli riktigt olidligt.

Jag kunde inte låta bli att skratta högt.

– Gärna, sa jag och mindes känslan jag fått i kyrkan under Scotts och Dolores vigselakt.

Efter den dagen träffades jag och Sandra allt som oftast. Jag, som aldrig varit någon kyrkobesökare, fann med ens tröst i den trygga ceremonin som en högmässa innebär. De katolska mässorna jag besökte några gånger i Santiago hade alltid känts främmande och konstlade, men de ljusa gudstjänsterna i den kritvita kyrkan med de färgglada fönstren kändes trygga och hemtama. Människorna jag lärde känna där var av många färger och raser, där fanns både svarta och vita och asiater och några *native Americans*, alltså indianer.

Sandra öppnade också andra dörrar in i det amerikanska samhället som jag inte varit medveten om, bland annat det fullständigt hysteriska shoppandet.

En lördag förmiddag åkte vi i Sandras Chrysler till ett köpcentrum strax utanför stan med en parkeringsplats som räckte från horisont till horisont. Tusentals fordon stod och ångade i solgasset, i bakgrunden reste sig en mur av enorma, platta varuhus med gigantiska namnskyltar, jag lät blicken glida över *Home Depot, Target, JCPenneys, Green Bucks, WalMart, Barnes&Nobles, Ross* och *Loves*.

– Var vill du börja? frågade Sandra och när jag bara blinkade till svar drog hon in mig på WalMart.

Det var som ett Obs-varuhus därhemma, bara oändligt mycket större. Sandra tog en kundvagn och jag gick långsamt efter henne, tittade fascinerat på varuhusets små eldrivna skotrar med inbyggda varukorgar där jättefeta människor långsamt kryssade fram mellan butiksskeppen och stoppade varor i kromkorgarna. Jag såg en tjugo meter lång hylla som enbart innehöll en enda produkt, en som var helt ny för mig: *air fresheners*, alltså någon sorts luftparfym med dofter som *Hawaiian Breeze, Sparkling Citrus, After The Rain* och *Tropical Melon*.

– Har du aldrig sett en *air freshener*? sa Sandra förbluffat och stoppade ner en vit sak av typen *Apple Cinnamon* i sin kundvagn.

Skeppet intill hade tvåtusen olika sorters parfymerade toalettpapper, snacksberget var osannolikt och innehöll allt från potatischips med vinägersmak till ostbollar och friterad fläsksvål med barbequesmak. På en tv-skärm med kornig bild visades foton av försvunna småbarn med uppgifter om vart man skulle ringa om man sett dem. Skivor, filmer, campingutrustning, barnkläder, tropiska frukter, bakelser i jätteförpackningar, oxfilé inlindad i bacon: allt en människa kunde tänkas behöva under en livstid fanns under samma tak.

– Himla praktiskt tycker jag, sa Sandra och lassade upp alla sina varor på kassabandet.

På vägen till bilen passerade vi en resebyrå, och tanken som legat och gnagt i mitt bakhuvud den senaste veckan gled upp till ytan med all sin tillhörande vånda.

Det var redan den nionde augusti, och vi hade exakt en vecka kvar innan vårt turistvisum skulle gå ut.

En vecka, då vi skulle vara tvungna att bestämma vad vi skulle göra med våra liv.

Stanna kvar, åka tillbaka till Chile eller flytta någon annanstans?

– För mig spelar det ingen roll, sa Anders.

– Men det kan du inte mena! sa jag. Du måste väl åtminstone ha en åsikt, någon form av vilja.

Han reste sig och gick fram till vindskupan i vårt lilla rum. Det var sen kväll, barnen hade somnat, Valerie och Bruce såg på tv någonstans i huset.

– Jag vet inte längre, sa han lågt med ryggen mot mig. Det känns som om ingenting spelar någon roll längre. Vi kommer ju aldrig någonstans.

Jag reste mig upp och tog om honom.

– Men så kan du väl inte säga. Vi är ju här nu, i USA, och vi kanske kan hitta något sätt att stanna kvar...

Han vred sig loss.

– Vi kan aldrig vara säkra någonstans, sa han. Vart vi än åker kommer de alltid att kunna hitta oss.

– Du vet ju att det inte är sant, sa jag. Våra förföljare kommer aldrig att släppas in i USA. Om det är någonstans som vi är säkra så är det här.

Anders såg på mig med ögon som var fyllda av ångest.

– Jag tycker inte om att barnen håller på och cyklar runt som de gör. Det kan vara farligt.

– Men älskling, sa jag, de måste ju få röra sig. Jag tycker det är underbart att de kan fara runt som de vill.

Han vände sig bort igen, jag såg hans käkar mala.

– Vi sitter på nåder i våra små jävla lånade rum, sa han utan att se på mig. Jag är så vansinnigt less på det här.

– Vad vill du göra då? frågade jag bedjande och tog tag i hans överarm. Säg vad du vill så ska jag försöka ordna det!

Han gjorde sig fri, gick in i badrummet och stängde dörren efter sig.

Jag skulle inte få någon hjälp av Anders i vårt beslut, den saken var klar.

Han somnade så småningom, och jag satte mig på golvet nedanför vår säng och lade ut alla mina dokument på heltäckningsmattan framför mig. De hade hunnit få både fläckar och hundöron efter alla de timmar jag suttit och läst och bläddrat i dem.

I det svaga ljuset från en liten skrivbordslampa som jag ställt ner på golvet läste jag återigen alla de utredningar och utlåtanden som gjorts om vår familj. Socialtjänstens rapporter, avslag eller bifall från olika fonder och organisationer jag sökt stöd hos, tingsrättsdomar och sjukhusjournaler, och till slut kom jag till kammarrättens dom från 1994 där man beslutade att vi inte skulle få någon hjälp.

”I målet får anses utrett att familjen Eriksson för att leva ett normalt liv behöver flytta från Sverige.”

Jag mindes min förtvivlan över beslutet, hur jag gråtit och tyckt att allt var slut, men jag mindes också Hannas ord och upphetsade röst när hon läste beslutet: ”Jag har aldrig tidigare sett en sådan här formulering. Den här meningen är viktigare än hela domen. Rätten slår ju faktiskt fast att ni måste emigrera. Ni kan inte bo kvar, det står här, svart på vitt.”

Jag lät domen ligga på golvet, lade handen över ögonen och tänkte.

Vi hade faktiskt ett domstolsbeslut på att vi inte kunde leva i vårt hemland.

Om en domstol i Sverige slagit fast det, borde inte en domstol i USA lyssna och låta oss stanna?

Jag hade fem dagar på mig att komma på en lösning.

Nästa dag, en torsdag, ringde jag till Amnesty International och frågade vem som var USA:s bästa människorättsadvokat.

Jag fick inte ett namn utan flera, och ett av dem, mr Barrington, var verksam i huvudstaden i vår delstat. Jag hade förmodligen redan ringt honom, utan att komma ihåg det, men nu beslutade jag mig för att satsa allt på ett kort och verkligen lägga fram mitt problem för honom.

Det var naturligtvis lättare sagt än gjort.

Advokat Barrington var bortrest, och många av hans medarbetare med honom.

Kvinnan i växeln var artig och vänlig till en viss gräns, men när jag inte gav mig och vägrade lägga på blev hon ganska sur. Slutligen kopplade hon mig till en ung man med ambitiös och något osäker stämma som presenterade sig som mr Stevens.

– Så bra att jag fick tag på någon på er advokatbyrå, sa jag. Du förstår, jag vill inte tala med någon annan än de absolut bästa, och alla mina rekommendationer säger att ni är outstanding i branschen.

Mr Stevens skrattade lite generat.

– Ja, sa han, jo, det är många som säger det. Jag är ju alldeles nyutexaminerad, fick min *degree* i våras, och jag tycker det är fantastiskt att ha fått chansen att arbeta med en sådan erfaren person som mr Barrington.

– Det förstår jag, sa jag hjärtligt, och faktum är att jag måste ha hjälp av en sådan person, för jag har ett mycket komplicerat och känsligt ärende som jag skulle vilja diskutera med en erfaren människorättsjurist.

Nu hade jag fått mr Stevens att lyssna ordentligt.

– Är det något jag kan hjälpa till med? frågade han försiktigt. Min specialitet är immigration och flyktingärenden.

Jag blundade hårt några sekunder och ansträngde mig att låta lugn och trovärdig när jag svarade.

– Förmodligen har du aldrig hört talas om något fall som mitt, sa jag. Jag är flykting…

Jag var tvungen att hämta luft för att kunna fullfölja meningen.

– …från Sverige.

Mr Stevens var inte fullt lika entusiastisk längre när han svarade.

– En svensk flykting? Men några sådana finns inte.

– Jo, jag, sa jag. Jag tänker söka asyl i USA på grund av förföljelse och dödshot i mitt hemland.

– Men det går inte. Det finns ingen grund för…

– Jo, sa jag kort. En svensk domstol har redan givit mig flyktingstatus. De svenska myndigheterna har utrett mitt ärende i åtta år och kommit fram till att jag och min familj måste emigrera för att kunna leva ett normalt liv.

– Är det sant? sa mr Stevens skeptiskt.

– Vill du ha målnumret? frågade jag.

Mr Stevens var tyst en lång stund.

– Kan du komma hit på lördag? frågade han slutligen.

– Jobbar du då? undrade jag förvånat.

Han svalde ljudligt i luren.

– Nja, sa han, egentligen inte, men jag skulle vilja titta på ditt ärende i enrum först, innan jag drar det för de andra på byrån.

Aha! Han ville kolla att jag inte var en dårpippi.

– Naturligtvis, sa jag. Vilken tid ska jag komma?

Vi kom överens om ett klockslag mitt på dagen.

– Vad kostar det? frågade jag.

– Om jag accepterar ditt ärende tar vi ett första förskott på tvåtusen dollar.

Tvåtusen dollar, det var ju tjugotusen kronor! En sjättedel av hela mitt sparkapital!

– Visst, sa jag och lät lite spakare. Det blir alldeles utmärkt. Vi ses på lördag.

Så snart jag lagt på inträdde nästa problem, var sjutton låg delstatens huvudstad?

– Åh, sa Sandra som jag gått till med min vånda, det är inte så långt. Bara tvåhundra miles.

Tvåhundra mil? Det var ju halvvägs till månen!

– Nej då, sa Sandra, det kör du på ett par timmar. Du får låna min bil.

Miles var ju något helt annat än mil, insåg jag i nästa stund.

Drygt trettio mil var det att köra.

Tidigt på morgonen, medan dimman fortfarande hängde längs gator och runt hustak, huttrade jag bort till Sandras gula hus. Hon gav mig en kopp blaskigt amerikanskt kaffe och räckte mig sina bilnycklar.

– Den är fulltankad, sa hon.

När jag satte mig i Chryslern insåg jag att den hade en växellåda jag aldrig använt förut, en automatisk, så att man bara behövde gasa och bromsa.

– Kör försiktigt! ropade Sandra efter mig och vinkade.

Vägarna var breda och ganska glest trafikerade. Efter tjugo mil stannade jag och åt en muffins och gick på toa, sedan körde jag vidare.

Jag var framme i god tid, och jag hade tvåtusen dollar kontant i min handväska.

Delstatens huvudstad var en brusande metropol, med breda boulevarder och vackra hus.

Advokat Barringtons kontor var inrymt på sjunde våningen i en gigantisk gammal byggnad mitt i stadens centrum. Jag anmälde mig hos vakten längst ner, tog hissen upp och ringde på intill en tung träport.

Ingenting hände.

Jag ringde på igen. Tänk om jag missuppfattat alltihopa? Tänk om mr Stevens inte alls ville träffa mig? Han hade kanske ångrat sig och inte vetat hur han skulle kontakta mig för att berätta det?

Jag var på väg att ta hissen ner igen när dörren plötsligt öppnades. En blek ung man med stora glasögon lutade sig ut genom öppningen.

– Åh, sa han, där är du ju. Jag tyckte jag hörde någonting, kom in. Jag är mr Stevens.

Jag tog hans hand.

– Maria Eriksson.

Han visade mig in i ett enormt kontor med tjocka heltäckningsmattor och mörka mahognymöbler överallt, det var tydligen lukrativt att vara människorättsadvokat. Hela stället var tyst och öde, vi passerade det ena tomma kontoret efter det andra.

– Vi är trettiosju jurister på byrån, sa mr Stevens. Alla är vi så stolta över möjligheten att arbeta med advokat Barrington. Här ligger mitt rum.

Han öppnade dörren till ett kontor längst bort i en korridor. Hela rummet var fullständigt överbelamrat med papper, böcker, utskrifter, pärmar och lösa anteckningar.

– Slå dig ner, sa han och flyttade på en dokumentbunt så att jag fick en sittplats. Sedan sjönk han ner i en gnisslande kontorsstol på andra sidan skrivbordet.

– Jag måste erkänna att din historia väckte min nyfikenhet, sa han. Men jag kan inte lova att jag tar mig an ditt fall, det hoppas jag att du förstår.

Jag nickade, javisst, det förstod jag, jag var så tacksam att han ville träffa mig, att jag fick ta upp hans tid.

– Har du med dig de dokument du talade om? frågade han.

Jag hissade upp min stora portfölj i knät och sa:

– Jodå, javisst, vilka vill du se?

– Allihop.

Jag harklade mig, rejält nervös. Nu gällde det. Jag fick inte slira nu, måste vara klar och tydlig, inte göra något värre än det var men inte ducka för allt det smärtsamma. Vara lugn och konkret.

– Var ska jag börja?

– Från början, svarade han.

– Det kommer att ta ett tag, sa jag.

Han lutade sig framåt och tryckte fast glasögonen vid näsroten.

– Jag har hela dagen på mig, sa han.

Så började jag berätta om mannen som jag förälskat mig i, lite stapplande och försiktigt först, sedan allt lugnare och säkrare. Mr Stevens lyssnade uppmärksamt och skrev något i ett block emellanåt.

Jag beskrev mannens svarta, brinnande ögon och intensiva uppvaktning, min gränslösa kärlek och hans växande kontrollbehov, hans sätt att manipulera och isolera mig från min familj och mina vänner, hur jag blivit gravid och sjuk, och hur han inte accepterade det.

För varje detalj som kunde och behövde styrkas letade jag upp det relevanta dokumentet och lade det på mr Stevens röriga skrivbord. Han kastade en hastig blick på vart och ett, föste ihop alla i en hög med baksidan uppåt.

Jag var tvungen att samla mig ibland när jag berättade om mannens accelererande våldsamhet, slagen, sparkarna, strypförsöken och våldtäkten. Men det var inte förrän jag kom till hans försök att skära halsen av Emma så att flickan blev stum som jag var tvungen att fiska upp en näsduk.

– Förlåt, snyftade jag och snöt mig.

Mannen på andra sidan bordet såg storögt på mig.

– *Go on*, sa han.

Så kom jag till tiden som levande begravda av de svenska myndigheterna. Hur vi tvingats lämna vårt hem och vår familj, alla våra vänner, förbjudna att berätta att vi aldrig skulle återvända.

Jag beskrev hur skadade vi varit, hur jag hört röster och hållit på att förlora verklighetsuppfattningen, Emmas fruktansvärda sjukdom. Hur vi ständigt jagats från plats till plats, hur vår förföljare letat efter oss och hittat oss, hotat och överfallit oss, om stiftelsen Evigheten och hur jag träffat reportern Hanna Lindgren, att vi skrivit en bok om mina upplevelser. Myndigheternas evinnerliga utredande, kammarrättens dom som slog fast att vi var tvungna att emigrera för att kunna leva ett normalt liv.

Jag lade upp domen på bordet och gjorde en liten paus för att se hur juristen reagerade, han kastade en kort blick på den, lade den bland de andra dokumenten och visade med handen att han ville att jag skulle fortsätta.

Sedan sa jag bara att vi hankat oss fram i Chile i tre år till dess vi kom till USA för tre månader sedan.

Mr Stevens satt tyst och gungade på sin gnisslande stol i flera minuter efter att jag slutat prata. Jag satt alldeles stilla och tittade på dokumenten på hans bord med en enda tanke i huvudet: ta vårt fall, snälla, *please*, ta vårt fall.

– Du vet att jag måste ha tvåtusen dollar i förskott för att kunna anta ert fall, sa han slutligen.

Jag nickade ivrigt.

– Det förstår jag absolut. Därför är jag beredd att betala dig här och nu, på en gång.

Han höjde lite på ögonbrynen.

– Jag har redan upptagit flera timmar av din tid, sa jag. Det är inte mer än rätt att jag betalar dig.

Jag tog upp min handväska och plockade fram sedelbunten, mr Stevens tvekade.

– *Well*, sa han, det här är ett väldigt komplicerat fall...

– Absolut, sa jag med eftertryck. Jag är fullständigt medveten om det. Det är därför jag har valt att vända mig till just er byrå.

Mr Stevens reste sig upp och sträckte fram näven över skrivbordet.

– Okey, sa han. Du har just skaffat dig en advokat.

Lättnaden kändes som en fysisk stöt genom hela kroppen, svetten bröt ut på ryggen och jag fick bita mig i läppen för att inte jubla. Jag fattade hans hand och försökte le.

– Så jag antar att vi skriver någon sorts avtal? sa jag.

– *Sure*, sa han och reste sig. Som officiell asylsökande kommer du att få ett handläggningsnummer som du ska använda dig av i alla kontakter med myndigheter och andra organisationer. Dina barn kan börja skolan, till exempel. Du kan öppna vissa bankkonton och driva företag, men du har inte rätt att yrkesarbeta. Nu har vi ett år på oss att ställa samman alla uppgifter som immigrationsmyndigheterna måste ha för att kunna bedöma ert fall. Ett ögonblick så ska jag fylla i alla uppgifter…

Han försvann ut ur sitt rum och jag var tvungen att hålla fast mig i stolen, plötsligt alldeles yr och matt.

Jag hade lyckats. Vi hade en advokat som skulle driva vårt fall. Äntligen skulle vi få ett hem!

Euforin blev dock kortvarig.

På måndag morgon när alla medarbetarna var tillbaka på advokatkontoret var det dags för mr Stevens att förklara för de andra att han tagit på sig att driva ett asylfall från Sverige.

De andra på byrån ansåg tydligen att han inte var riktigt klok. Han ringde mig på Valeries telefon efter lunch, förtvivlad, och sa att han gjort ett stort misstag och tyvärr var tvungen att avsäga sig uppdraget.

Någonstans djupt inombords måste jag ha varit beredd på det, för mitt svar var lugnt och kallt.

– Vi har ett avtal, mr Stevens, sa jag. Faktum är att du redan fått betalt för att driva vår sak.

– Men min chef säger att...

– Vår överenskommelse säger att er byrå har tagit på sig att representera mig och min familj, eller hur?

Han var tyst en lång stund.

– Jag antar det, sa han sedan.

– Jag förväntar mig givetvis att du verkligen arbetar för oss för de pengar du fått. Att ta emot dem utan att göra det yttersta för vår sak vore djupt oetiskt, inte sant?

– Naturligtvis, svarade mr Stevens och nu lät han arg. Jag vidhåller min ståndpunkt. Ert fall är komplicerat men definitivt värt att driva.

– Det är inte mig du behöver övertyga, sa jag.

Nästa dag hörde mr Stevens av sig igen och lät betydligt lugnare. Han hade förklarat alltsammans för sin högste chef, den berömde mr Barrington, och fått hans välsignelse att arbeta med vårt ärende för de pengar vi redan betalat.

När jag lade ner luren igen var jag glad, men den jublande upprymdhet jag känt när jag satt på advokatens kontor kom inte tillbaka.

Jag insåg att jag bara tagit första steget på ytterligare en lång resa, men en sak var jag säker på:

Vi var på rätt väg.

HANDLÄGGNINGSNUMRET PÅ AVTALET med advokatbyrån öppnade helt nya möjligheter för oss. Redan samma vecka ringde jag upp skolan där Sandras och Valeries barn gick och bokade tid för ett möte med rektorn. Barnen följde med, men Anders stannade kvar i huset på Oak Street.

Skolan var gammal och lite sliten, men fasaden var övervuxen av vildvin och skolgården stor och täckt av gräsmattor och planteringar. Terminen hade inte börjat ännu, hela området väntade stilla och andäktigt i solen på att invaderas av tusen barn. Jag höll Emma och Robin i var hand, de såg sig nyfiket och intresserat omkring.

Rektorn var en stor och fryntlig svart kvinna som bjöd på saft i stora plastmuggar och munkar med sylt i. Sedan visade hon oss runt och förklarade skolans regler och ambitioner. Med en demokratisk grundsyn skulle barnen lära sig villkoren för att fungera i det amerikanska samhället. De grundläggande färdigheterna i matematik, det engelska språket, natur- och samhällslära förmedlades genom bruket av modern pedagogik. Reglerna föreskrev punktlighet och disciplin i skolarbetet. Syftet med hela undervisningen var att fostra goda samhällsmedborgare som hedrade den amerikanska flaggan och som var stolta över sitt land.

Frånsett det där med flaggan hade hela talet kunnat varit hämtat från den svenska läroplanen.

Jag förklarade kort vår situation för rektorn, hon verkade varken särskilt förvånad eller nyfiken. Tack vare handläggningsnumret kunde hon skriva in bägge barnen i skolan på en gång. De fick gå i samma klass, precis som i Santiago.

När vi gick därifrån hoppade och skuttade ungarna omkring mig. De längtade redan efter skolstarten så de höll på att spricka.

Nästa steg var att hitta en bostad. Vi kunde inte snylta längre på Valerie. Hon fortsatte att försäkra att det inte gjorde något att vi bodde hos henne, men jag längtade efter ett eget hem.

Sandra presenterade oss därför för de båda familjerna som ville hyra ut sina hus, Charlestons och Emersons.

Charlestons villa var en vacker träbyggnad som påminde lite grann om Valeries hus på Oak Street, fast mycket mindre. De ville hyra ut det möblerat eftersom de avsåg att komma tillbaka efter två år.

Emersons hus var mycket enklare, en liten putsad enplansvilla med bakgård och en altan, inte så olik Sandras.

Vi tog det senare, enbart för att det var mycket billigare. Det visade sig vara ett riktigt lyckokast. Våra närmaste grannar var nämligen en mycket trevlig familj med fyra barn, varav en flicka var i Emmas ålder och en pojke i Robins. Föräldrarna, Helen och John, blev snabbt våra vänner. Redan tredje kvällen i vårt hus bjöd de över oss för att grilla, och från den stunden lekte Emma och Charlene och Robin och Jack praktiskt taget oavbrutet.

Ett problem var dock att Emersons tagit sina saker med sig, vilket innebar att vi var tvungna att nagga ytterligare av vårt sparkapital för att köpa möbler. Dessutom måste vi till slut skaffa en bil. Det amerikanska samhället är byggt runt den, det gick inte att komma ifrån.

Sandras bror kände en hederlig bilhandlare som sålde oss en gammal Honda. Med den åkte vi sedan runt och handlade det vi behövde på olika *yard sales*, en sorts loppmarknader folk hade på sina garageuppfarter för att bli av med gamla saker när de städat vinden eller skulle flytta. Barnen fick egna cyklar och Anders köpte en gammal färg-tv som tyvärr mest bestod av en enda färg, grönt. Jag köpte husgeråd, pannor och kastruller och tallrikar och bestick, och i stället för glas inhandlade jag de stora, färgglada plastmuggar som alla amerikaner verkade dricka ur.

Det amerikanska folket flyttar mycket oftare än svenskarna, insåg vi. Genomsnittstiden för en amerikansk familj i samma bostad är fyra år, läste jag i tidningen.

Vi fick tillgång till vårt lilla hus den 15 september, men flyttade inte in förrän tio dagar senare, när vi fått lite möbler på plats. Vi tackade Valerie så hjärtligt vi kunde för allt hon gjort för oss. Det var ju inte så att vi försvann, vi bodde bara fem kvarter bort, på Green Lane, och var numera upptagna i samma församling.

– Ni är välkomna hit när ni vill, sa hon och kramade oss med tårar i ögonen.

– Du måste lova att komma över och dricka kaffe, sa jag, och det kramades vi på igen.

Vi fick telefon installerad, fast den stod i Sandras namn. Först ringde jag Hanna och berättade att vi ordnat ett eget hus och fått ett nytt telefonnummer. Vi hade talats vid ett par gånger under sommaren, men nu berättade jag att jag hittat en jurist som skulle driva vårt ärende.

– Så ni ska driva frågan om uppehållstillstånd i USA?

– Yes, sa jag.

– Tycker du det är jobbigt med klasskillnaderna?

– Jag är nog lite avtrubbad, sa jag. Det här är en ganska liten stad, och det finns ingen synlig fattigdom. Inte alls som i Santiago. Några uteliggare ser man ju, men inte värre än i Stockholm.

– Har du hört något från Manuel?

Jag berättade att jag skrivit två brev som jag inte fått några svar på.

Hannas nya bok var tryckt, jag gav henne adressen till vår nya postbox så att hon kunde skicka den.

Efter vårt samtal blev jag sittande med luren i handen igen. Tänk att det aldrig blev enklare!

Efter ett djupt andetag slog jag landsnumret till Sverige, mitt gamla riktnummer och sedan det välbekanta telefonnumret hem till mina föräldrar.

– Hej, det är jag, sa jag.

Min mamma började gråta nästan genast, det här var alltid lika smärtsamt.

– Vi har det bra, mamma, sa jag, vi har det jättebra. Du behöver inte vara ledsen.

– Jag har försökt ringa, sa mamma.

Jag dolde en irriterad suck.

– Men jag sa ju att vi skulle flytta.

Sedan bannlyste jag alla dåliga känslor och försökte visa hur glad jag egentligen var.

– Vi har flyttat, mamma! Vi bor i USA nu. Vi ska söka uppehållstillstånd här i Amerika.

– Amerika? Men Mia, ska ni bo i Amerika!

Hon lät alldeles förskräckt.

– Det är ju så farligt där! fortsatte hon. Så mycket våld och brott, man hör ju om det på tv varenda dag.

Jag visste inte vad jag skulle svara, det fanns ingenting att säga. För oss innebar USA trygghet och säkerhet medan Sverige var livsfarligt.

Jag försökte byta ämne.

– Hur mår pappa och min syster?

– När ska du komma hem?

Jag sjönk ihop på köksgolvet och lade handen över ögonen.

– Mamma, sa jag, det här blir jättedyrt. Hälsa pappa så gott från oss.

Efter att jag lagt på satt jag kvar på golvet en lång stund innan jag orkade resa mig igen.

Vårt hus var mycket enkelt, men jag trivdes genast. Vardagsrum och kök var integrerade, och slasktratten hade en avfallskvarn! Det fanns två små sovrum mot baksidan, bägge med ljusa, långhåriga och ganska smutsiga heltäckningsmattor.

Jag beslutade mig för att ge dem några rejäla omgångar.

Något jag upptäckt och som var mycket praktiskt med de stora, amerikanska varuhusen var att de innehöll alla tänkbara och otänkbara typer av rengöringsmedel. Förmodligen skulle alla svanmärkningar dö av bara ångorna från dem, men jag utforskade dem med liv och lust.

Varje morgon sedan Anders skjutsat barnen till skolan städade jag igenom hela huset från golv till tak. Med hjälp av mina dunderpreparat blev heltäckningsmattorna allt ljusare och så småningom nästan vita.

När jag var färdig med insidan av huset gick jag ut och krattade ihop löv och grenar från bakgården och den lilla altanen framför huset.

Framemot elva på förmiddagarna var allt klart, och jag började snabbt känna mig sysslolös.

Anders hade inga sådana problem.

Sedan han kom tillbaka efter skolskjutsen på morgnarna brukade han gå och lägga sig på soffan vi fått ärva av Valerie, sträcka sig efter fjärrkontrollen och sedan ligga och knäppa från den ena kanalen till den andra på sin gröna tv tills det var dags att äta lunch. När han ätit maten, som jag lagat, gick han och lade sig på sängen och sov middag medan jag diskade. Jag fick väcka honom när barnen skulle hämtas, men ibland var han så sur och vresig att jag fiskade upp bilnycklarna ur hans byxficka och åkte och hämtade dem själv.

– Ska du inte åka iväg och spela tennis? undrade jag en förmiddag när jag kom in från bakgården och såg honom ligga där. Det är jättehärligt väder!

Han såg upp på mig en halv sekund, sedan vände han blicken tillbaka in i rutan.

– Spela med vem då? Bruce är ju på jobbet.

Jag bet mig lite i insidan av kinden, hade inte tänkt på det.

– Du kanske kunde börja studera igen? föreslog jag och hörde själv hur överentusiastisk jag lät. Läsa språk, precis som i Chile?

Nu såg han inte ens upp.

– Varför det? Engelska pratar jag ju redan.

Jag satte mig på soffbordet så att jag skymde tv-skärmen, min man såg irriterat på mig och reste sig på armbågen.

– Vad är det? sa han. Vad håller du på med?

– Ett företag, sa jag. Skulle du kunna tänka dig att starta en business?

– Jag får ju inte jobba här, sa han och ställde sig upp.

– Handläggningsnumret ger oss rätt att skaffa skattsedel, sa jag. Du kan starta en firma i morgon om du vill.

– Visst, sa han bortifrån toalettdörren. Med vilka pengar då?

Han hade en poäng.

Sparkapitalet krympte mycket snabbare än jag tänkt mig. Även om vi inte köpt en enda fabriksny sak till huset hade bilen och inventarierna gjort ett stort hål i vår kassa. Barnen hade fått nya kläder inför skolstarten, och block och pennor och böcker var inte billiga, men en del av dem hade fått utgöra födelsedagspresenter. Några pengar till att starta ett företag hade vi inte.

Resten av veckan funderade jag på en lösning. Jag tog kontakt med flera olika banker innan jag slutligen hittade en som kunde hjälpa mig. Efteråt gick jag i elektronikaffärer och ställde förmodligen de dummaste frågor personalen där någonsin hört.

En kväll när barnen var ute och cyklade på gatan med sina kompisar hade jag ett färdigt förslag som jag drog för Anders.

– Jag kan börja köpa och sälja aktier, sa jag. Man kan göra det över internet numera. Det enda som behövs är en dator med modem, en nätoperatör och ett aktiekonto på en bank.

Jag väntade ivrigt på en reaktion, men Anders såg inte upp från tv-rutan.

– Vad tror du? sa jag. Är det inte en bra idé?

– Visst, sa han.

Dagen därpå köpte jag en dator med skärm och modem och tangentbord och mus och skrivare. Eftersom det blev billigare om man installerade alltsammans själv så valde jag det alternativet, vilket visade sig vara ett gruvligt misstag. Jag höll på en vecka och var alldeles rödgråten av frustration innan Anders slutligen fick igång alltihop.

Sedan öppnade sig en ny värld för mig, för internetrevolutionen hade gått mig spårlöst förbi. Jag hade överhuvudtaget inte använt datorer sedan jag jobbade på banken i mitten av åttiotalet, och de maskinerna var rena stenåldern jämfört med min nya, pigga, snabba pc.

Det var vansinnigt roligt att surfa på nätet. Jag kunde följa både börskurser och valutaförändringar sekund för sekund, och dessutom upptäckte jag att jag kunde läsa svenska tidningar online. Hanna fixade en mejladress till mig, och sedan kunde vi skicka texter och bilder och allt möjligt till varandra.

Efter att ha studerat marknaden en tid beslutade jag mig för att göra mina första aktieaffärer. Med mina begränsade resurser började jag med något som kallades *penny stocks*, småföretag som börjat växa och har en bra affärsidé. Den första riktigt lyckade affären jag gjorde gällde aktier i ett litet företag som producerade video games, en sorts tv-spel. Jag köpte dem i oktober, och de följande två intensiva månaderna under julhandeln hann aktierna tredubblas. Jag sålde dem den 23 december.

Julafton var som en vanlig lördag, på kvällen gick vi i kyrkan och sedan fikade vi med Valerie och hennes familj i församlingshemmet. Scott och Dolores var också där, de hade flyttat till en annan delstat men flugit in för att fira jul med Scotts familj.

Juldagen var vi hemma tillsammans, Anders, jag och barnen. Vi hade en liten gran som vi klätt med färggrant papperspynt som jag och barnen klistrat ihop. Jag hade köpt skinka och potatis och rökt lax, men någon sill hade jag inte hittat. Jag och Robin hade försökt koka knäck, men den blev lite konstig. Sirapen hade inte riktigt samma konsistens som hemma.

Särskilt många julklappar blev det inte, och de som fanns var mest praktiska saker, men barnen var vana vid det och förväntade sig inte något annat. På kvällen såg vi en film tillsammans.

Första dagen efter julhelgen ringde telefonen precis när jag höll på att låsa upp ytterdörren med famnen full av matvaror. Jag störtade in, fick upp luren samtidigt som jag tappade mjölken i golvet.

– Jag har något viktigt jag måste berätta för dig, sa mr Stevens och lät mycket allvarlig i andra änden.

Hjärtat flög genast upp i halsgropen. Jag hade talat flera gånger med honom de gångna månaderna, men så här hade han aldrig låtit.

Jag ställde ner alla påsarna på golvet och lät ytterkläderna glida av mig.

– Säg, sa jag. Vad är det?

– Jag kommer att sluta på byrån och starta eget. Att vara en del av ett sådant här stort maskineri känns inte riktigt rätt för mig.

Jag blev alldeles bestört.

– Sluta? När då?

– Årsskiftet.

Jag höll i mig i diskbänken för att inte falla.

– Men, sa jag, vad händer med dina fall? Vad händer med mig?

– En del ärenden tar jag med mig, en del avsäger jag mig, och en del tas över av andra jurister här på byrån.

Tårar sköt upp i mina ögon, jaha, jaså, så det var så här det skulle sluta.

– Ditt fall har diskuterats mycket här på byrån, sa mr Stevens. Min chef, mr Barrington, har blivit alltmer intresserad av ärendet, och nu när jag slutar har han beslutat att själv ta sig an dig och din familj.

Jag hörde utan att förstå.

– Säg det igen, sa jag. Ska advokat Barrington själv driva mitt fall?

– Han har beslutat sig för det, ja. Han kommer att ringa dig efter nyår, och han vill förmodligen träffa både dig och din man och barnen.

Jag var alldeles omtumlad när jag lade på luren.

Det här var den bästa julklapp jag någonsin fått.

Nyårsaftonen tillbringade vi hemma hos Valerie tillsammans med många av grannarna, men vi stannade inte så länge. Anders mådde inte bra. Han var blek och hängig och svettades, vi ursäktade oss och var hemma långt före midnatt. Anders stöp i säng, barnen fick vara uppe och titta på tv men somnade i soffan båda två.

Mitt första tolvslag i USA satt jag därför ensam hemma i vårt nersläckta kök och såg vinterns första snöflingor långsamt dansa mot marken utanför.

Det hade blivit 1999, det sista året på det gamla millenniet.

Visserligen fanns en hel del moln på min himmel, men jag kände på mig att det skulle bli ett bra år.

Det största molnet, det som oroade mig mest, var Anders. Han hade gått in i sig själv på ett sätt som gjorde mig både bekymrad och rädd. Inte ens när vi haft det som svårast i Sydamerika hade han reagerat så här.

På nyårsdagen väckte jag honom med kaffe på sängen och kröp sedan ner till honom, tätt intill, smekte hans axlar och mage. Jag längtade efter honom, att känna honom nära, så nära man kan komma.

Han vände sig bort.

Jag kände avvisandet bränna på kinderna, men beslutade mig för att inte visa min besvikelse.

– Pengarna från mina penny stock-affärer har kommit in på mitt broker account, sa jag.

Han rörde sig inte, lät den breda ryggen tala, så jag fortsatte.

– Där finns tillräckligt mycket för att du skulle kunna starta en business...

Anders vände sig tvärt och såg ilsket på mig.

– Hör du hur du låter? Jävla svengelska, *business* och *brokers* och *stocks*. Har du blivit amerikan på tre månader?

Tårarna kom omedelbart och strömmade ner över mina kinder, jag slog händerna för ansiktet.

– Oj vad det är synd om dig, sa han och steg upp och gick ut ur sovrummet.

Mr Barrington ringde faktiskt första vardagen efter helgerna. Samtalet var mycket kort, advokaten sa att han fascinerats av vårt fall och ville driva det som ett prejudikat. Därför ville han träffa oss allesammans i slutet av januari.

Jag svarade att vi var mycket glada och tacksamma för att han ville åta sig vårt ärende, och när vi lade på var jag alldeles svettig i handflatorna.

Det hade snöat när vi packade in oss i bilen den där dagen. Barnen hade fått ledigt från skolan, jag försökte få hela resan att framstå som en spännande utflykt, men Anders märkte inte mina ansträngningar. Han satte sig bara i bilen utan ett ord och rattade iväg mot delstatens huvudstad. Vi stannade på vägkrogen där jag ätit en muffins förra gången, och trots väglaget var vi framme i god tid.

När vi steg in på advokatkontoret trodde jag först att vi hade gått fel. Lokalerna såg så fullständigt annorlunda ut när människor sprang fram och tillbaka i korridorerna, när telefoner ringde och kopiatorer blinkade att jag först inte kände igen mig.

En vänlig sekreterare kom oss till mötes, tog våra ytterkläder, gav oss kaffe och bad oss sitta ner och vänta utanför advokat Barringtons kontor. Efter en stund visades vi in i ett enormt hörnrum med fantastisk utsikt åt både söder och väster. Där inne var massor av folk, jag tittade förvirrat från den ene till den andre och försökte räkna ut vem som var mr Barrington.

– Välkomna, sa en lång och smal man med glittrande, busiga ögon bakom glasögonen och kom fram emot oss. Han tog i hand och förde oss fram till sitt skrivbord.

De andra personerna i rummet, de visade sig vid en andra blick bara vara fem, var hans assistenter och medarbetare. En av dem, en ung svart kvinna, satte sig på stolen bredvid mig.

Först ställde mr Barrington några allmänna frågor om var vi kom ifrån och var vi varit, och sedan bad han sin sekreterare att bjuda barnen på något att äta i rummet utanför. Anders följde med dem ut.

Sedan satt jag kvar ensam med de sex juristerna och berättade ungefär samma saker som jag gjort för mr Stevens. Det gick fortare den här gången, eftersom alla redan hört historien tidigare.

När jag var klar signalerade advokat Barrington att vi skulle bryta upp, och alla medarbetarna utom kvinnan bredvid mig försvann på given signal.

– *I'm Lindsay*, sa kvinnan med låg röst och sträckte fram sin hand. Vi hälsade ordentligt medan de andra slamrade med stolarna på vägen ut.

När vi blivit ensamma lutade sig mr Barrington tillbaka i sin stol och lät blicken vila granskande på mig.

– Jag tror faktiskt att du har en chans att gå i land med det här, sa han, men som du förstår kan jag ingenting lova. Vi har gått igenom mängder av asylfall för att hitta något som skulle kunna likna ditt, men vi har inte funnit något.

Han nickade mot kvinnan bredvid mig.

– Lindsay här har hittat ett enda fall där en europé beviljats asyl i USA, sa han. Det var en fransk man som fick stanna här på grund av religiösa skäl, men det var många år sedan nu. Förföljelse av de skäl du uppger, *domestic violence,* hustrumisshandel, har aldrig hittills godkänts som asylskäl. Vi har faktiskt aldrig ens hittat ett fall där det prövats.

Han reste sig och sträckte fram sin hand.

– Det kommer att bli en intressant resa, sa han och log.

Jag kunde inte låta bli att le tillbaka, trots att hela min mage var som en stor knut.

Lindsay följde mig ut.

– Mr Barrington är väldigt *busy*, sa hon lågt, men mig kan du alltid ringa, när du vill.

Hon sträckte över sitt visitkort, log och var borta.

DE FÖLJANDE MÅNADERNA fortsatte jag mina penny stockaffärer, och när våren kom hade jag tjänat så pass mycket att jag tordes satsa lite hårdare. Nasdaq-börsen lyfte som en raket den här våren, den nya teknikens it-aktier höll snabbt på att stiga till fullständigt orimliga höjder. Det skulle naturligtvis inte hålla, det var helt enkelt inte logiskt, men med tur och lite skicklighet kunde man hoppa av i tid. Ofta surfade jag runt och läste svenska tidningar. De hade börjat skriva om Hanna, hennes bok låg etta på bestsellerlistan. Jag skickade henne ett litet jubelmejl när jag läste det.

Barnen trivdes bra i skolan. De hade kompisar och kom hyfsat väl överens med lärarna. Det var egentligen bara i ett ämne de hade problem, och det var i spanskan som de läste som tillvalsämne. Läraren var mexikan, och han tyckte inte om chilenare. Eftersom mina barn talade chilensk spanska missade han inga tillfällen att trycka till dem. Jag tog upp saken både med rektorn, läraren och föräldraföreningen, använde samma sakliga och lugna övertalningsteknik som jag utvecklat som föräldraföreningens ordförande på skolan i Santiago, och innan vårterminen var slut var jag invald i styrelsen för den lokala *Parents and Teachers Association.*

Anders blev lite piggare när det blev ljusare och varmare. Han och Bruce började spela tennis igen på kvällarna, och jag hoppades att jag snart skulle kunna övertala honom att starta en liten firma.

I juni ringde Hanna med ett intressant förslag.

– Jag ska starta ett bokförlag tillsammans med några andra, sa hon. Det första vi skulle vilja ge ut är boken om din historia, fast i pocket den här gången. Vad säger du om det?

– Kan vi det? sa jag. Är det inte det gamla förlaget som har rättigheterna?

– Jo, men om vi erbjuder dem att ge ut den på nytt, och de tackar nej, då blir boken vår igen.

– Skulle den sälja, tror du? frågade jag.

– Folk har frågat efter den i fyra år, sa Hanna. Förlaget tryckte ju aldrig några nya upplagor, och jag tror att det finns ett mycket större utrymme för din historia än vad de förstod. Vi vill se vad som händer om den kommer ut igen.

Jag tvekade några sekunder.

– Fast jag vill inte göra några intervjuer, sa jag.

– Det behöver du inte, om du inte vill.

– Och så tycker jag inte att mitt namn ska stå på omslaget.

Hanna blev förvånad.

– Men, varför inte? Vi kom ju överens om att dela på allting.

– Jo, jag vet, sa jag, men jag tycker det är bättre att du står ensam. Jag kan stå med på insidan.

Sedan pratade vi om barnen och Anders och Hannas barn och man och sedan lade vi på.

Efteråt kände jag spänningen bubbla lite i magen. Hanna hade kanske rätt. Hennes nya bok hade legat etta på den svenska bestsellerlistan i fem månader nu, så någon kunskap borde hon ju ha om böcker och vad som säljer.

I juli svarade det förra förlaget i ett brev till Hanna att de aldrig någonsin hade för avsikt att publicera min historia igen, och därmed var rättigheterna till boken våra.

I augusti, ett år efter mitt första möte med mr Stevens, skickade advokat Barrington in våra handlingar till den amerikanska immigrationsmyndigheten.

Ett par veckor senare förklarade han för mig på telefon vad som skulle hända härnäst.

– Nu ska kvarnarna mala, sa han. Vi har fått besked om att er ansökan är mottagen av INS och kommer att behandlas. Det innebär att INS förmodligen kommer att fråga efter fler handlingar, begära in mer uppgifter, och vi kan också komplettera vår ansökan med mer information. Det här kommer att ta ett bra tag, minst ett år. Nästa steg i processen är mycket viktig. Den innebär att immigrationsverket tar ett första beslut i ärendet: antingen kallas ni till ett förhör, en *hearing*, eller så avslås er begäran direkt. När vi fått ett datum för en hearing, om vi får en, är slussarna stängda. Då kan vi inte längre komplettera ansökan med fler handlingar.

– Okey, sa jag och såg upp från mitt block där jag försökt anteckna handläggningsförfarandet. Så första delmålet är att få en hearing?

– Exakt.

– Annars åker vi ut direkt?

– Precis.

Jag tvekade en sekund innan jag ställde nästa fråga.

– Tror du vi får det? Kommer de att kalla oss till en hearing?

Advokaten lät mycket lugn när han svarade.

– Jag kan inte lova dig någonting alls, sa han, annat än att jag ska göra mitt bästa för att du ska bli kallad.

Barnen pratade amerikanska hela tiden nu, både med sina kompisar och med varandra. Jag fortsatte envetet att tala svenska med dem, men allt oftare svarade de mig på engelska. De kallade mig inte längre ”mamma” utan *”mom”*. När de ville något, eller var sura eller arga på något, drogs o-et i mitten ut och blev långt och klagande: *”moooom!”*

Emma hade alltid varit liten för sin ålder, men nu började hon växa. Sommaren och hösten 1999 rände hon iväg åtminstone sex, sju centimeter. Jag höll noggrann uppsikt på henne, ville ge akt på att puberteten inte väckte upp några glömda destruktiva mönster i hennes inre. Men jag oroade mig i onödan.

Emma var precis som vilken frisk och pigg amerikansk unge som helst. Hon dansade square dance och älskade att gå runt på stan och fnittra med sina tjejkompisar. Robin fortsatte att cykla med sina vänner, de åkte runt runt runt i kvarteret och skrattade och tjoade. När de inte cyklade åkte de skateboard, och så snart de hade möjlighet åkte de snowboard.

Men framför allt så umgicks de. Vårt hus var alltid fullt av ungar efter skoldagens slut, där var Charlene och Jack, som bodde vägg i vägg med oss, där var Sandras dotter Linda, Isabelle och Charlie och en hel bunt andra klasskamrater.

Både Emma och Robin hade ett väldigt behov av att prata, skratta, spela och leka. Man behövde inte vara barnpsykolog för att förstå varför. De hade varit helt isolerade under hela sin tidiga barndom, Robin till han var sex år, Emma till hon var åtta, nästan nio. Det var underbart att se dem springa och busa med andra barn.

I oktober fyllde de år, Emma blev tonåring och Robin elva. Emma fick en ny danskjol, dansskor och ett klippkort på stadens största biografkedja. Till Robin köpte vi en ny skateboard, eftersom hans gamla, begagnade var bortom all räddning.

För mig stod barnen i centrum, nästan hela min tillvaro kretsade kring dem. Jag försörjde fortfarande familjen som *day trader* på New York- och Nasdaqbörsen, men aktieaffärerna tog bara ett par timmar varje dag. Resten av tiden städade jag, handlade, lagade mat, diskade eller skjutsade.

Varje kväll lagade jag en ordentlig middag, fisk eller kött och kolhydrater och sallad, mjölk eller vatten som dryck. Många av de andra barnen i kvarteret åt ute nästan jämt, om de åt hemma vankades ofta hämtpizza eller hamburgare. Robin kom storögd hem efter att ha ätit kvällsmat hos en kompis och berättade att han fått chips till middag. Chips! Som mat! ”Det äter vi jämt”, hade kompisen förvånat sagt, och Robin trodde inte sina öron.

Hos oss var chips strikt ransonerade till en kopp vid fredagsmyset framför tv-n.

Överhuvudtaget var den amerikanska matkulturen ganska dålig, det var inte konstigt att så många var så feta.

Sandra var nu min bästa vän. Vi tog långa promenader, hon hade alltid nya dieter på gång för att bli av med sina sista fem *pounds*, vilket absolut inte behövdes. Dessutom umgicks jag en hel del med Helen och Valerie, och jag gick till kyrkan ibland på söndagarna, trots att jag egentligen inte såg mig som någon särskilt troende person. Men jag tyckte om ceremonin, att träffa folk, att vara en del av ett sammanhang.

Anders gick fortfarande omkring därhemma och hittade ingenting att ta sig för. Jag, som satt och försökte koncentrera mig på börsens upp- och nedgångar, kunde ibland bli tokig på hans grymtanden och stönanden.

Till slut ställde jag in datorn i barnens rum, för det var det enda ställe han inte ockuperat.

Det resulterade i sin tur i att datorn blev tillgänglig för barnen efter att börsen stängt, och Robin upptäckte dataspelens magiska värld. Han och kompisarna kunde tillbringa hur mycket tid som helst där inne. Till slut fick jag begränsa användningen, annars skulle de ha förvandlats till dataskärmar hela bunten.

Nyåret närmade sig, och det var inte vilket nyår som helst. Millennieskiftet skulle firas med buller och bång i vår stad, precis som i resten av världen.

Sandra skulle ha ett millennieparty, och jag var där och hjälpte henne att planera, beställa och duka.

– Vet du, Mia, sa hon en kväll när vi satt framför öppna spisen i hennes vardagsrum med filtar runt benen och med var sin kopp kaffe. Jag är en lycklig människa, och vet du varför?

Jag ställde ner min kopp på soffbordet och skakade på huvudet.

– Därför att jag är fri. Jag kan göra vad jag vill, träffa vem jag vill, bo var jag vill, och jag har valt att bo här, att jobba som sjuksköterska, och min darling Adam kommer på mitt party, kan man ha det bättre?

Sandra var skild. Hon hade för länge sedan berättat sin historia för mig, hur hon varit gift i tio år när hon träffade Adam, som också var gift, hur de blev förälskade och inte kunde förneka sin kärlek. Resultatet blev skandal, eftersom Adam var pastor i en grannförsamling. Nu var de skilda bägge två sedan flera år tillbaka, de träffades fortfarande och var lika kära, men de visste inte när de skulle gifta sig.

Vid skilsmässan hade Sandra givit upp ett hus som var ännu större och lyxigare än Valeries på Oak Street. Lindas pappa hade förskjutit dem bägge två och vägrade ha någon kontakt med flickan, så priset för hennes frihet hade varit högt.

Men Adams hade varit ännu högre. Han hade inte bara förlorat sitt hem, utan dessutom sitt arbete som präst. Nu arbetade han som lärare. Han hade hand om sina barn varannan vecka, och hans söner accepterade inte Sandra. Därav det ständigt uppskjutna bröllopet.

Sandra satt tyst en stund och tänkte, skenet från den öppna spisen kastade dansande ljungeldar över hennes drömmande ansikte.

– När jag levde med min make var jag död, sa hon långsamt och lågt. Han såg mig aldrig, rörde mig aldrig, vårt sexliv bestod av in och ut i fem minuter och sedan vältrade han sig av mig och så var det klart. Han talade aldrig med mig, jag var bara luft. Med Adam är jag en människa, han ser mig och tar på mig och älskar mig, och vet du vad?

Hon såg på mig.

– Jag är hellre fattig, utarbetad och levande än mätt, rik och död.

Förvirrad slog jag ner blicken, märkligt berörd av hennes ord.

Vad var jag själv?

Var jag levande eller död?

Den kvällen stirrade jag in i Anders nacke när han låg och snarkade på sidan i vår säng, som vanligt bortvänd från mig.

När älskade vi senast? I somras? Eller förra sommaren?

Jag mindes inte längre.

Millenniepartyt blev en riktig braksuccé. Ett femtiotal människor trängdes i Sandras lilla hus, där fanns alla möjliga typer av snacks och dricka och godis. Sandra verkligen strålade bredvid sin Adam, och jag mindes hennes ord.

Hellre fattig, utarbetad och levande än mätt, rik och död.

När Anders sa att han ville gå hem redan klockan halv tio sa jag nej.

– Jag stannar, sa jag lugnt, och jag vill att du också gör det.

Han stannade, och vid tolvslaget kysste han mig för första gången på länge.

Medan gästerna stämde upp Auld Lang Syne som inledning på det nya årtusendet gick mina tankar till dem som jag känt och på något sätt förlorat: mina föräldrar, min syster, Manuel i Chile, min gamla kompis Sisse. De fanns kvar men hade ändå försvunnit för mig. Så mycket hade förändrats. Även om jag skulle kunna träffa dem alla igen, så skulle livet aldrig bli detsamma som det var då.

Så såg jag mig omkring bland alla de festklädda människorna och blev alldeles varm inombords.

Framtiden började här och nu, och den var min egen.

Nasdaq-börsen steg som aldrig förr just de här dagarna. Strax före jul hade exempelvis dataföretaget VA Linux gått upp nästan sjuhundra procent dess allra första dag på börsen. Det var inte unikt. Internetkonsulten Agency.com steg med etthundranittiofyra procent första handelsdagen. Det fanns fler exempel: Andover.net, som gav bort hårdvara och mjukvara till Linux-programmerare och Jazztel, en spansk tillverkare av telekommunikationsutrustning, gick upp ännu mer.

Ett litet företag som gjorde gratulationskort på internet, Egreetings Network, förväntades tjäna minst femtio miljoner dollar och steg som en raket.

Femtio miljoner dollar, för grattis-kort på nätet?

Jag tror inte på det, tänkte jag, och fattade mitt beslut. Det kunde inte fortsätta så här, det sa ju sig självt.

Jag sålde hela mitt innehav på Nasdaq så snart börserna öppnade efter nyår, vilket var i grevens tid. Det kommande året skulle börsvärdet på Nasdaq nästan halveras.

Andra veckan i januari fick jag ett paket från Hanna med tio exemplar av pocketversionen av boken om mitt liv. Omslaget var grått och rosa, jag tyckte det var mycket finare än det förra som det gamla förlaget lät göra. Den här upplagan av boken var kortare än originalet, Hanna hade strukit ner texten inför den norska översättningen och både hon och hennes förläggare tyckte att det kortare manuset fungerade bättre.

Redan samma kväll kröp jag upp i soffan och läste boken från pärm till pärm, efteråt var jag tvungen att hålla med: den här versionen var strået vassare. Och trots att jag verkligen visste precis vad som skulle hända på varje sida så kunde jag inte låta blir att bli berörd. Bitvis grät jag, inte så mycket för att jag tyckte synd om mig själv, utan för att det faktiskt fick lov att gå till på det här sättet.

Jag såg fram emot publiceringen med lätta fjärilar i magen. Den första upplagan var tryckt i trettiotusen exemplar, vilket kanske var alldeles för mycket. Men Hanna hade legat etta på bestsellerlistan i ett år nu med sin första kriminalroman, hundratusentals svenskar hade redan köpt den boken. Kanske skulle de bli nyfikna på den här berättelsen bara därför.

Jag ställde upp boken i bokhyllan, fylld av förväntan.

Men bara några dagar senare förbyttes all min glädje i bottenlös förtvivlan.

Advokat Barrington ringde och lät djupt bekymrad.

– Vi har stött på ett oväntat och alldeles nytt problem, sa han. Dina handlingar är borta, de har försvunnit någonstans i hanteringen på INS. Myndigheten vägrar erkänna att du har ett pågående asylärende.

Det kändes som om all luft sögs ut ur rummet omkring mig, jag hamnade i ett vakuum.

– Vad? sa jag dumt. Vad betyder det?

– De vill kasta ut er ur landet, helst innan veckan är slut.

Jag var tvungen att ta tag i väggen för att få stöd.

– Det är inte sant, fick jag fram.

– Tyvärr är detta det besked jag fick från INS för bara några minuter sedan. Jag ville berätta det för dig på en gång, men jag vill också säga att vi inte accepterar myndighetens inställning. Vi vet att handlingarna har kommit fram till dem, de har helt enkelt slarvat bort dem. Jag ska se till att de erkänner sitt misstag.

Väggarna tryckte sig mot mig, jag var tvungen att sätta mig ner.

– Hur vet vi att de kommit fram? frågade jag skakigt.

– De har skickat oss ett mottagningsbevis, daterat den 19 augusti 1999.

Mr Barrington förklarade hur han blivit alltmer brydd de senaste veckorna eftersom immigrationsmyndigheten inte hört av sig. Om allting gått som det borde skulle INS ha kontaktat honom och begärt kompletterande information, men det hade de inte gjort. När han därför ringt upp dem och frågat varför inget hände, fick han svaret att vårt ärende inte existerade.

– Jag ska bråka om det här, det kan du skriva upp, sa advokat Barrington. Och jag ska se till att du får rätt, oavsett hur högt upp jag måste gå.

När vi lade på skakade mina händer och jag började gråta okontrollerat.

De närmaste dagarna ryckte jag till så fort jag hörde utryckningsfordon eller konstiga ljud i närheten av huset. Även om jag visste att det inte skulle gå till så, var jag rädd att polisen eller sheriffen skulle komma och hämta oss. Släpa ut oss skrikande, i handbojor, till en väntande fångtransport med galler och blåljus och sedan kasta ut oss ur USA. När posten dunsade ner i lådan rusade jag ut och hämtade den, men där fanns förstås inte något utvisningsbeslut från INS. Det skulle gå till min advokat, om det kom något.

Helgen kom och gick, och på måndagen ringde mr Barrington igen.

– Jag har fått INS att uppskjuta er omedelbara utvisning, sa han. De vägrar att godkänna mottagningsbeskedet som ett bevis att ditt ärende finns, men jag har åtminstone skakat om dem lite. Jag återkommer så snart jag har något nytt att berätta.

All turbulens gjorde att jag hade svårt att koncentrera mig på mina aktieaffärer, och jag gjorde några riktigt dåliga försäljningar. Det fick mig att inse hur sårbara vi var, vad skulle hända om jag blev sjuk? Vem skulle försörja oss?

– Du måste börja tjäna pengar, sa jag till Anders en dag i mars sedan jag skjutsat barnen till skolan. Det var snö och halt ute, jag hade fått sladd med bilen och blivit riktigt rädd. Nu var jag på rejält dåligt humör.

Min man såg upp på mig från tv-soffan, lite förvånat.

– Varför det?

Jag drog av mig kappan och sparkade av mig ytterskorna.

– Börserna har börjat falla, sa jag. Vad händer om luften går ur dem helt, eller om jag inte kan jobba? Nu har vi ju pengar så att du kan starta en firma. Varför vill du inte ens försöka?

Och till min förvåning släppte Anders fjärrkontrollen och satte sig upp.

– Men jag vet ju inte hur man gör, sa han.

– Ta reda på det då, sa jag. Och undrar du något så kan du fråga mig, för jag vet.

Och så gick jag in till barnens rum och slog igång datorn.

Jag var arg, frusen och gråtfärdig. När börssidorna rullade fram kände jag att jag inte orkade koncentrera mig på dem.

I stället surfade jag in på de svenska kvällstidningarna och läste om några personer som varit med i någon verklighets-såpa i tv, det sade mig ingenting och jag klickade irriterat vidare. En av tidningarna hade en artikel om Hanna, det hade de ofta numera. Sedan tittade jag runt på amazon.com för att se om det släppts några roliga nya filmer, och därefter gick jag in på en hemsida för böcker och litteratur som presenterade och uppdaterade de svenska bestsellerlistorna.

Hanna låg fortfarande etta, men till min förvåning stod hennes namn också på andra plats.

Jag flämtade till.

Boken om mig låg tvåa på den svenska bestsellerlistan!

Jag kastade mig på telefonen och ringde till Hanna.

– Varför har du inte sagt något? hojtade jag.

– Va? sa Hanna.

– Att vi ligger tvåa på pockettoppen?

– Gör vi?

Så typiskt henne, aldrig koll på några siffror. Ändå frågade jag:

– Hur mycket har vi sålt?

– Ingen aning, fast vi har visst tryckt en upplaga till. Minst.

Jag kunde inte låta bli att skratta, min oro och mitt usla humör var som bortblåst.

Känslan dröjde sig kvar efter att vi lagt på, en värme inombords som kom av vetskapen att mina erfarenheter var värda något. Över trettiotusen människor hade redan tagit del av min berättelse, tanken svindlade.

Jag sprang ut till Anders och hittade honom vid spisen.

– Vad gör du? frågade jag förbluffat.

– Steker lite korv, vill du ha?

– Visst.

Han vände sig om, gick fram till mig och strök mig tafatt på kinden.

– Förlåt, sa han lågt. Jag ska bättra mig.

Ett par veckor senare var Anders firma inregistrerad. Vi hade hittat en lokal inte så långt från vårt hus, och tack vare mina börsspekulationer kunde vi införskaffa det lager och de inventarier som behövdes. Efter en något trevande start kom affärerna igång, och när sommaren närmade sig hade Anders fullt upp.

Min lycka förstärktes när mr Barrington ringde med helt fantastiska nyheter.

– Jag har fått delstatens senator att ta sig an dina försvunna handlingar, sa advokaten. Nu vore det väl själva fasen om de inte skulle lyssna.

Det gjorde INS, skulle det visa sig.

Sedan senatorn personligen tagit kontakt med en hög chef på INS löste sig problemet och mottagningsbeviset godkändes som ett pågående asylärende.

Alla handlingar var dock fortfarande försvunna, och vi var tvungna att skicka in hela ansökan på nytt. Ett helt års arbete hade varit förgäves, det var bara att börja om på ruta ett.

Och ska man vara lite fatalistisk, så var det kanske inte så dumt att handlingarna försvann. Den första omgången blev på så sätt en generalrepetition, nu fick vi chansen att göra om allting en extra gång, ännu lite bättre. Bland annat ville mr Barrington ha kontakt med Hanna, och hon kom att leverera en hel rad med papper och dokument från svenska domstolar och myndigheter som lades in i min akt.

På fyra månader hade vi lyckats rekonstruera akten, och i många fall förstärka den.

Samma dag som vi skickade in den till INS nåddes vi av beskedet: min gamla akt hade hittats.

– Det här är faktiskt inte riktigt klokt, sa mr Barrington. Den har hela tiden legat på fel skrivbord.

– Så vad händer nu? frågade jag.

– Det är dags att börja be till Gud om en hearing, sa advokaten.

SOMMAREN KOM OCH GICK, den var varm och härlig och barnen badade så gott som dagligen. Jag pratade med Hanna som berättade att vår bok gått upp till förstaplatsen på bestsellerlistan, och där låg den sedan kvar i många månader.

– Jag har börjat få massor med förfrågningar om hur ni har det, sa Hanna. Folk vill ha en uppföljare, en bok till som berättar hur det gick för er efter att ni lämnade Sverige.

– Tycker du vi ska göra en sådan? frågade jag.

– Det kan vi väl, sa Hanna, men jag tycker inte vi ska rusa iväg och skriva en bok till bara för att den första blivit en succé. Det viktigaste är att allting löser sig för er, och när du känner att det har ordnat sig så kan vi prata om saken. Förresten, känner du någon i Sundsvall?

– Sundsvall?

Jag tänkte intensivt några sekunder.

– Jag tror inte det, sa jag, hurså?

– Idag fick jag ett brev från en kille som tror att du är hans gamla kompis. Det var det tredje brevet den här månaden. Folk från hela Sverige tror att de känner dig, en del tror till och med att de själva är med i boken. Visst är det sorgligt?

Jag nickade ner i luren och satte mig vid köksbordet.

– Är det så vanligt? sa jag. Att någon tjej var ihop med en våldsam kille i mitten av åttiotalet och sedan bara försvann? Och ingen riktigt vet vad som blev av henne?

– Finns tydligen överallt, sa Hanna.

– Har någon hört av sig från min hemstad? frågade jag.

– Nix. Men jag har talat med din kontaktperson på socialtjänsten, de som letar efter dig har inte gett upp. Hotet mot er bedöms fortfarande som "oförändrat allvarligt".

Jag suckade och såg ut på gatan där Robin just nu åkte skateboard med Jack.

Så länge vi kunde stanna här så gick det an.

Anders stretade på med sin firma, för honom blev det inte någon semesterstiltje.

När hösten kom började hela samhället domineras av det stundande presidentvalet. Kampanjerna blev allt intensivare ju närmare valdagen i november närmade sig, både tv och tidningar och alla diskussioner folk emellan var fyllda av George W. Bush och Al Gore.

Jag försökte hålla mig utanför diskussionerna, för jag insåg att mina åsikter var ganska kontroversiella. Dessutom var jag här på nåder, så jag hade ingen talan.

En kväll i oktober, på väg till en informell träff med några styrelsemedlemmar från PTA, föräldraföreningen, kom ämnet naturligtvis upp. Vi satt och åt på en restaurang nere vid vårt köpcentrum, ett rustikt stekhus med små bås, soffor och grova träbord, fem kvinnor i ungefär samma ålder som bodde i samma område. Vi skrattade och skojade som vi brukade, alla tyckte till exempel att mitt sätt att hålla besticken var lustigt och charmigt, vilket alltid kommenterades.

– Hur bär du dig åt? sa de förundrat när jag höll gaffeln i vänsterhanden och kniven i höger och åt med bägge samtidigt. Alla amerikaner höll gaffeln i högernäven och åt ungefär som småbarn.

Ordföranden, Barbara, var en blonderad, kraftig kvinna som arbetade som läkarsekreterare. Hon hade en son som var lite äldre än Emma och Robin, han hade gått i samma skola ända från ettan, vilket var ovanligt.

– Nåväl, sa hon när hon sköt tallriken med resterna av en friterad kyckling ifrån sig. Nu får vi väl äntligen hoppas att vi slipper demokraterna ett tag. Det är verkligen otroligt skönt att bli av med den där buffelskallen Clinton.

– För att inte tala om hans häxa till fru, sa Barbaras kompis Melinda.

Barbara himlade med ögonen.

– Jag tror att Hillary skulle bli en utmärkt president, sa Carmen, en kvinna med rötter i Mexico som hade en flicka i Emmas och Robins klass. Hillary var ju en av USA:s mest framstående advokater innan hon blev First Lady, och med tanke på att hon framför allt arbetade för att förbättra situationen för kvinnor och barn så tycker jag det vore jättespännande om hon kunde kandidera nästa gång.

När hon slutade tala låg tystnaden alldeles tung över bordet. Både Barbara och Melinda såg ut som fågelholkar, Melinda hade dessutom fått små flammiga rosor på sina kinder.

– Du kan inte mena allvar, sa Barbara. Säg att du skojar.

Carmen drack upp sitt vatten i plastglaset.

– Inte alls, sa hon och snurrade omkring isbitarna i botten. Jag tycker det är dags för en kvinnlig president snart.

– Det är möjligt, sa Melinda, men inte Hillary Clinton. Allt hon gjorde i Washington misslyckades ju, precis allting! Och nu tror hon att hon ska kunna gå och bli senator i New York, vilket skämt!

Melinda och Barbara skrattade skadeglatt.

– Jag tror inte ni ska räkna ut henne som senator, sa Carmen, det skulle inte förvåna mig om hon grejar det. Och hon gjorde mycket nytta i Washington, var med och genomförde en hel del bra reformer. Och ska vi få en kvinna till makten så är det vi själva som måste hjälpa fram henne, det är så de gör i Washington.

– Jahadu, sa Barbara sarkastiskt, och det vet du?

– Madeleine Albright blev utrikesminister tack vare sitt kvinnliga nätverk, där Geraldine Ferraro och Hillary ingick, sa Carmen. Det är enda chansen för oss kvinnor att komma fram, att stötta varandra.

– Men Hillary Clinton är ju en maktgalen, frigid satkärring! utbrast Melinda.

Det blev alldeles tyst, till och med vid borden runt omkring hade samtalen avstannat. Alla stirrade på Melinda, även jag. Carmen började demonstrativt att plocka upp pengar för att betala sin del av notan och gå. Barbara, som var PTA:s ordförande och hade ansvaret för vår informella träff, drog ljudligt efter andan och letade desperat efter något att säga. Hon log forcerat, vände sig mot mig och sa:

– Maria, vad tycker du i den här frågan, du som är utlänning?

Jag tog upp min servett från knät och lade den på min tallrik.

– Jag tycker Carmen har alldeles rätt, sa jag. Jag tror Hillary Clinton skulle bli en alldeles utmärkt president. Hon har både intelligensen, den formella kompetensen och dessutom en brinnande passion för människorätt och rättvisa. Att kvinnor uttrycker en sådan inställning som du just gjorde, Melinda, tror jag är fullständigt förödande för oss alla.

Så tog jag upp min handväska och lade tio dollar på bordet.

– För övrigt hoppas jag bara att ni alla tänker efter ordentligt innan ni väljer president, sa jag, att ni funderar igenom vad som är värt något i livet. Vad är viktigast, att ni har kvarterets största bil eller att även arbetarklassen har möjlighet till sjukvård?

Jag såg mig omkring runt bordet, mycket medveten om att halva restaurangen lyssnade på oss.

– Är vi klara med vårt möte? undrade jag med lätt röst. Bra, då tror jag att jag måste dra mig hemåt.

– Jag med, sa Carmen och reste sig hon också, och så gjorde även den femte kvinnan vid bordet som inte yttrat sig alls, hon hette Tracy.

Barbara försökte le och säga något intetsägande och överslätande, men Melinda såg på mig med mord i blicken. Jag förstod att hon inte skulle kunna hålla sig, och det gjorde hon inte heller.

– Om du nu vet hur allting ska vara, ropade hon efter min rygg, vad gör du här? Varför åker du inte hem till ditt jävla kommunistland uppe vid Nordpolen?

– Vänd dig inte om, väste Carmen när hon såg att jag stannade. Gå på bara, skit i henne.

När vi kom ut ur restaurangen märkte jag att mina händer skakade.

– Vad obehagligt det var, sa jag.

– Nu gör vi så här, sa Tracy. Jag är ordförande i valberedningen, och på stämman i november kan vi låta bli att nominera Barbara och Melinda till styrelsen för nästa läsår, vad säger ni om det?

– Bra, sa Carmen kort.

– Melinda måste bort, sa jag, men Barbara gör ett hästjobb. Jag tycker hon kan vara kvar, men inte som ordförande. Carmen, skulle du ha tid?

– Barbara kommer aldrig att acceptera någon annan post än ordförandens, sa Carmen.

– Hennes problem, sa jag kort.

Och så kom det sig att vi, samtidigt som det amerikanska folket gick till urnorna för att välja president, kastade ut Melinda och kuppade ut Barbara som PTA:s ordförande och i stället valde den första mexikanskan i skolans historia.

Jul- och nyårshelgen passerade ganska obemärkt. Det hade snöat mycket och tidigt, Helen, Sandra, Valerie och jag pratade ihop oss och hjälptes åt att köra ungarna till snowboardbackarna. John var ofta bortrest, hans huvudkontor låg i New York och han tillbringade nästan hälften av sin arbetstid där. Anders jobbade också en del under helgen, och jag försökte upprätthålla någon sorts helgtradition som ingen brydde sig särskilt mycket om längre.

– Jag har fått brev från Rosana, sa Valerie en dag på väg hem från backen. Kommer du ihåg henne? Från Brasilien? Har två lite äldre killar?

Jag nickade, mamman med det långa svarta håret som alltid var så glad.

– Hur är det med henne?

– Colegio Inglese International har slagit igen, sa Valerie. Lauren Gardner körde skolan i botten. Tills slut fanns varken elever, lärare eller annan personal kvar. Hon hittade inte ens en köpare till lokalerna, så allting står tydligen bara och förfaller.

– Men det är ju förfärligt, mumlade jag.

Nyheten om skolans nedläggning gjorde mig nedstämd. Den hade varit en sådan central punkt i mitt och barnens liv så länge.

Andra veckan i januari ringde mr Barrington, och som alltid när han ringde tog mitt hjärta ett litet skutt, vad var det nu då?

– Maria, sa han allvarligt. Jag har ett viktigt besked att delge dig.

Mitt synfält krympte till en liten prick.

– Hearingen, sa jag. Vi får ingen hearing. De avvisar vårt fall.

– Fel, sa advokaten. Du och din familj är kallade till förhör inför en tjänsteman från INS i slutet av augusti. Gratulerar!

Jag tjöt rakt ut och tog några jublande jämfotahopp.

– Såja, såja, sa advokaten. Vi är inte där än.

– Men vi har kommit ett steg till på vägen! sa jag glädjestrålande.

– Fast kom ihåg att de kan säga nej.

Jag stelnade till, barnsligt nog hade tanken inte slagit mig.

– Är allt över då?

– Nej, ett negativt beslut kan överklagas. Det är inte säkert att de tar upp ditt fall igen, men har du tur så kan du få en riktig rättegång. Du kallas till en *court hearing*, en domstolsförhandling, då en domare från INS går igenom ditt fall.

– Om jag har tur, upprepade jag.

– Fast nu ska vi inte ta ut några sorger i förskott. Det är ju möjligt att det går vägen första gången. Grattis i alla fall!

Några veckor senare skulle jag få den första royaltyutbetalningen från Hannas bokförlag i Sverige. På ett år hade vår bok sålt i över trehundratusen exemplar bara i Sverige, och vår agent hade sålt rättigheterna vidare till Finland, Danmark, Tyskland och Holland. Jag förstod att det skulle bli en rejäl slant, men när jag fick bankbeskedet höll jag på att svimma.

En miljon svenska kronor, hundratusen US-dollar!

Jag var tvungen att sätta mig ner i tv-soffan.

Herregud, jag hade blivit miljonär!

– Det här är ju helt sjukt, sa jag högt för mig själv.

Hundratusen US-dollar! Visserligen skulle det bara bli hälften kvar efter att jag betalat den amerikanska skatten, men ändå!

Vi kommer att fixa det här, tänkte jag segervisst. Ingenting kan stoppa oss nu!

Men verkligheten hann ikapp oss, precis som så många gånger förr.

DET BÖRJADE EN SNÖGLOPPIG DAG i slutet av februari med att Robin kom hem från skolan och mådde illa. Jag hade varit hos Sandra, vi skulle äta lunch men hon blev dålig just när vi skulle iväg och var tvungen att stanna hemma.

– Det är vinterkräksjukan, sa hon. Jag förstod att jag skulle bli smittad, hela sjukhuset är fullt av den. Vi har fått stänga två avdelningar. Gå härifrån nu innan jag smittar dig också!

Jag undrade om det var något hon behövde, något jag skulle köpa åt henne, men Sandra bara viftade iväg mig innan hon sprang till toaletten och kräktes.

När så Robin kom hem och var illamående hade jag genast diagnosen klar.

– Vinterkräksjukan, sa jag. Kom så ska jag bädda ner dig. Ska jag ställa in en hink vid sängen?

– Jag har jätteont i magen, sa pojken och stöp framstupa i säng.

På kvällen kräktes han lite. Han hade feber, men inget alarmerande.

Nästa dag påstod han att han kände sig ännu sämre, jag tog tempen och granskade honom närmare. Han såg matt och sjuk ut, men magsjuka är ju bland det värsta man kan ha. Jag vispade kolsyran ur coca-cola och matade honom med en tesked, men han fick inte behålla minsta droppe.

På kvällen var jag rejält orolig och ringde Sandra för att fråga vad jag skulle göra, men det var Lindas barnvakt som svarade och sa att

Sandra jobbade natt och skulle komma hem klockan åtta i morgon bitti.

– Så hon är redan frisk? frågade jag.

– Tydligen, sa barnvakten.

Den natten sov jag oroligt. Om Sandra var frisk och kunde jobba så snart efter sin sjukdom, borde inte Robin ha varit på bättringsvägen nu?

Kvart över åtta nästa morgon fick jag fatt i en uttröttad Sandra som genast kom över för att titta till Robin.

Pojken var alldeles grå i huden. Ansiktet hade sjunkit ihop, blicken var dimmig.

– Han måste till en doktor, sa Sandra efter att känt på hans panna och klämt på hans mage. Nu, Mia. Åk på en gång.

Jag hjälpte pojken på med kläderna, fick ut honom i bilen och körde till en allmänläkare längre ner på gatan. Där var kön redan lång och vi fick sätta oss i hörnet i det stora väntrummet. Robin satt lutad mot mig, han kändes allt varmare ju längre tiden gick, och efter någon timme viskade han:

– Mamma, nu orkar jag inte längre.

Sedan sjönk han ihop i min famn.

Jag lade ner pojken på soffan och gick till receptionen.

– Min pojke är jättesjuk, sa jag. Han måste träffa läkaren, nu!

Receptionisten såg upp på mig med lätt irritation.

– Nu! ropade jag. Han har svimmat på soffan. Ni måste hjälpa mig!

Och utan att vänta på henne sprang jag bort till Robin, fick upp honom på fötter och släpade bort honom mot undersökningsrummen.

– Vänta, sa mottagningssköterskan, ni kan komma den här vägen.

Hon ledde in oss i ett kalt litet rum, och bara någon minut senare kom läkaren in. Han gick rakt fram till Robin, undersökte honom snabbt och tog mig sedan åt sidan.

– Nu ska du ta det lugnt, sa han, men din son måste opereras, omedelbart. Jag ber sköterskan ringa efter en ambulans. Ni måste åka genast.

Jag tryckte undan paniken.

– Vad är det för fel på honom?

– Blindtarmen, sa läkaren. Den kan brista när som helst, det handlar om minuter.

Ambulansen kom och jag fick sitta bak med Robin medan den körde med tjutande sirener mot stadens sjukhus. Alltsammans kändes som en mardröm, hur kunde det här hända?

Framme vid akutintaget rullade de ut Robin på en bår, och innan jag hann säga något hade de kört iväg med honom och börjat göra honom klar för operation.

En kvinna i vit rock tog mig åt sidan och sa:

– Hur har ni tänkt betala?

– Kommer han att klara sig? frågade jag och trodde att jag kanske skulle svimma, jag också.

– Ni hade ingen försäkring, så jag måste veta innan vi sätter igång. Kontant, check eller kreditkort?

Jag stirrade på kvinnan.

– Vad?

– För operationen. Den kostar tiotusen dollar.

Jag tog upp checkblocket ur min handväska, och med händer som darrade så att jag knappt kunde hålla pennan skrev jag ut en check till kvinnan.

Då log hon.

– Tack, sa hon. Nu kan ni komma den här vägen.

I fem timmar satt jag i en korridor utanför operationsavdelningen. Jag kunde inte gråta, mitt inre var helt förlamat.

Sent på eftermiddagen kom en läkare ut och satte sig bredvid mig. Hans ansikte var fårat och allvarligt.

– Blindtarmen hade brustit, sa han. Det var därför det tog sådan tid. Jag hoppas att jag hittat allt, men jag kan inte vara hundraprocentigt säker.

– När får han komma hem? frågade jag med en röst som var liten och darrande.

Läkaren tog min hand.

– Mrs Eriksson, sa han lågt, vi vet inte om han klarar sig.

Jag började gråta, tårarna bara rann nedför mina kinder.

– Tack, sa jag svagt. Tack för att ni försöker.

Han klappade min hand och gick tillbaka in på operationsavdelningen.

Några timmar senare fick jag gå in till Robin. Han låg i ett enskilt rum, såg så liten ut i sjukhussängen. Runt omkring honom stod maskiner som blinkade och blipade, han hade slangar och elektroder överallt. En sköterska stod bredvid och skruvade på ett dropp.

– Är han vaken? frågade jag.

– Han börjar komma till nu, sa sköterskan.

Jag gick fram till pojken, strök honom över pannan och viskade:

– Robin, hallå, hur är det?

Han slog upp ögonen och stirrade på mig med glasartad blick.

– Jag vill inte, sa han.

Jag drog till mig en stol utan att sluta titta på honom.

– Det är mamma, sa jag. Jag är här nu. Du kommer att bli bra, du ska bara vila lite.

Men Robins ögon rullade runt i huvudet, han stönade högt och sedan gled han bort.

– Kan jag stanna här i natt? frågade jag sköterskan.

Hon nickade.

Dag och natt vakade jag vid Robins sjuksäng. Pojken gled in och ut ur medvetslöshet, de gånger han var vaken så yrade han. Febern ville inte vika, den pendlade mellan 40 och 41 grader. Jag tror inte han kände igen mig en enda gång, men jag släppte honom inte. Jag läste för honom, sjöng lite, spelade låg musik.

När tre veckor gått kom läkaren som opererat honom in på rummet och bad mig komma med honom så att vi fick prata.

– Han klarar inte detta länge till, sa läkaren. Vi måste öppna honom igen.

– Öppna?

– Vi har kallat in en specialist från delstatshuvudstaden som kommer hit och opererar din son igen i morgon bitti. Jag behöver bara ha ditt godkännande.

Av någon anledning tvekade jag.

– Är det absolut nödvändigt?

– Jag bedömer att din pojke inte lever veckan ut som det ser ut nu. Om han ska klara sig måste hans tillstånd förbättras, och det måste ske omgående.

– Kommer han att bli bra om ni öppnar honom igen?

– Jag ska vara alldeles uppriktig, sa läkaren. Vi vet inte om han överlever en operation till.

Jag stirrade på läkaren och lät orden sjunka in.

– Jag ger mitt tillstånd i morgon, sa jag. Jag vill bara prova en sak till först.

När läkaren gått ringde jag till pastorn i vår församling och sa som det var.

– Jag behöver hjälp. Min pojke håller på att dö. Kan ni be för honom?

Pastorn tvekade inte ett ögonblick.

– Låt mig ringa ett samtal, sa han. Jag är på sjukhuset om tio minuter.

Han hade med sig sin kollega när han kom.

– Vi har ringt och bett församlingen be förböner för Robin i natt, sa han.

Sedan böjde han och kollegan knä vid Robins säng och började bedja. Jag ställde mig bredvid dem och knäppte mina händer jag också.

Käre Gud, bad jag. Om du ska ta Robin ifrån mig, så gör det nu. Låt honom inte plågas mer.

När gryningen kom ändrades signalerna och blinkningarna på apparaterna i rummet. Sköterskan sprang upp, tände lamporna och satte igång att läsa av alla siffror och kurvor.

Febern gick ner, värdena stabiliserades.

Klockan sex slog Robin upp ögonen, såg sig omkring och sa:

– Hej mamma.

– Hej, viskade jag och strök honom över håret. Kul att se dig!

Fem dagar senare fick han lämna sjukhuset, utan att opereras igen.

De följande veckorna var pojken svag och matt, men efter någon månad började han få färg på kinderna. Kläderna hängde fortfarande på honom, han hade gått ner närmare tio kilo under sin sjukdom, men när våren och värmen kom blev det fart på honom igen.

Robins sjukdom hade varit ett riktigt skrämskott. Ett litet tag hade jag inbillat mig att allt skulle gå som på räls, att mitt liv skulle bli en leende solskenshistoria med hälsa, pengar och frihet.

Men vad spelade pengar för roll om något hände mina barn? Vad betydde ett amerikanskt uppehållstillstånd om det inte vore för Emma och Robin? Operationen och Robins eftervård kom att kosta femtontusen dollar. Advokat Barrington skulle ha en stor del av pengarna som var kvar, så det fanns inte utrymme för några extravaganser eller större inköp.

Däremot fanns inget som hindrade mig från att drömma.

Den sommaren prospekterades ett nytt bostadsområde strax norr om vår förort. På en kulle där det tidigare vuxit snårskog grävdes vattenledningar ner, elledningar drogs fram, gator anlades. Här skulle över hundra villor byggas, alla med egen trädgård på baksidan. Byggföretaget hade stora annonser i lokaltidningen, med ritningar och prisuppgifter och information om alla val som husköparna kunde vara med och påverka.

– Skulle det inte vara fantastiskt att bygga ett nytt hus? sa jag och visade annonsen för Anders. Tänk, att vara med från början och välja golv och tapeter och köksmaskiner.

En kväll körde vi upp till kullen och tittade på området.

Överallt stod schaktmaskiner, grävskopor, cementblandare och stora containrar med byggmaterial. Det som skulle bli gator i framtiden var fortfarande dammiga grusvägar, men på vissa ställen hade man satt upp provisoriska gatuskyltar. Infartsgatan hette Midnight Way, Midnattsvägen.

– Låter det inte vackert? sa jag till Anders.

På vissa ställen, framför allt på hörntomterna, hade husbyggena påbörjats. Små skelett i trä eller betong reste sig mot kvällshimlen, här och var såg vi människor som arbetade på sina kåkar.

Längst bort i området låg en väg som kallades Sunrise Street, Soluppgångens gata. Här hade inga byggnationer påbörjats, tomterna närmast stan var förmodligen de attraktivaste.

– Tänk att bo på Soluppgångens gata, sa jag. Skulle man inte vakna lycklig varenda dag?

Trots insikten om mitt tidigare övermod kunde jag inte låta bli att räkna och planera.

Vad skulle det kosta att bygga ett hus uppe på kullen?

Jag talade med Hanna, vår bok bara sålde och sålde, snart hade människor köpt en halv miljon exemplar av den.

Jag skulle få fler royaltyutbetalningar.

Om vi valde ett enkelt och billigt hus, utan exklusiva tillval, så skulle vi kanske ha råd.

En dag i slutet av juli tog jag kontakt med byggmästaren och bad att få information om vilka tomter som fanns kvar och vad de skulle kosta. Tillsammans med byggherren åkte jag och Anders dit och tittade runt, det visade sig att nästan alla hus redan var sålda.

– Här borta finns det några kvar, sa han och körde in på Sunrise Street.

Medan bilen rullade grusvägen fram pekade han ut plättarna för mig.

– Kan du stanna till? sa jag och tittade ut på en liten tomt till höger. På bägge sidor om den hade byggena påbörjats, men den här var fortfarande bara en stor grushög.

– Nummer 1256, sa byggherren sedan han konsulterat områdesplanen. Den är fortfarande ledig, kostar femtontusen.

– Och med ett färdig hus på? frågade Anders.

– Beror på vilken typ du väljer. Ett litet enplans, runt sjuttiofem. Med ett större, tvåplans, ungefär det dubbla.

Trekvarts miljon kronor för ett nytt litet hus! Tänk, om det kunde vara möjligt!

Vi tittade på varandra, och jag såg i Anders ögon att han tänkte detsamma som jag.

Den kvällen satt vi länge uppe med vår miniräknare och kalkylerade vad det skulle kosta oss att bygga nytt. Det slutade med att vi tog ett beslut: vår hearing på INS var bara några veckor bort. Om vi fick uppehållstillstånd och tomten fortfarande var till salu skulle vi lägga ett anbud på den.

Sedan älskade vi, för första gången på många månader.

I slutet av augusti var det dags att köra till delstatens huvudstad för vår hearing på immigrationsmyndigheten.

Myndighetens kontor låg strax intill ett industriområde i utkanten av staden. Vi anmälde oss i receptionen och visades in i ett litet rum alla fyra.

Efter en stund kom en jäktad tjänsteman in, han tog i hand och satte sig sedan ner och bläddrade i våra papper i bortåt en kvart.

– Jaha, sa han sedan och harklade sig, jag har tagit del av alla era handlingar och kunnat göra mig en ganska bra bild av er situation. Var bor ni nu?

Jag svarade att vi hyrde ett hus i en stad i delstaten.

Han frågade var barnen gick i skola, hur vi försörjde oss, vad vi planerade för framtiden.

Vi sa precis som det var, att jag fick royalty från en bok, att Anders hade en firma och att vi hoppades att vår framtid skulle fortsätta ungefär så.

Mer var det inte, och det var med en lätt snopen känsla vi lämnade immigrationsmyndighetens kontor.

Något besked fick vi inte, det levererades med post till vår advokat någon vecka senare.

– Det verkar ha gått bra, sa mr Barrington. Jag har fått ett preliminärt besked om att asylskälen har godkänts.

– Men? sa jag, för jag hörde en tvekan i hans röst.

– Vi har inga gröna kort ännu, sa han, fast jag tycker ändå ni ska glädjas över det här beskedet. Grattis, Maria!

Den kvällen firade vi genom att äta på stekhuset nere i köpcentrumet, men vår lycka blev kortvarig.

Året var 2001, och ett par dagar senare var det den 11 september.

JAG HADE KÖRT ungarna till skolan och höll på att diska undan frukosten när Hanna ringde.

– Ser du på tv? frågade hon.

– Hej på dig också, sa jag.

– Slå på tv-n, sa Hanna, skynda dig.

– Vad är det? sa jag, och ännu kände jag den inte, ännu anade jag inte rädslan som skulle koppla sitt strypgrepp på mig och hela landet i månader framöver.

– Ett plan har kört in i ett av tvillingtornen på Manhattan, sa hon.

– Ett flygplan? sa jag skeptiskt. I ett hus? Hade det kört fel, eller?

– Ingen aning, sa Hanna, jag tror inte det är någon som vet. Har du fått på tv-n?

Jag gick runt med min bärbara telefon i huset, bort till soffan och tryckte på tv-ns fjärrkontroll.

Rutan fylldes av bilden av en brinnande skyskrapa.

– Herregud, sa jag. Det är ju World Trade Center!

Vår granne Johns huvudkontor låg där. Bilden på min tv visade tornen från långt håll, och medan jag stirrade på den hemska, direktsända bilden kom ett passagerarflygplan flygande in från vänster och körde rakt in i det andra tornet, flygplanet gled långsamt in i byggnaden och allting exploderade och Hanna skrek i luren:

– Såg du det? Såg du vad fan som hände? Det kom ett plan till, herregud! Herregud! Vad är det som händer?

Jag snappade efter luft, var tvungen att sätta mig i soffan och tog ett hårdare tag om telefonen.

– Du, sa Hanna, jag ringer sen.

Och så lade hon på.

Jag vet inte hur länge jag satt kvar med luren i ena handen och fjärrkontrollen i den andra och stirrade på bilderna av de brinnande byggnaderna. Samtidigt som det första tornet rasade samman öppnades dörren och Anders kom inspringande. Utan ett ord sjönk han ner bredvid mig i soffan och stirrade på de obegripliga bilderna. Vi såg det enorma, grå rökmolnet från den pulvriserade skyskrapan rulla ut över Manhattan, och på något sätt var det som om det nådde ända hit till oss där vi satt, för luften blev tjockare och svårare att andas.

Så ringde telefonen, det var från skolan, all undervisning var inställd på obestämd tid. Som i en mardröm reste jag mig och gick ut, körde iväg i bilen och hämtade barnen. Det var som om världen hade stannat runt omkring mig. Dagen var fantastiskt vacker med strålande solsken och ljumma sydvindar. Det var nästan ingen trafik på gatorna, de få människor jag såg rörde sig långsamt och utan att se upp.

Vid skolan var det mycket folk, men ingen trängdes eller knuffades, vilket alla alltid gjorde i vanliga fall. Barnen hoppade in i bilen, storögda och vaksamma.

– Vet de vem som har gjort det? frågade Emma.

Jag skakade på huvudet och körde hem.

Sedan satt vi vid tv-n hela dagen och långt in på kvällen. Alla kanaler sände samma bilder hela tiden, all reklam hade utgått. Över hela landet gällde Red Alert, krigstillstånd. Alla flygningar ställdes in, hela Amerika stängde.

Bortåt midnatt gick jag ut med soporna, sedan ställde jag mig att titta upp på den klara stjärnhimlen. Jag frös lite, det kändes i luften att det höll på att bli höst.

Vilken förfärlig dag, tänkte jag, vilken ofattbar tragedi. Livet skulle aldrig bli detsamma för någon av oss.

Då hörde jag plötsligt någon som snyftade i närheten. Jag såg mig omkring i mörkret och tyckte mig urskilja en figur på grannhusets veranda.

– Helen? sa jag. Är det du?

Figuren svarade inte, så jag gick dit.

Hon satt hopkurad i hammocken med armarna hårt lindade runt benen, gungade långsamt fram och tillbaka samtidigt som hon grät och kved.

– Men Helen, sa jag, vad är det?

– John, sa hon. Han hann inte ut.

– Åh Gud, flämtade jag och sjönk ner bredvid henne.

– Jag pratade med honom, sa hon, jag hade honom i min telefonlur, han sa att brandmännen var på väg upp men så var det något som lät, det kom ett muller ovanifrån, han sa att han älskade mig och barnen och sedan blev det tyst, och så såg jag på tv-n, Mia, och tornet rasade, det föll ihop och John var där inne, Mia, John var där inne, det brann och han sa att han älskade mig och barnen, att jag skulle ta hand om barnen...

Hon tystnade, men fortsatte att gunga och för första gången på den långa hemska dagen började jag gråta.

– Åh Helen, sa jag när jag samlat mig, så ofattbart gräsligt. Finns det något jag kan göra för dig, ska jag hjälpa dig med barnen, är det någon jag kan ringa?

– Sitt hos mig en stund, sa Helen.

Och det gjorde jag.

I en vecka var USA fullständigt stillastående, paralyserat av chock. Det var som om all glädje och skönhet försvunnit från jorden. Människor talade inte längre med varandra på gatorna. Alla som rörde sig utomhus gick framåtlutade med tysta, snabba steg. Alla ordinarie tv-program utgick den här veckan, det enda som bevakades var de förfärliga konsekvenserna efter terroristdåden med de fyra kapade passagerarplanen.

Jag märkte också, mycket tydligt, hur attackerna påverkade vår familj.

Emma slutade nästan äta, jag fick lirka och locka, och lagade det godaste hon visste för att få henne att röra maten. Anders intog sin gamla invanda position framför tv-n och körde upp och ner bland kanalerna dagarna i ända. Robin blev retlig och ramlade av cykeln och skateboarden, han slog sig rejält och var helt otröstlig efteråt.

Själv drabbades jag av ett gammalt symptom som jag nästan lyckats glömma bort: mina gamla mardrömmar kom tillbaka. Varje natt gled den svarta skuggan ljudlöst genom mitt sovrum i radhuset hemma i Sverige, lutade sig över mig i sängen, lade sina torra händer runt min hals och kvävde min andning. Varje natt vaknade jag med stålringen runt min hals, vettskrämd och hyperventilerande.

Veckorna gick utan att situationen förbättrades, vare sig i samhället runt omkring oss eller i min egen familj.

Och så i mitten av oktober kom nästa dråpslag.

– Jag har tråkiga nyheter, sa advokat Barrington försiktigt. Det positiva beslut vi fått från INS är felaktigt. Myndigheten har precis meddelat att hela ert ärende måste göras om, från början.

– Det är inte sant, stönade jag.

– Rädd för det, sa mr Barrington. Nu har de kommit på att ett ärende av din karaktär inte kan tas på tjänstemannanivå. Det vilar på felaktig grund, påstår de, så vi är tillbaka på ruta ett.

Jag sjönk ihop vid köksbordet och lade handen över ögonen.

– Elfte september, sa jag. Det här drabbar inte bara oss, eller hur?

– Jag tror du har slagit huvudet på spiken, sa min advokat. Jag misstänker att vartenda pågående ärende på hela INS kommer att tas om från början. Du har otur, Mia.

Jag tänkte på Helen och hennes fyra faderlösa barn.

– Nej, mr Barrington, sa jag. Jag har tur. Jag lever och mina barn är friska.

– Maria Eriksson, sa mr Barrington, från och med nu kan du kalla mig Carl.

– Tack för att du ringde, Carl, sa jag.

Och sedan lade jag ner luren och grät och grät och grät.

På kvällen berättade jag för barnen att det fortfarande inte var klart att vi fick stanna i USA, att det skulle ta längre tid än vi trott att få våra gröna kort.

Då reste sig Emma från bordet och gick och lade sig på sin säng och svarade inte när jag pratade till henne.

Johns kvarlevor hittades aldrig, hans minnesgudstjänst hölls i kretsen av de allra närmaste.

Någon vecka in i november ringde Helen på vår dörr, hon var blek och hålögd och hade sin minsting på armen.

– Jag vill bara tacka för allt, sa hon, tacka och säga farväl. Vi åker nu.

– Ska ni flytta? sa jag förvånat. Vart?

– Jag åker tillbaka till min hemstat, sa Helen. Till en början ska jag bo hos mina föräldrar, sedan får jag se.

– Men barnen, sa jag perplext, de har sin skola här, och alla kompisar!

– Jag är ledsen, Mia, sa hon och sedan vände hon sig om och gick bort mot sin överlastade jeep.

Jag visste att Helens barn inte gått i skolan sedan 11 september, och jag misstänkte att mina barn inte heller visste om att familjen skulle lämna vår stad.

När jag hämtat Robin och Emma från skolan bad jag dem sitta

ner i soffan tillsammans med mig.

– Det är en sak jag måste berätta för er, sa jag. Charlene och Jack har flyttat. De har åkt till sin mormors delstat och ska stanna där ett tag.

Båda barnen tittade spänt på mig.

– Men, sa Robin, när kommer de tillbaka?

– Jag vet inte, sa jag och smekte honom över håret.

– Men, sa pojken, Jack har mitt gameboyspel!

– Vi ska naturligtvis skriva till dem, och kanske åka och hälsa på dem…

Emma vände sig bort, hon rullade ihop sig i fosterställning på soffan och verkade inte höra vad jag sa.

Hela kvällen låg hon där utan att reagera på tilltal. Hon såg inte åt maten, och när det var dags att gå och lägga sig fick jag klä av henne och hjälpa henne på toaletten innan jag bäddade ner henne i sängen.

Den natten sov jag ingenting. I stället lät jag minnena komma tillbaka, jag släppte fram de förfärliga månaderna från början av nittiotalet när Emma tog avstånd från livet och nästan lämnade oss.

Det här gången skulle det inte få gå så långt, bestämde jag.

Nästa morgon fick Anders ta Robin till skolan medan jag tog upp Emma ur sängen, duschade henne och kammade hennes hår, klädde på henne och ledde henne till frukostbordet.

– Vill du ha macka med jordnötssmör och sylt? frågade jag, och när jag inte fick något svar gjorde jag smörgåsen ändå. Sedan ställde jag fatet framför flickan, gjorde varm mjölkchoklad till henne och kaffe till mig själv.

När Anders kom tillbaka ledde jag ut henne till bilen och körde iväg till en psykiatrisk akutmottagning. Efter bara en liten stund fick vi komma in till en barnpsykolog, och medan Emma låg på en säng i rummet intill förklarade jag situationen för honom.

Jag fick gå ut i väntrummet medan han var ensam med Emma i en timme. Under tiden gjorde jag upp om betalningen med sköterskan i receptionen.

Efteråt kallade läkaren in mig på sitt kontor.

– Vad är det som händer med Emma? frågade jag. Varför reagerar hon så här?

Barnpsykologen betraktade mig vänligt.

– Det är hennes sätt att överleva, sa han. Hon lärde sig detta som litet barn. När hon utsätts för fara och katastrofer stänger hon världen ute och går in i sig själv.

Jag kände strupen snöras samman men bestämde mig för att inte gråta.

– Jag förstår, sa jag. Vad ska jag göra?

– Samma sak som du gjorde förra gången det här inträffade. Vägra acceptera hennes tillstånd, behandla henne precis som vanligt.

Jag tog några djupa andetag för att lugna ner mig.

– Kommer hon att bli bra igen?

Läkaren såg bekymrat på mig några sekunder.

– Du säger att flickan kommit tillbaka från det här tillståndet tidigare, men jag ska vara alldeles uppriktig och säga som det är: det är inte säkert hon gör det den här gången.

Jag pressade samman läpparna och nickade.

– Jag skulle vilja lägga in henne här på kliniken för att kunna...

– Nej, avbröt jag. Nej. Hon ska inte läggas in. Hon ska vara hemma, jag ska sköta henne hemma.

– Om flickan inte börjar äta och dricka snart måste hon få näring intravenöst, sa läkaren.

– Hon kan få dropp hemma, sa jag. Min väninna är sjuksköterska, hon kan hjälpa mig.

Läkaren såg på mig, länge.

– Nåväl, sa han. Vi kan prova och se. Men jag behöver träffa Emma varje dag från och med nu.

Veckorna som följde minns jag som i en mardrömslik dimma.

All min tid ägnade jag åt Emma. Jag skötte henne som ett spädbarn, tvättade henne och klädde henne, borstade hennes hår och gjorde fina flätor. Varje måltid fick hon en egen tallrik, trots att hon aldrig rörde maten. Jag sjöng för henne och läste för henne, och i botten av våra lådor ute i förrådet hittade jag den gamla videon med Askungen som vi haft med oss i alla år, och den tittade vi på, igen och igen.

Varje dag kom Sandra förbi och bytte näringsdropp på flickan. Sedan åkte jag in till den psykiatriska mottagningen så att Emma fick träffa barnpsykologen. Jag vet inte vad han sa åt henne eller vad han gjorde med henne, jag fick inte vara med. Om det hjälpte eller inte kommer jag aldrig att få veta, men efter en månad sträckte hon sig plötsligt efter ett salt litet kex som hon åt upp.

Den eftermiddagen, när vi såg på Askungen, började hon nynna med i sången, bibeti babeti booo.

Samma kväll drack hon coca-cola och åt litet potatismos, och innan hon gick och la sig borstade hon tänderna. Själv gick jag bort till Sandra och grät av lättnad i hennes kök tills klockan var långt efter midnatt.

Emma kom tillbaka till livet ännu en gång, men under tiden jag varit fokuserad på min flicka hade Anders släppt taget om tillvaron.

Han satt i soffan och såg på tv dagarna i ända, hävdade att hans business dött efter terrorattackerna, och det är fullt möjligt att han hade rätt. Hur som helst gjorde han inte mycket för att förbättra situationen, och framemot jul hade han inga kunder kvar.

Vi avregistrerade firman utan skulder den tredje veckan i januari 2002.

Emma hade kommit efter i skolan under sin sjukdom, hela våren hjälpte jag henne att läsa ifatt det hon missat. Robin och hans kompisar tillbringade alltmer tid framför min dator, de älskade spel och dataprogram, jag fick ofta köra ut dem ur huset så att de skulle få frisk luft.

Anders blev allt tvärare. Han vägrade resa sig ur soffan, och de gånger han gjorde det gick han till hätska angrepp mot mig. Jag försökte få honom att hålla tyst när barnen var hemma, men han visade ingen sådan hänsyn.

– Du som är så jävla duktig, kunde han säga, hur kommer det sig att du inte kunnat fixa ett bättre hus än det här?

I början försökte jag resonera med honom, fråga honom vad det var med huset som han inte tyckte om, kanske fanns det något vi kunde åtgärda.

Men alla sådana kommentarer från min sida gjorde bara saken ännu värre.

– Det är ett jävla råtthål, sa han, det är vad det är. Det kan inte ens du göra något åt, eller har du hittat ett trollspö någonstans?

När vår Honda fick punktering skällde han ut mig inför grannarna för att det var min kompis som fixat bilhandlaren som sålde bilen till oss för fyra år sedan.

Maten jag lagade kunde han plötsligt inte äta, åtminstone inte tillsammans med oss. Han satt inne i vårt sovrum medan jag och barnen åt middag, han kom ut efter att vi var klara och klagade alltid på det jag lagat.

– Mitt liv är piss, kunde han säga. Jag hade allt man kunde önska sig hemma i Sverige, och se på mig nu. En jävla asylsökande som bor på nåder i USA, vad är det för tillvaro?

Det fanns ingenting jag kunde säga, för någonstans hade han ju rätt.

Att han frivilligt följt med mig under alla år var inget argument.

Ibland var jag tvungen att gå ut ur huset bara för att komma ifrån hans pikar och kommentarer. En härlig vårkväll när han varit särskilt sur körde jag upp till kullen norr om staden där det nya bostadsområdet låg.

Byggena verkade ha stannat av nästan helt och hållet. Jag hade läst om det i tidningen, att byggmarknaden dött efter 11 september. Långsamt kryssade jag runt bland de halvfärdiga husen tills jag kom till Sunrise Street, Soluppgångens gata. Nummer 1256 var fortfarande tom och öde, av någon anledning fick det mig att gråta. Vi hade aldrig lämnat in något anbud på den lilla tomten, och tydligen ingen annan heller. Den var ensam och oönskad, precis som jag.

Och i ett anfall av sentimentalitet kom andra tankar för mig, bilden av Manuel utanför bussfönstret i Quillota när jag lämnade honom för alltid, mina föräldrars oroliga blickar den sista julen i Sverige.

– Skärp dig, sa jag till mig själv och torkade ilsket mina tårar.

Självömkan hade aldrig åstadkommit något gott.

Jag körde hem och städade badrummet i stället.

Hela sommaren gick utan att vi hörde någonting från INS, men i september ringde Carl Barrington med viktiga nyheter.

– Du är kallad till en court hearing den 25 februari nästa år, sa han.

Jag blev genast ängslig, *court* betydde ju domstol.

– Vad innebär det? frågade jag.

– Att du får en riktig rättegång där hela ditt fall gås igenom inför en immigrationsdomare. En court hearing är den sista instansen för asylärenden, beslutet kan inte överklagas. INS tänker inte göra något misstag den här gången, det kan du skriva upp. De kommer att gå igenom vartenda bevis vi lämnar in med både förstoringsglas och lupp.

– Är det verkligen bra? frågade jag oroligt.

– Bra? Flicka lilla, det är alldeles utmärkt! Det är verkligen inte alla som får en court hearing, nu kan vi åtminstone vara säkra på att inget är lämnat åt slumpen.

Jag kände hjärtat banka, kunde inte hjälpa det.

– Finns det något jag kan göra? undrade jag.

– Jag tycker vi träffas en månad före huvudförhandlingen och går igenom vad som kommer att hända, sa Carl Barrington. Innan dess tycker jag inte att du ska bekymra dig om det här. Ta hand om man och barn så ses vi i januari!

Vi lade på, och jag bet ihop käkarna.

Ta hand om man och barn.

Förmodligen hade jag tagit alltför mycket hand om man och barn, det var nog det som var felet med mitt liv.

Hösten fortsatte ungefär som våren, med den skillnaden att Anders tystnade helt och hållet. Han svarade inte längre när jag talade till honom, jag var som luft för honom. Mest led jag för barnens skull, han brydde sig inte längre om varken Emma eller Robin, och särskilt pojken for väldigt illa av det. Han behövde sin pappa, men när jag försökte ta upp det med Anders såg han på mig med avsmak och gick ut ur rummet.

När julen närmade sig insåg jag att vårt äktenskap snart var slut. Vi hade varit med om sådana oerhörda prövningar tillsammans, och jag hade inte klarat dem utan honom, men nu var vår tid nästan ute. Jag kände det, och trots att vi inte talade om det visste jag att han kände likadant.

Vi hade inte älskat sedan den sommarnatten 2001 när vi planerade att lägga anbud på tomten på Sunrise Street, det var ett och ett halvt år sedan. Han ville inte ha mig längre, och det gjorde så förfärligt ont.

När julen kom flyttade han in sin tv i sovrummet och sedan satt han där.

Då gick jag ut och köpte en storbilds-tv i julklapp till mig och barnen.

Det var den första lyxartikel jag unnat mig på närmare femton år, och det kändes väldigt bra.

ANDRA VECKAN I JANUARI 2003 skulle jag träffa advokat Barrington på hans kontor.

Det var fortfarande mörkt när jag satte mig i bilen för att köra de trettiotvå milen till delstatens huvudstad. Vid det här laget hade jag åkt vägen så många gånger att jag kände till alla kurvor och avfarter liksom matsedeln på kafeterian uppe i bergen.

Jag var framme en halvtimme före utsatt tid och tog en mugg med kaffe i delikatessbutiken nere i lobbyn innan jag åkte upp till sjunde våningen.

Lindsay kramade mig i dörren, Carl Barrington tog emot mig med utsträckt hand och sin vanliga, kluriga blick.

– Du har en hel del arbete framför dig, kära mrs Eriksson, sa han och öppnade dörren till sitt kontor.

Solen hade gått upp och lät sina guldfärgade strålar glittra i rummets tunga möblemang. Runt omkring oss reste sig staden i all sin oåtkomliga mäktighet. Skulle jag någonsin, på allvar, kunna bli en del av detta?

– Nu gäller det, Maria, sa han och visade mig till en besöksstol. Bara fem veckor kvar, är du laddad?

Jag nickade och försökte le lite.

Advokat Barringtons busighet sjönk undan och han såg med ens mycket allvarlig ut när han satte sig bakom sitt skrivbord.

– Den 25 februari kommer du att få veta om du får stanna i USA eller ej, sa han. Rättegången kommer att hållas i en domstol här i staden, förhandlingen börjar klockan ett på eftermiddagen och du kommer att gå in i rättssalen tillsammans med mig och Lindsay. Din familj får vänta utanför, okey?

Han väntade tills jag nickade.

– Asylskälen gäller dig och barnen. Om rätten godkänner dem får Anders uppehållstillstånd på grund av familjeanknytning, förstår du?

Jag nickade igen.

– När förhöret väl har börjat kan vi inte längre hjälpa dig, sa advokaten. Jag kommer att sitta bredvid dig, men jag kommer inte att tillåtas svara på några frågor eller hjälpa dig om du tvekar. Det är du själv som måste lägga fram hela ditt fall för rättens ordförande, och då menar jag inte bara de personliga aspekterna av historien.

Han tog upp en enorm lunta ur en av sina skrivbordslådor, en tjock mapp mellan svarta pärmar.

– Det här, sa han, är ditt fall. Det här är det arbete vi har lagt ner på byrån och som vi delgivit rätten. Det innehåller inte bara det som gäller just dig och dina erfarenheter, det är också en noggrann genomgång av det svenska rättssystemet, utdrag ur domstolsprotokoll, flera akademiska studier om kvinnovåld och rättssäkerhet både i Sverige och USA, utdrag ur böcker och kommissionsrapporter. Du kommer att hitta svenska och engelska tidningsartiklar som behandlar allt från religiösa frågor, kulturkrockar och hur barn påverkas av våld i hemmet. Här finns rapporter både från Amnesty International, WHO och det amerikanska utrikesdepartementet.

Han sköt den stora mappen framför sig över skrivbordet, bort till mig.

– Lär dig det här utantill, sa han. Du kommer att få frågor på precis alltihop.

Jag stirrade på pappersbunten innanför de vaxade, svarta pärmarna, herregud!

– Vad tror du? sa jag med skärrad röst och tvingade mig att titta upp på honom. Tror du att jag klarar det?

Nu log han lite.

– Det är jag övertygad om. Frågan är om det räcker. Ditt fall är mycket kontroversiellt, ingen har någonsin fått uppehållstillstånd här i USA av de skäl du åberopar. Om du vinner är det sensationellt, INS måste vara medvetna om det.

Jag hittade inga ord, stirrade bara på handlingarna.

– Lägg detaljerna på minnet, sa Carl Barrington. Försök memorera när och var saker hände, vem som har sagt och skrivit vad och i vilket sammanhang. Det räcker inte att du övertygar rättens ordförande om ditt eget skyddsbehov, du måste också förklara hur det samhälle ser ut som du flytt ifrån. Men det finns där, alltihop.

Han pekade på bunten.

– Slå upp första sidan så ska jag berätta hur den är uppbyggd.

Jag drog bunten intill mig och vände upp första sidan. Översta dokumentet var en *Annotated list of exhibits,* en översikt av de bevis vi åberopade. Sextiotre olika rapporter, dokument, kopior, domstolsutdrag, sjukhusjournaler, läkarintyg, polisanmälningar, utdrag ur Kvinnovåldskommissionens slutbetänkande och en lång, lång rad andra handlingar var samlade här. De var strukturerade i ett system där bevisen kallades Exhibit A, Exhibit B och så vidare upp till Exhibit Z, sedan började det om med Exhibit A1, Exhibit B1 ända upp till Exhibit K2. Längst ner fanns små plastflikar med de olika bevisunderlagen, ungefär som registret i en adressbok, så att man snabbt skulle hitta bland dem.

De allra flesta pappren var bekanta för mig, jag hade ju varit med och tagit fram dem, men några var nya. Den närmaste timmen gick Carl och Lindsay igenom handlingarna, förklarade varför de var med i asylansökan, vilket syfte de hade, vad som var viktigt att komma ihåg.

När jag slutligen gick därifrån snurrade det i huvudet på mig. Den tjocka bunten tyngde min portfölj så att jag fick bära den med bägge händerna.

De följande veckorna pluggade jag dygnet runt. Jag satt med min pappersbunt praktiskt taget dag och natt, läste, antecknade och memorerade.

”Kvinnovåldskommissionen har haft i uppdrag att utifrån ett kvinnoperspektiv göra en översyn av frågor som rör våld mot kvinnor och föreslå åtgärder för att motverka sådant våld. Kommissionens betänkande, Kvinnofrid (SOU 1995:60), innehåller förslag till åtgärder som griper in på flera olika samhällsområden. Kommissionen föreslår lagändringar på ett flertal områden, men konstaterar samtidigt att inte enbart lagstiftning kan lösa det samhällsproblem som våld mot kvinnor utgör.”

Så sant, tänkte jag och lade ifrån mig svenska regeringens betänkande 1996/97:JuJ11, Våldsbrott och brottsoffer. Så sant, så sant, och så blundade jag och började om igen.

”Kvinnovåldskommissionen har haft i uppdrag att utifrån ett kvinnoperspektiv göra en översyn av frågor som rör våld mot kvinnor...”

Jag lärde mig innebörden i den nya lagen om brott mot kvinnor genom en skrift från Brottsoffermyndigheten.

”Kvinnofridsbrott är ett nytt brott som avser flera brottsliga gärningar, till exempel hot, misshandel och/eller sexuella övergrepp av en man mot en kvinna som han är eller har varit antingen gift eller sambo med, där gärningarna utgjort led i en upprepad kränkning av kvinnans integritet och som varit ägnade att allvarligt skada personens självkänsla.”

Sedan läste jag på varför den nya lagen inte fungerade särskilt bra.

Första gången Högsta domstolen prövade den nya lagen, på våren 1999, slogs det fast att fyra fall av misshandel inte är nog för att fälla en person för kvinnofridsbrott. Kvinnans integritet har inte kränkts ”tillräckligt”, stod det i domskälen. Beslutet, som blev prejudicerande, gällde en man som i såväl tingsrätt som hovrätt dömts för grov kvinnofridskränkning. Gång på gång hade han slagit sin sambo, men det räckte alltså inte. Högsta domstolen bestämde att det måste finnas ytterligare handling eller handlingar som innebar kränkning.

– Anders, sa jag en kväll och gick fram till honom i tv-soffan. Kan du förhöra mig på vad ”normaliseringsprocessen” innebär?

Min man såg inte upp.

– Anders, sa jag igen, kan du...

– Jamen för helvete! sa han och vände blicken mot mig. Ser du inte att jag ser på tv?

Jag gick tillbaka in i sovrummet med tårarna brännande i ögonen och lade pappren framför mig på täcket.

”Man kan se ett förhållande som en fotbollsplan”, läste jag. ”I början av ett förhållande har mannen och kvinnan varsin planhalva. I ett normalt förhållande respekterar man varandra och har ett samspel över planhalvorna, men i ett misshandelsförhållande plockar mannen bort bit för bit på kvinnans halva.”

Sedan följde en lista med tio punkter som var en klockren beskrivning av det som drabbat mig. Jag vände pappret upp och ner och mumlade mig igenom listan.

Ett. Mannen är lagom svartsjuk, han ringer till arbetet, vill veta var kvinnan varit, han hämtar henne efter kvällskurser och biobesök och så vidare.

Två. Han är väldigt kärleksfull och uppvaktande, vill gärna umgås hela tiden. Han vill gärna förlova sig, gifta sig, skaffa barn fort: på så vis binder han kvinnan hårdare till sig och till hemmet.

Tre. Första slaget kommer. Oftast skylls det på ett missförstånd. Kvinnan blir chockad, mannen ångerfull, lovar att det aldrig mer ska hända. Kvinnan förlåter och i detta läge anser hon att det är mannens fel.

Fyra. Mannen baktalar väninnor, släkt och vänner. Syftet är att avskärma kvinnan från yttervärlden.

Fem. Mer misshandel... för att han älskar henne så mycket.

Sex. Kvinnan flyr till någon vän. Mannen söker upp henne och övertalar henne att återvända. Ställer till det ännu värre för kvinnan när hon kommer hem.

Sju. Ännu mer misshandel. Mannen hittar på alla möjliga ursäkter för att slå: äcklig mat, odiskat, hon har fel kläder och så vidare. På detta stadium kommer även öknamnen som exempelvis ”horan” eller ”subban”.

Åtta. Mannen har ofta dålig kvinnosyn som han ger uttryck för allt tydligare. Om han till exempel ser på nyheterna om en våldtäkt slänger han ur sig saker som att den våldtagna säkert ville, egentligen.

Nio. Finns det en dotter med i bilden så kan även hon drabbas av hans dåliga kvinnosyn. Det innebär ännu ett sätt att försvaga kvinnan eftersom hon inte ens kan skydda sina barn, vilket föder starka skuldkänslor hos henne.

Tio. Den lilla, lilla rutan i hörnet är nu vad som finns kvar av kvinnans planhalva. Hon har blivit en människa utan självförtroende, isolerad från omvärlden med enorma skuldkänslor, och den enda hon har i livet är mannen som plågar henne.

Jag pratade med Hanna några gånger om min ångest inför förhöret, hon kunde inte göra mycket mer än att uppmuntra mig att läsa på allt jag förmådde.

– Du måste ringa mig efteråt, hör du det, sa hon, och jag lovade.

Sandra satt med mig flera kvällar när jag grät och inte förstod hur jag skulle orka med det som väntade. Tillsammans med henne gick jag igenom islams syn på kvinnor och våld, amerikansk statistik och rättstillämpning. Hon berättade att hon bad för mig, bad för rättvisa och styrka och mod, och jag kände mig faktiskt lite bättre efteråt.

Kvällen före rättegången åt jag och barnen middag precis som vanligt, men ingen av oss sa ett enda ord vid matbordet. Vi tuggade och svalde och stirrade ner i våra tallrikar, var och en i sina egna tankar.

Efteråt dukade barnen av bordet, Anders satt framför storbilds-tv-n med fjärrkontrollen i högsta hugg.

– Jag vet inte om jag har lust att köra till delstatshuvudstaden i morgon, sa han plötsligt utan att släppa rutan med blicken.

– Okey, sa jag. Det är du själv som bestämmer. Jag tänker inte tvinga dig till någonting.

Det var som om syret tagit slut i huset, jag kände att jag inte kunde vara kvar därinne en sekund till. Jag mumlade något om frisk luft, drog på mig jackan och gick ut.

Det var kallt och klart, stjärnorna sprakade och glimmade så att jag nästan kunde ta på dem. Andedräkten stod som en sky omkring mig, jag stod en stund i den iskalla luften, ända tills kylan gick igenom mina skosulor och jag började frysa om fötterna. Jag hade borrat ner händerna i jackfickorna och insåg att jag hade både plånboken och bilnycklarna i fickorna.

Raskt gick jag bort till Hondan och startade den. Bensinmätaren stod på tom, jag stönade inombords. Jag hade bett Anders tanka bilen så sent som i eftermiddags, och han sa att han skulle göra det. Utan att fundera lade jag i växeln och körde bort mot macken.

När jag tankat och fyllt på spolarvätska ville jag ändå inte åka hem. Nerverna rev och slet i min mage, jag skulle inte kunna sova. Långsamt körde jag runt i vår stad, lät Hondan rulla på de gator som jag lärt känna som mina egna. I nära fem år hade vi bott här, de fem bästa åren i mitt vuxna liv. Vad som än hände kunde ingen ta dem ifrån mig.

Så kom jag till avtagsvägen in mot det nya bostadsområdet. Utan att tänka blinkade jag och svängde in på Midnattsvägen.

Området var inte längre en byggarbetsplats med lyftkranar och cementblandare. Här stod numera färdiga familjevillor med upplysta fönster som varma öar i vinternatten. Bilen körde automatiskt bort till Sunrise Street, Soluppgångens gata, den plats på jorden där jag nästan fått ett hem. Den tomt vi planerade att lägga anbud på, nummer 1256, var bebyggd med en tvåplansvilla med takkupor. Ett stort garage vette ut mot gatan, en gång kantad med låga buskar ledde upp till ytterdörren. Tunna, ljusa gardiner var fördragna för fönstren, men jag såg människor röra sig därinne.

De bor där, tänkte jag, de lever där, de har ett hem här, och det kunde ha varit jag.

Ett tag trodde jag att jag skulle börja gråta, men jag hade inte ro att göra det.

Långsamt körde jag hemåt. När jag steg in genom dörren, snuvig och blåfrusen, hade barnen redan gått och lagt sig. Anders satt kvar i exakt samma position som jag lämnat honom.

– Det blir snö i morgon, sa han.

Jag brydde mig inte om honom utan gick in till barnen. Båda var vakna.

– Vad händer om vi inte får stanna? viskade Robin nära mitt öra så att inte Emma skulle höra.

Jag strök honom över håret.

– Vi kommer på något, ska du se, sa jag och log mot honom. Var vill du bo?

Men pojken vände sig bort från mig, jag hejdade honom och drog honom intill mig.

– Det kommer att gå bra, viskade jag.

Emma hade rullat ihop sig med ryggen mot mig när jag kom till hennes säng.

– Hej baby darling, sa jag och kröp ner bakom hennes rygg, lindade mina armar runt henne och höll om henne. Är du nervös för i morgon?

Flickan svarade inte, rörde sig inte.

– Jag älskar dig, viskade jag mot hennes mörka hår. Jag älskar er mest på hela jorden. Ni är de enda som betyder något för mig.

Då vände hon sig om och kröp ihop i min famn.

Jag var inne hos barnen tills bägge somnat, sedan gick jag ut till Anders. Han hade slagit av tv-n och var på väg att gå och lägga sig, den senaste tiden hade han sovit ute på soffan.

– Vi måste bestämma oss för hur vi ska ha det, sa jag och satte mig bredvid honom.

Han såg på mig med förvåning och motvilja, slet lite i sitt täcke som jag råkat sätta mig på.

– Hur kommer det sig att jag plötsligt är med i beslutsprocessen? sa han. Är inte det lite sent påtänkt?

Jag blev tvärarg direkt.

– Kom inte och påstå att jag har tagit ifrån dig några initiativ, sa jag. Du har lämpat över allt ansvar på mig i alla år, och nu gnäller du för att jag har tagit det.

Han reste sig och gick bort mot badrummet.

– Smit inte nu igen, sa jag efter honom. Stanna och lyssna för en gångs skull.

Långsamt vände han sig om.

– Jag fattar mig inte på dig, sa jag och jag hörde hur jag vädjade. I femton år har vi haft det så här, varit hotade och förföljda och isolerade, och nu har vi äntligen chansen att bli fria. I morgon kanske allt det här är över! Varför kan du inte hjälpa mig? Varför kan du inte glädjas med mig?

– Glädjas? sa han. Vi kommer inte att ha ett korvöre kvar när det här är över. Vad kostar egentligen den där advokaten?

Det blixtrade till i mitt huvud.

– Det här är ju helt sjukt, sa jag. Är du arg för att jag fått en av USA:s bästa jurister att ta sig an vårt fall?

– Vad kostar han? upprepade Anders.

Det var ingen idé att ljuga.

– Tjugofemtusen dollar, sa jag.

– En kvarts miljon kronor? Är du inte riktigt klok?

– Det var ju vår enda chans! vädjade jag igen. Om vi får stanna är det värt vartenda öre. En kvarts miljon, för en framtid!

Anders såg på mig, länge, jag såg hur tankarna virvlade i hans hjärna, såg på mannen som givit upp så mycket för mig. Var jag orättvis och otacksam?

– Jag vet inte, sa han slutligen. Ibland tycker jag inte att jag vet någonting alls längre.

Älskling! Åh, vännen, kära älskade man, låt mig hjälpa dig, låt mig ta hand om dig!

Jag gick emot honom, men han vände sig bort.

– Väck mig i morgon bitti så kör jag dig, sa han och gick in i badrummet och låste dörren.

Frampå småtimmarna slumrade jag till, men efter klockan fem sov jag ingenting. Jag låg alldeles stilla i sängen och lyssnade till ljuden runt omkring mig. Utifrån vardagsrummet hörde jag ibland Anders lätta snarkningar, en ensam bil som passerade ute på gatan, kylan som knäppte i väggarna.

Jag visste att jag inte kunde göra mera nu. Jag kom inte längre, och vetskapen gjorde mig lugn. Vad som än hände idag så hade jag gjort mitt yttersta.

Kvart i sex gick jag upp och duschade och klädde på mig, drack en kopp kaffe men fick inte i mig någon frukost. Om vi kom iväg i tid kunde vi stanna på fiket uppe i bergen och äta där.

Kvart över sex väckte jag Anders. Han klev upp och klädde sig utan ett ord.

Robin protesterade en aning innan han riktigt vaknat till. När jag fått upp barnen klädde de på sig och gick raka vägen ut och satte sig i bilens baksäte. Anders hällde upp en mugg med kaffe som han tog med sig ut i bilen, jag gick runt och släckte innan jag låste.

– Hej då, huset, sa jag in mot de mörka rummen. Vi kommer tillbaka ikväll.

Luften var mildare men fortfarande klar och ren, jag tittade mot stjärnorna.

– Skulle det inte bli snö, sa du? sa jag till Anders när jag satte mig i bilen.

– Den skulle komma norrifrån, sa han och styrde upp på The Interstate Highway utan att kommentera att bilen plötsligt var fulltankad.

Barnen somnade över varandra i baksätet, Anders knäppte på sin evinnerliga countrymusik, och medan USA vaknade omkring oss körde vi norrut mot delstatshuvudstaden. Efter någon halvtimme började himlen ljusna ovanför oss, men sedan mörknade den igen. Anders kikade ut genom framrutan, uppåt mot himlen.

– Jag tycker det ser rätt tjockt ut däruppe, sa han, och när jag tittade efter kunde jag inte annat än hålla med.

Tio minuter senare kom de första flingorna, lätta och sporadiska, men bara några minuter senare började de tätna rejält.

Och sedan, när stigningen upp mot bergen var märkbar, körde vi plötsligt rakt in i en vägg av snö och is, jag kan inte beskriva det på något annat sätt. Hagel, blötsnö och regn svepte in bilen i ett massivt täcke, det var omöjligt att se mer än någon meter framför bilen.

– Herregud! utbrast Anders och ställde sig på bromsen, med

påföljden att han omedelbart fick sladd.

Barnen vaknade i baksätet och skrek när bilen snurrade över vägen, jag höll i mig i instrumentbrädan och kanske skrek också jag, jag vet inte, och i en kort evighet såg jag träd virvla förbi i billyktornas sken, och sedan stod vi stilla. Allt var tyst, motorn hade stannat, instrumentpanelens alla lampor och reglage blinkade olycksbådande i mörkret.

I baksätet började Emma plötsligt gråta.

– Jag har slagit i huvudet, mamma, snörvlade hon. Det blöder.

Hon höll fram sin hand mot mig, den var mycket riktigt röd av blod.

– Luta dig fram, sa jag, och låt mig se.

Jag sträckte mig över ryggstödet för att kontrollera flickans skada när Anders startade motorn igen.

– Sätt dig, sa han.

– Men Emma har gjort sig illa, sa jag, kan du inte vänta lite?

– Jag tror att jag står på fel sida av vägen, sa han, och i nästa sekund tumlade jag mot honom när han vred om ratten och snabbt körde till höger. Ögonblicket efteråt svepte en stor långtradare förbi oss på vänster sida, fick snön att virvla ännu värre. Långsamt lät Anders bilen rulla vidare, in i snömassorna, jag satte mig tillrätta på mitt säte och stirrade rakt fram, för chockad för att kunna prata.

– Hur är det, Emma? frågade Anders och kastade en blick på henne i backspegeln.

Flickan harklade sig.

– Jo, sa hon, det är nog okey. *It's not so bad.*

Långsamt, långsamt, bara tjugo miles i timmen, lät Anders bilen rulla framåt. Ändå satt vi med hjärtat i halsgropen, för vi såg praktiskt taget ingenting.

– Borde vi inte vara framme vid den tvära vänsterkurvan snart? sa jag efter en stund.

– Jo, sa Anders, fast jag har svårt att bedöma hur långt vi kommit.

I nästa stund svängde vägen verkligen tvärt åt vänster, och långt nere i diket såg vi en bil med baklyktorna lysande i snöstormen.

– Någon som inte har samma koll på vägen som vi, sa Anders.

– Vi måste stanna och höra om de behöver hjälp, sa jag, och Anders saktade in.

När han fått stopp på bilen öppnade jag dörren och steg ur, stormen vräkte in i kupén med full kraft och barnen tjöt.

– *Do you need any help?* ropade jag mot en mörk figur som stod intill bilen nere i diket.

Jag hörde inte svaret i stormen, men figuren vinkade avvärjande med högerhanden och höll upp något som jag tror var en mobiltelefon med den vänstra. Jag signalerade att jag förstått och satte mig i bilen igen.

– Vad är klockan? frågade Anders.

– Åtta, sa jag.

– Vilken tid skulle vi vara där?

– Elva på advokatkontoret, där ska vi träffa Carl och Lindsay och översättaren.

– Så du är Carl med honom numera?

Jag såg rakt fram, in i stormen, valde att ignorera kommentaren.

– Sedan börjar rättegången klockan ett nere i domstolsbyggnaden.

– Det blir nog tight, sa Anders. Hur långt tror du det är kvar?

Jag räknade efter på fingrarna.

– Vi körde väl en timme innan det här satte igång, sa jag, så vi borde ha två och en halv timme kvar om vi hållit vanlig fart.

– Vilket är femtiofem miles i timmen, sa Anders. Nu klarar jag knappt tjugo.

Innan han avslutat meningen tog en stormby tag i bilen och föste oss till vänster, över hela vägbanan, och både jag och barnen skrek. Anders bet ihop käkarna och tvingade bilen tillbaka i höger körfält, jag kände tårarna stiga upp i ögonen. Herregud! Vad var det som hände? Vad var det som höll på att ske? Tänk om vi inte hann? Tänk om vi fastnade i stormen och inte kom fram i tid? Tjugo miles i timmen, det var för sakta, vi skulle inte vara framme förrän vid två, kanske halv tre.

– Vi får inte komma för sent, sa jag och Anders blängde på mig.

Om vi kom för sent var allting över. Vi skulle aldrig få en ny chans. Om vi inte dök upp på vår egen asylrättegång kunde vi lika gärna packa väskorna på en gång och aldrig komma tillbaka.

– Det kanske lättar, sa jag i ett fåfängt försök att låta hoppfull.

Men snöstormen fortsatte att rasa med oförminskad styrka. Landskapet planade ut uppe på högplatån, vilket gjorde att vinden fick ännu mera fart. Snön virvlade och blåste så att det var fullständigt omöjligt att urskilja vägbanan, Anders fick chansa och köra på känn. Ibland fick vi möte med andra bilar, men det var inte många. Ingen gav sig frivilligt ut i det här vädret.

Snart fick vi syn på nästa bil som stod i diket.

– Ska vi stanna? sa Anders.

Jag tittade på klockan, kvart i nio.

– Om de vinkar och behöver hjälp, sa jag, men det gjorde de inte, och vi passerade dem utan att sakta in.

– Jag måste ringa och säga att vi blir sena, sa jag.

Längst ner i botten på väskan låg min mobiltelefon. Tack och lov var den laddad, jag var dålig på det, och när jag slagit igång den väntade jag otåligt på de tre små pipen som bekräftade att jag hade tillgång till ett nät.

De kom inte.

Jag skakade på telefonen, slog av den och på igen.

Ingen mottagning.

– Det går inte ringa, sa jag. Vad ska vi göra nu?

– Lämna den på så märker vi när du får kontakt, sa Anders, och jag lade telefonen på instrumentbrädan framför oss.

– *Mooom*, sa Robin i baksätet, *I'm hungry*.

– Jag också, sa Emma. När ska vi stanna och äta *breakfast*?

Jag sneglade på Anders.

– Vi får äta när vi kommer fram, sa jag, och jag kände själv hur det vred om i magen.

Klockan hade hunnit bli över elva innan vi passerade fiket vi brukade stanna och äta på. Stormen visade inga tecken på att lätta, och jag började bli panikslagen. Vi var bara drygt halvvägs, och jag borde redan ha varit framme.

I nästa ögonblick såg jag i högra ögonvrån hur något stort och mörkt plötsligt ramlade ner över vägen. Anders tvärbromsade, bilen slirade, och med ett brak körde vi in i kronan på ett stort barrträd. Lyktorna lyste rakt in mot stammen, nerisade grenar pressades mot vindrutan.

Jag hörde mig själv flämta.

– Det här är inte sant, skrek jag, det är en mardröm, det kan inte vara verkligt!

– Lugna ner dig, sa Anders, och jag bet ihop tänderna, han hade alldeles rätt, ingenting blev bättre av att jag drabbades av panik.

– Sorry, sa jag.

– Det kanske går att köra runt, sa Anders.

Han backade ut bilen några meter och vi såg hela trädet ligga där med kronan uppe på vägbanan. Vi hade kört in i själva toppen, stammen sträckte sig långt ner i diket till höger om oss. Längst ut till vänster, på andra sidan vägen, fanns en smal passage där vi kunde ta oss förbi. Jag och Anders såg på varandra några sekunder.

– Vi kommer att repa lacken, sa han.

– Strunt samma, sa jag, men vi kanske åker ner i diket och det är värre.

– Ska vi? sa han, och jag nickade.

Anders lade i växeln, tog sats och körde så fort han vågade genom yttersta toppen av trädet. Karossen protesterade när grenarna gnisslade mot plåten, men sekunden efteråt var vi igenom och jublet steg upp ur min hals utan att jag var medveten om det.

– Hur ligger vi till? undrade Anders.

– Snart halv tolv, sa jag.

– I vanliga fall borde det bara vara en timme kvar, sa Anders. Vi kanske hinner.

Jag svarade inte, höll mig bara fast i dörrhandtaget när han trampade ner gasen och slirade vidare på isgatan. The Interstate Highway var rakare och bredare här, Anders ökade farten och höll trettio miles i timmen, sedan trettiofem.

Kvart över tolv körde vi ut ur stormen lika plötsligt som vi kört in i den. Det snöade fortfarande, ett regnblandat glopp som smetade fast på vindrutan, men vinden hade mojnat och snövirvlarna upphört. Det måste ha snöat åtminstone trettio centimeter. Vägen var urskiljbar enbart genom hjulspåren av tidigare fordon som trotsat ovädret.

– Kolla om du kan ringa nu, sa Anders och jag tog upp mobilen.

Fortfarande ingen mottagning.

– Kör så fort du kan, sa jag.

Bilen jazzade hit och dit över vägbanan i den djupa snön, men nu hade vi klar sikt och kunde hålla både fyrtio och fyrtiofem miles i timmen.

Klockan halv ett närmade vi oss delstatshuvudstadens förstäder, och då pep mobilen till, åtta nya meddelanden.

Jag struntade i att ringa mitt mobilsvar, tryckte i stället numret till advokat Barringtons kontor.

– Var håller ni hus? ropade han, jag hade aldrig hört honom så skärrad.

– Vi hamnade i en snöstorm, sa jag, men nu är vi på gång.

Jag berättade var vi var, men Carl Barrington lät inte mindre bekymrad för det.

– Ni hinner inte komma hit, sa han, utan ni får åka direkt till domstolen. Hittar du?

När jag svarade nej gav han mig en detaljerad beskrivning som jag skrev upp på baksidan av ett kvitto som jag hittade i min väska.

– Vi åker dit nu, sa han. Och vad ni än gör, kom inte för sent.

När vi rullade in i staden övergick snögloppet till ett ihållande regn, kallt och vasst, som gjorde snön på marken till en glashal sörja. Bilar hade krockat i var och varannan korsning, vi fastnade i en trafikstockning där åtminstone fyra bilar kört in i varandra. Efter att ha krånglat sig förbi uppe på en trottoar tog sig Anders förbi olycksplatsen, och klockan närmade sig fem i ett när vi äntligen skymtade domstolsbyggnaden i fjärran.

– Ta vänster, vänster och sedan höger, läste jag från mitt Wal-Martkvitto, och sedan såg vi parkeringen.

Infarten var spärrad av en bom och bevakades av en vakt i brandgul väst och stort paraply.

– Det är fullt här, sa han. Ni får köra bort till parkeringen borta på Queen Street.

Sedan gick han tillbaka in i sin lilla kur utan att släppa in oss.

– Men vad fan är det här? exploderade Anders. Var fan ligger Queen Street?

Jag tittade mig omkring och lade armen på hans arm.

– Ställ dig där, sa jag och pekade på en vattenpost lite längre ner på gatan.

Anders tittade på mig som om jag inte var klok.

– Det är ju störtförbjudet, sa han. De kommer att bogsera bort bilen!

– Och vad spelar det för roll? sa jag och kastade mig ut i hällregnet.

Barnen hoppade ur bilen efter mig, och tillsammans sprang vi som dårar bort mot domstolen. Mina fötter klapprade i vätan, regnet stänkte i mitt ansikte, rann ner längs min rygg. Trappan upp till huvudentrén var oändlig, jag var fullständigt andlös när jag slet upp porten och tumlade in i säkerhetskontrollen. Jacka, väska, skor, allt kontrollerades, och sedan rusade jag bort till receptionen där jag skulle anmäla mig.

– Maria Eriksson, ärende 267, flämtade jag, och i samma sekund dånade rösten i högtalarna:

"Huvudförhandling i ärende 267, parterna kallas till sal 17, parterna kallas till sal 17."

– Var ligger sal sjutton? andades jag.

Tredje våningen, thank you very much.

Hissarna hade långa köer, jag tog trapporna med barnen hack i häl.

Så fick jag syn på Lindsay och Carl Barrington, de var på väg in i en sal längst bort i en korridor. Jag kunde nästan inte prata när jag kom fram till dem.

– Ursäkta, fick jag fram, jag måste bara gå på toaletten.

– Hinner du inte, sa Carl Barrington lågt. De väntar redan på dig.

Han sköt mig framför sig in i rättssalen, jag strök mitt sjöblöta hår bakåt ur ansiktet och tog ett djupt andetag.

Mitt livs viktigaste stund hade kommit.

RÄTTSSALEN VAR GANSKA LITEN, den påminde egentligen om ett konferensrum. En stor del av golvytan upptogs av ett stort, ovalt bord i mörkpolerat trä. Ovanpå låg prydliga högar med papper och pärmar, där fanns också en del tekniska saker som sladdar och mikrofoner.

Fyra män satt utspridda runt bordet, när jag steg in i rummet såg de upp på mig och reste sig som på en given signal. Domaren, en stilig, äldre man med brunt hår, satt vid den vänstra kortsidan och kom fram och presenterade sig först.

– Domare Hendersen, sa han och tog i hand.

Vid hans sida satt den svenske översättaren som var där på mitt och min advokats uppdrag, han som jag egentligen skulle ha träffat på advokatkontoret klockan elva. Bredvid honom satt immigrationsverkets översättare, en stor dansk man med grått hår och skägg.

Min plats var vid bordets andra kortsida, mitt emot domare Hendersen, och intill mig på höger sida hade jag tjänstemannen från INS, mannen som skulle fungera som åklagare under förhandlingen och korsförhöra mig. Han hette Smith, var lång och ljus med tunt hår och stålbågade glasögon, när vi hälsade kände jag hur mitt leende skälvde.

Till vänster om mig satt Carl Barrington, och mellan honom och domaren hade Lindsay sin stol.

Jag satte mig ner, intensivt medveten om hur kissnödig jag var.

Dessutom var både byxorna och tröjärmarna genomblöta, jag kände att jag snart skulle bli väldigt kall. Att jag inte hade ätit på hela dagen bekymrade mig inte, jag skulle inte fått ner en matbit om någon bjudit mig. Däremot hade jag gärna druckit lite vatten, men något sådant fanns inte framdukat på bordet.

Dörren stängdes, jag hann se en skymt av Robins nyfikna ansikte i öppningen innan den gick i lås.

– Nå, sa domare Hendersen och sträckte sig mot en bandspelare som han tryckte igång.

– Då förklarar jag huvudförhandlingen i ärende 267, asylansökan gällande Maria Eriksson, Emma Eriksson och Robin Eriksson, härmed öppnad.

Han slog sin klubba i bordet.

Sedan reste han sig, tog upp en stor svart bibel och gick runt bordet fram till mig. Jag fick resa mig upp och lägga högra handen på hjärtat och den andra på Bibeln, domaren såg mig i ögonen och sa:

– Svär du att säga sanningen, hela sanningen och inget annat än sanningen, så hjälpe dig Gud?

– *I do*, sa jag.

Domaren gick tillbaka till sin plats, när han satt sig bad han mig säga mitt namn och födelsedatum.

Jag svarade med liten och försiktig röst.

– Innan vi går vidare, sa han, så skulle jag vilja träffa dina barn. Finns de här?

– De är precis utanför, sa jag.

Lindsay reste sig och gick ut och hämtade Emma och Robin, de steg aningen förskrämda in i rättssalen och hälsade på domaren. Han ställde några frågor om deras skolgång och intressen, hur gamla de var, vad de tyckte om USA. De svarade blygt och ganska tyst, sedan fick de gå ut.

– Då lämnar jag ordet till representanten från INS, sa domaren, och immigrationstjänstemannen tryckte fast glasögonen på näsroten, knäppte sina händer och lutade sig fram emot mig.

– Vi har alla tagit del av din tragiska historia, sa han. Ändå skulle jag vilja gå igenom den lite närmare, för det är ett par saker jag undrar över.

Jag nickade och gned händerna mot varandra under bordet för att få upp lite värme i dem. Försiktigt sneglade jag på advokat Barrington vid min sida, han kände min blick och log lite uppmuntrande mot mig.

Tjänstemannen började omständligt gå igenom hela mitt affidavit, punkt för punkt. När hade jag lärt mig tala spanska? Varför? Hur kom det sig att jag började arbeta med att hjälpa flyktingar? Vilka var mina bevekelsegrunder? När och hur träffade jag den man som kom att förfölja mig i alla år?

Jag svarade ordentligt, utförligt ibland, försökte vara så konkret som möjligt och undvika att staka mig eller tveka.

Vilken dag inträffade den första misshandeln? Vad bestod den i? Dokumenterade jag mina skador? Polisanmälde jag honom? Jaså, varför inte?

– Det finns en hel rad skäl, sa jag lugnt, som tillsammans bildar ett socialt betingat mönster. Vårt förhållande började naturligtvis inte med att han höll på att slå ihjäl mig, det startade med en väldigt kärleksfull uppvaktning och små vänliga invändningar mot mitt sätt att vara eller klä mig. När jag väl accepterat dem så var jag redan på väg bort från vad som är sunt och normalt. Snart kontrollerade han allt jag gjorde, vem jag träffade, vad jag sa och tyckte. När det ändå inte räckte tog han till våld. Det är ett mönster som går igen i praktiskt taget alla misshandelsförhållanden. Att jag inte anmälde honom berodde dels på rädsla för konsekvenserna, dels på ren skam. Han hade tagit ifrån mig all min självkänsla, och jag ville inte berätta för någon hur värdelös jag var. Någonstans trodde jag dessutom att jag skulle kunna frälsa honom med min kärlek. Om jag bara älskade honom tillräckligt mycket så skulle han vara snäll mot mig, det var alltså mig det var fel på. Hela det här mönstret brukar kallas ”normaliseringsprocessen”. Det finns delvis beskrivet i Exhibit L, *Woman Battering as Marital Act, The Construction of a Violent Marriage* av Margareta Hydén.

Jag tystnade, undrade om jag skulle fortsätta, men mr Smith nickade och gick vidare. Han bläddrade i sina papper och jag kände hur jag blivit lite svettig i händerna, trots att de fortfarande var kalla. Återigen kastade jag en blick mot Carl Barrington och Lindsay, båda satt och antecknade men när de märkte att jag såg på dem nickade de mot mig och log lite.

– Borde du inte varit medveten om de risker du tog när du involverade dig med en muslimsk man? frågade tjänstemannen.

– Hur menar ni? undrade jag.

Mr Smith såg upp på mig med tom blick.

– Du arbetade ju med flyktingar, var du verkligen helt omedveten om könsrollerna i den muslimska kulturen och traditionen?

– Det finns inget stöd för hustrumisshandel i koranen, om det är det ni syftar på, sa jag. Tvärt om säger profeten Muhammed att männen ska behandla sina hustrur med godhet. De bästa männen är de som behandlar sina hustrur bäst. Allah skapade man och kvinna såsom kamrater, och han gav dem kärlek och ödmjukhet att dela i sina hjärtan. Står i Koranen, 30:12.

– Ändå hänvisar du i din asylansökan till de påtryckningar den här mannen gjorde sig skyldig till för att få dig att konvertera. Han misshandlade dig upprepade gånger för att du vägrade lyda muslimska lagar och regler, hur förklarar du det?

– I den muslimska kulturen, svarade jag, precis som i den kristna, finns ett utbrett våld mot både kvinnor och barn. Jag råkade ut just för en muslimsk man, men han kunde lika gärna ha varit kristen.

Hustrumisshandel är exempelvis den enskilt största orsaken till att amerikanska kvinnor får fysiska skador, det gäller lika för alla religioner och kulturer, inkluderad den muslimska. Det är sant att det muslimska samfundet inte tar problemen på tillräckligt stort allvar, men det gör inte det kristna heller. Det finns en stor genomgång som speglar hela det här problemet i Exhibit Q, *Wife Abuse in the Muslim Community*, skriven av Kamran Memon.

– Låt mig se om jag uppfattat detta korrekt, sa mr Smith och lutade sig bakåt i stolen. Du säger att hustrumisshandel är den enskilt största orsaken till att kvinnor skadas här i USA, ändå vill du komma hit. Hur kommer det sig?

– Det finns en väldigt enkel förklaring, sa jag. Min nuvarande man slår mig inte. Den man som förföljer mig finns i Sverige, det land jag flytt ifrån, men han är inte svensk medborgare. För att få komma in i USA krävs att han har ett visum utfärdat av en amerikansk ambassad eller ett amerikanskt konsulat, och något sådant visum får han aldrig. Han är nämligen kriminellt belastad både i Sverige och sitt hemland. Det gör USA till det enda säkra landet i världen för mig.

Tjänstemannen såg ut att fundera några sekunder.

– Rätta mig om jag har fel, sa han, men jag trodde Sverige var det land i världen som kommit allra längst i arbetet med jämställdhet mellan könen. Har ni inte en hel uppsjö med socialistiska lagar som reglerar allt som gäller kvinnors rättigheter?

– Att vi har lagar innebär inte alltid att de efterlevs, sa jag. Såvitt jag förstår gäller samma problem här i USA. Man får inte stjäla här, ändå stjäl folk varenda dag. Hustrumisshandel var för övrigt fullständigt tillåtet i Sverige fram till 1864, och det föll inte under allmänt åtal förrän 1982. Fram till för tjugo år sedan var det alltså kvinnan själv som var tvungen att driva processen mot sin plågoande, så någon särskilt stolt tradition har vi inte i det avseendet. Står i Exhibit G, *Unprotected by the Swedish Welfare State*, av R. Amy Elman och Maud L. Eduards.

Mr Smith nickade sakta och antecknade något.

– ”Unprotected”, citerade han långsamt. Oskyddade av den svenska välfärdsstaten, säger du. Hur kommer det sig att den här mannen kunde fortsätta att terrorisera dig på det här sättet så många år? Ni har väl ändå polis och rättssalar i Sverige?

– Ja, sa jag, och liksom USA tillämpar vi rättssäkerhet i våra domstolar. Man är oskyldig tills motsatsen bevisats. Det innebär att den här mannen inte kunde dömas för de brott han utsatte oss för, om man inte med säkerhet kunde bevisa att det var han. När en svart Saab försökte köra ihjäl mig och barnen så visste ju jag att det var han som satt bakom ratten, han hade just en sådan bil. Men eftersom han hade tio vänner som garanterade att han var tillsammans med dem i en annan stad vid just den tidpunkten så kunde polisen inte göra något. Alternativet hade varit att åtala alla tio för mened, vilket inte gick att bevisa. Alltså har rättssäkerheten sina luckor, och de går att utnyttja i illvilliga syften om man känner till dem.

– Men de gånger han slog dig, då såg du väl honom?

– Det finns mycket konkreta skäl till att polisen inte grep honom de gångerna, sa jag. I början anmälde jag honom inte, av de skäl jag tidigare framfört och som finns preciserade i Exhibit L. När jag väl gjorde en polisanmälan hotade han med att döda mina föräldrar om jag inte tog tillbaka mina uppgifter. Jag trodde honom, och därför vägrade jag att samarbeta med åklagaren. Det är inget jag är stolt över, men det är möjligt att det räddade livet på min mor och far.

Jag hörde min egen röst mala, det lät som om den kom långt bortifrån.

Mr Smith fortsatte sin utfrågning på samma sätt, han gick fram och tillbaka i min levnadshistoria och frågade om än det ena, än det andra.

Hur misshandlade han mig den eller den gången? Hur många gånger med knytnäven och hur många med handflatan? Hur många sparkar? Vilka skador fick jag? Varför fanns inte de läkarintygen med i bevisföringen? Jaså, jag hade inte gått till någon läkare? Jaha, det hade jag, men jag hade ljugit för dem och sagt att jag ramlat? Brukade jag ljuga?

Jag var bortom den punkt då jag kunde bli provocerad. Jag bara svarade på frågorna som ställdes med alltmer entonig stämma. Jag började bli väldigt törstig, och när mr Smith lutade sig över sina papper för att läsa något kastade jag en blick på mitt armbandsur.

Den var fem i fyra! Jag har redan suttit här i nästan tre timmar.

– Kan jag få gå på toaletten? frågade jag och tittade på domare Hendersen. Jag skulle behöva dricka lite vatten också.

Han skakade på huvudet.

– Tyvärr, sa han. Vi bryter inte mötet förrän vi är klara.

Carl Barrington gjorde en beklagande min mot mig och ryckte bekymrat på axlarna.

– Den här domen, sa mr Smith och höll upp kammarrättens beslut från 1994 i sin hand, exakt vad betyder den?

– Vilken del av den är det ni undrar över? frågade jag.

Tjänstemannen läste på engelska: *In the goal it may be considered that the Eriksson family, in order to live a normal life, needs to move away from Sweden.*

Formuleringen ringde i mina öron: I målet får anses utrett att familjen Eriksson för att leva ett normalt liv behöver flytta från Sverige.

– Det betyder att kammarrätten, som är landets näst högsta rättsinstans under regeringsrätten, slår fast att vi måste emigrera för att kunna leva ett normalt liv, sa jag. Men översättningen är lite konstig, den här typen av ”mål” heter egentligen inte ”goal”.

– Betyder det verkligen att ni måste flytta? sa tjänstemannen. Är det inte bara en rekommendation?

Han vände sig mot de båda översättarna, som hittills varit behjälpliga när jag inte hittat de engelska orden.

– Det betyder att familjen nog skulle behöva flytta, men inte att de verkligen måste, sa den store dansken.

– Nja, sa svensken, jag håller inte med. Det här är byråkratsvenska, den kan inte översättas strikt enligt ett lexikon, utan måste tolkas. Jag skulle säga tvärt om, det här är en ganska stark formulering som understryker två fakta: dels att saken verkligen är utredd i grunden av samtliga myndigheter, dels att familjen verkligen måste flytta från Sverige.

– Så vad är det som gäller? frågade tjänstemannen. Var de tvungna att flytta eller inte?

– Inte, sa dansken.

– Jo, sa svensken, de var verkligen tvungna.

– Det vi ägnar oss åt nu är detaljer i översättningen, sa domare Hendersen. Jag föreslår att vi lämnar dem för stunden och fortsätter korsförhöret.

Jag satt alldeles stilla och väntade på nästa fråga. Mina kläder hade torkat, men skorna var fortfarande fuktiga. Mitt behov av att gå på toa hade sjunkit undan till en dov smärta i magen. Det enda som var riktigt jobbigt var att jag var så törstig.

– All right, sa mr Smith och såg på mig igen. Låt mig backa och fråga lite om dina olika identiteter. Vilket namn i ordningen är Maria Eriksson?

Jag förklarade att jag fötts till ett namn som jag sedan ändrat på vanligt sätt genom det svenska patent- och registreringsverket. Dessutom hade den svenska regeringen under en period försett mig med nya personuppgifter där jag haft flera olika namn och identiteter. Slutligen hade jag numera en pseudonym i boken som berättade min historia.

– Du har två barn, Emma och Robin? Hur har de reagerat på det liv du valt?

– Ni menar det liv jag tvingats till, sa jag. Om jag fått leva det liv jag önskade hade jag bott kvar i min hemstad, arbetat på den lokala banken och bott i ett radhus med blombänkar och en häck mot gatan.

– Så hur har barnen reagerat?

Jag presenterade de bevisunderlag vi lämnat in som rörde barnen. Där fanns utdrag ur sjukhusjournaler, läkarintyg och psykologiska utlåtanden, framför allt om Emma. Jag beskrev hennes psykiska och medicinska status från det hon föddes, hur hon alltid varit liten för sin ålder, att hon inte hade möjlighet att utvecklas ordentligt på grund av vår isolering. Läkarna kallade det depression och reaktiv kontaktstörning. Jag berättade om hennes sjukdomsbild när hon slutade tala och retarderade i sin utveckling, hur hon slutade äta, sedan dricka och slutligen gå.

Därefter redogjorde jag för den psykiatriska utvärdering som gjordes av barnpsyk i Ludvika när flickan var fem och ett halvt år, att hon bedömdes ligga uppemot två år efter i sin språkutveckling, att hennes grovmotorik var klumpig, att hon var störd av mycket oroande tankeinnehåll och aggressivitet. Jag beskrev hur hon ständigt försökte skada sig själv och andra, att vi inte kunde lämna knivar eller skärp eller rep framme så att hon kunde nå dem. Att hon förstörde sina dockor, gjorde konstfärdiga teckningar som hon rev sönder i raseri, att hon gömde glass och mat under sängen.

Sedan beskrev jag Robins historik av svår astma som han ådragit sig under våra osäkra år utomlands, och hur han idag var helt frisk från alla symptom efter fem år i USA.

Jag var alldeles slut när jag var klar, detta var värre än allt annat, att tala om hur förföljelsen drabbat mina barn, men jag hade bestämt mig för att inte gråta. Jag skulle inte bryta samman. Jag skulle hålla ihop, jag skulle svara på alla frågor, jag skulle ge dem raka och tydliga svar.

Tjänstemannen bläddrade i sina papper.

– Den här boken, sa han, varför skrev du den?

– Jag ville berätta min historia, sa jag, och jag ville skapa debatt. Kanske kan jag hjälpa någon annan som är på väg in i samma helvete.

– Du kanske ville bli en kändis?

Han såg på mig, men jag kunde inte urskilja hans ögon på grund av blänket i hans glasögon.

– Mitt namn står inte på omslaget, sa jag, och mitt namn i boken bär ingen likhet med min rätta identitet. Det finns ingenting i berättelsen som identifierar mig, utom händelserna. Hade jag ett behov av att bli känd skulle jag ha varit med i Expedition Robinson, det hade varit betydligt enklare än att genomleva det jag gjort.

– Så varför står inte ditt namn på omslaget? Vill du inte stå för vad du varit med om, eller skäms du?

– Jag har skämts, sa jag, jag har skämts något alldeles oerhört. Inte så mycket för vad jag själv varit utsatt för, utan för den smärta jag åsamkat mina föräldrar och min familj. Jag har ägnat många, många timmar åt att tänka på allt jag möjligen gjort fel, vad jag skulle kunna ha gjort annorlunda, men jag kan inte göra saker ogjorda. Mitt liv går inte i repris. Jag står för vartenda ord i boken, och jag är stolt över den, även om jag inte är särskilt stolt över vad som hänt mig.

Mr Smith antecknade något och såg ut att fundera en stund. Sedan sa han:

– Jag måste komma tillbaka till detta: Hur kommer det sig att Sverige, en västerländsk rättsstat, inte förmår att skydda sina egna invånare?

– Under år 1997 anmäldes nittontusen fyrtiosex misshandelsbrott mot kvinnor i Sverige, sa jag. Var tionde dag blir en kvinna mördad, oftast av en närstående man. Det absolut vanligaste är att en make, sambo eller före detta sammanboende utför dådet, men det finns enstaka fall där söner, fäder eller bröder dödat svenska kvinnor. Var fjärde svensk kvinna blir hotad eller slagen varje år. Uppemot hälften av alla svenska kvinnor blir någon gång misshandlad av en närstående. Det här gäller alltså inte bara mig, det här är ett problem som finns överallt i det svenska samhället, som skär genom alla klasser, religioner och geografiska områden. Att kvinnor dör på grund av att samhället inte kan skydda dem är inget nytt. Alla vet om det, och på senare år har den svenska regeringen försökt göra något åt saken, man har bland annat infört ett nytt lagrum som heter "grov kvinnofridskränkning", men det raderar inte ut våldet på kort sikt.

– Du har inte svarat på min fråga, sa tjänstemannen. Jag undrade varför den svenska rättsstaten inte kan skydda dig?

– Jag kommer till det, svarade jag. Jag vill bara förklara att jag inte är något unikum i det svenska samhället, utan tvärt om. Min historia är väldigt vanlig. Det enda som är lite underligt med mig är att jag inte är död. Om han hade lyckats kidnappa min dotter och ta livet av mig hade historien slutat som den brukar och vi hade blivit en notis i lokaltidningen: "Familjebråk slutade i tragedi." Då hade ingen höjt på ögonbrynen och allt hade haft sin gilla gång. Min mamma hade säkert gråtit på begravningen och sedan hade jag blivit ytterligare en siffra i statistiken. Skillnaden var att jag inte gav upp. Jag stod på mig och krävde att myndigheterna faktiskt skulle ta sitt ansvar, jag krävde att rättsstaten skulle skydda mig, precis som ni säger. Och de försökte, det ska gudarna veta, de försökte skydda oss i flera år, de gömde oss och raderade oss och bytte identiteter på oss, de skickade oss utomlands och sa åt oss att emigrera, men ändå stannade jag kvar, ändå fortsatte jag att ställa krav på den svenska rättsstaten: Skydda mig! sa jag. Skydda mig och min familj! Vi har rätt att bo och leva i det land där vi är födda, i det land vi älskar, skydda oss!

Jag var tvungen att dra efter andan, jag var alldeles yr i huvudet, ansiktena seglade runt i rummet framför mig, men jag fortsatte:

– Skydda oss! sa jag till myndigheterna, men det svenska samhället hyllar något vi kallar offentlighetsprincipen, alla uppgifter ska vara tillgängliga om allt och alla hela tiden. Vi har något som heter personnummer, man får det när man föds och sedan följer det med personen hela livet. Om man bara har någons personnummer kan man få reda på nästan allt om den människan enbart genom offentliga register. När och var hon är född, vad hennes föräldrar heter, hennes man och barn, var hon gick i skolan, vad hon hade för betyg, fullständiga adresser på var hon har bott och vart hon har flyttat, hennes utbildning, arbetsgivare och lön, hur mycket hon betalar i skatt, om hon äger ett företag eller sitter i någon styrelse, vilken bil hon har, årsmodell och färg. De få register som inte är offentliga är bland andra sjukjournaler, socialtjänstens akter, kriminalregistret och saker som rör rikets säkerhet.

Det var alldeles tyst i rummet, jag strök mig över pannan, vad höll jag på med? Vart var jag egentligen på väg med det här?

– Den svenska rättsstaten kunde inte skydda mig, sa jag. De utredde mig och vad de skulle göra med mig i åtta år, och de kom inte på någon lösning. Tvärt om, deras utredningar gjorde att uppgifter sipprade ut, den svenska försäkringskassan lämnade ut min adress till min förföljare vid ett tillfälle, den svenska skattemyndigheten offentliggjorde alla mina uppgifter efter att vi flytt landet.

Jag tystnade och flämtade några sekunder.

– Det svenska samhället har stora ambitioner och stolta värderingar, men precis som alla andra samfund består det av människor, och människor gör fel. Det fanns så många maskor i det nät som skulle skydda mig att myndigheterna själva till slut konstaterade att de inte kunde hålla mig vid liv i mitt hemland. Därför är jag här.

Jag tittade upp och mötte domare Hendersens blick. Sedan såg jag mig runt i rummet och märkte hur allas ögon hängde på mig. Mr Smith studerade mig ingående samtidigt som han snurrade på en penna. Jag var alldeles kruttorr i halsen och på läpparna.

– Ursäkta, sa jag och höll mig fast i bordsskivan, men jag tror att jag måste dricka lite nu.

Domaren tittade på sitt armbandsur.

– Klockan är kvart i sex, sa han. Jag tror att vi närmar oss slutet på det här korsförhöret. Det finns emellertid två frågor som jag vill ställa till dig, men innan jag gör det så beviljar jag ett kort toalettbesök. Du får inte konferera med någon eller kontakta någon när du lämnar rättssalen, och du är fortfarande under ed, är det uppfattat?

Jag nickade, och när han visade med handen att jag kunde resa mig upp så kom jag skakande på fötter. Jag trevade mig ut förbi Carl Barrington, Lindsay hade redan rest sig och öppnat dörren för mig.

– Är det klart? frågade Anders och flög upp när vi kom ut, kastade en tidning ifrån sig. Har de kommit till något beslut?

Jag gick bara förbi honom och Lindsay kom ut och förklarade läget.

KORRIDOREN VAR TOM och nersläckt, de allra flesta hade lämnat domstolsbyggnaden för dagen. Jag gick nära väggen för att kunna ta stöd om jag skulle ramla, så yr var jag.

Inne på damtoaletten fick jag syn på mitt eget ansikte i spegeln. Ögonen var enorma, pupillerna tog upp hela irisen, jag såg nästan drogad ut. Huden var vaxblek och lite svettig, håret hade torkat i orediga testar runt mitt huvud.

Jag slog ner min blick, gick på toaletten och undvek att titta på mig själv när jag tvättade händerna. Sedan gjorde jag något jag aldrig gjort på en offentlig toalett i Amerika, jag böjde mig ner och drack vatten direkt från kranen. Det smakade sött och klor.

Sedan vände jag ryggen mot tvättstället, slöt mina ögon, knäppte händerna och viskade till Gud:

– Hjälp mig, andades jag. Käre Gud i himlen, ge mig styrka att komma igenom detta, och låt oss stanna. Tänk på mina barn, käre Gud, låt dem få ett hem. Jag ber dig, Gud, hör min bön. Hör min bön...

Jag stod kvar någon minut med mina knäppta händer mot pannan, sedan gick jag tillbaka till rättssalen.

När dörren stängts och jag satt mig ner fortsatte förhandlingen.

– Hade INS några ytterligare frågor? undrade domaren.

– Nej, herr ordförande, sa mr Smith.

– Nå då så, sa domare Hendersen. Egentligen så är det ytterligare två saker som jag undrar över, mrs Eriksson, men jag ser på dig att du är väldigt slutkörd. Jag kommer därför att avsluta den här förhandlingen...

– Ut med dem! avbröt jag honom.

– Vad? sa domaren förvånat.

– Fram med frågorna bara, sa jag. Om det finns någonting jag kan göra för att underlätta mina chanser att få stanna här så gör jag det. Så ut med dem! *Spit them out!*

Han såg lite förvånat på mig, jag sneglade på Carl Barrington vid min sida och noterade att han inte var särskilt förtjust i mitt utbrott.

Men domare Hendersen log faktiskt lite grann.

– Då så, sa han, här är den första: Vad skulle hända om du flyttade hem till Sverige?

Jag tog ett djupt andetag och funderade lite, detta fanns inte i mina beslutsunderlag.

– Eftersom myndigheterna i min hemstad fortfarande anser att hotet mot vår familj kvarstår med oförminskad styrka så kan jag bara se ett enda tänkbart scenario, sa jag. Vi skulle omedelbart gömmas undan någonstans i en del av Sverige där vi inte har någon naturlig anknytning. Vår rörelsefrihet skulle starkt begränsas eftersom vi skulle få order om att aldrig vistas utomhus annat än om det var absolut nödvändigt. Barnen skulle inte kunna gå i vanliga skolor, vilket skulle få flera ödesdigra konsekvenser. Först och främst skulle naturligtvis deras möjligheter till utbildning, kunskap och en meningsfull framtid spolieras, men det skulle också göra mig som deras vårdnadshavare till lagbrytare. Sverige har skolplikt. Om jag som förälder underlåter att uppfylla mina skyldigheter kan jag dras inför rätta.

Jag hämtade andan och fortsatte.

– Vi skulle inte kunna arbeta, driva företag eller handla med aktier eller värdepapper, eftersom det skulle röja våra nya identiteter och vår nya vistelseort. Svaret på er fråga, domare Hendersen, är mycket enkelt: Om jag och min familj återvänder till Sverige, och lyckas undvika att bli skjutna eller kidnappade, är det ändå en mycket begränsad tidsfråga innan vi går under, ekonomiskt, socialt och mentalt.

Domaren nickade och skrev något i sina papper.

– Och så skulle jag vilja återkomma till formuleringen i domen från den svenska kammarrätten, sa han. Vad, exakt, innebär den här meningen: I målet får anses utrett att familjen Eriksson för att leva ett normalt liv behöver flytta från Sverige.

Han såg rakt på mig, så jag antog att han ville att jag skulle svara, trots att det egentligen var en tolkfråga.

– För mig, sa jag, och för de andra svenskar som läst domen, betyder den att rätten slår fast att vi måste emigrera.

Domare Hendersen vände sig till INS översättare, den danske mannen.

– Får anses utrett, sa dansken, det är en ganska vag formulering som innebär att rätten möjligen rekommenderar en emigration.

– På danska kanske, sa den svenske översättaren, men inte på svenska. Jag håller med Maria, det här är glasklart för mig som svensk. Detta är den typ av formulering som rätten använder när den konstaterar ett faktum. Och det andra aktuella ordet, *behöver* flytta från Sverige, betyder att detta är vad som måste göras.

– Tack, sa domaren. Jag har inga fler frågor.

Han lutade sig fram över sina handlingar och anteckningar, bläddrade lite bland dem. Det var alldeles dödstyst i rummet, jag sneglade på Carl Barrington och såg att han diskret torkade sig i pannan. Med ens hörde jag mitt eget hjärta slå, ljudet ökade i styrka tills det dånade i mitt huvud. Mr Smith satt alldeles stilla bredvid mig, tillbakalutad i sin stol. Han hade lagt ifrån sig sin penna och höll händerna knäppta över magen. Den danske översättaren bläddrade i ett lexikon, den svenske sneglade på mig och log lite. Lindsay skruvade på sig på sin stol.

– Nå, sa domaren och såg upp på oss alla. Jag anser att asylärende 267 är utrett i sin helhet och är därför redo att avge ett domslut i frågan.

Han tog upp sin bruna träklubba och höjde den i vädret. All luft i mina lungor tog slut, jag kunde inte andas, det flimrade för ögonen och jag hörde domare Hendersen säga:

– Maria Eriksson, *asylum in the United States of America: granted.*

Pang!

Klubban slog i bordet med en smäll, ekade mellan väggarna och rullade i mitt huvud, vad var det som hände, vad var det han sa?

Asyl i Amerikas Förenta Stater, beviljad.

Innan jag ens hunnit flämta höjde han klubban ytterligare en gång.

– Emma Eriksson, *asylum in the United States of America: granted.*

Pang!

– Robin Eriksson, *asylum in the United States of America: granted.*

Pang!

Ett ljud slapp ur mig, luft som åstadkom ett kvidande läte, jag reste mig till hälften och i nästa sekund brast det.

– Åh Gud, sa jag, åh gode Gud...

Och sedan började jag storgråta, det bara forsade ur mig, mina händer började skaka och jag kände att jag höll på att tippa men Carl Barrington fångade upp mig, han tog mig i sina armar och höll om mig, gungade mig och kramade mig, han skrattade och jag såg att han hade tårar i ögonen.

– *Way to go, girl,* viskade han.

Lindsay kom fram, hon grät också, dörren flög upp och barnen kom inrusande.

– Vi får stanna! skrek jag. Det är klart nu, vi får asyl i USA!

Och barnen kastade sig över mig och jag höll dem båda två och vi grät alla tre. Allting var ett virrvarr i mitt huvud, jag skrattade och grät om vartannat och folk klappade mig och kramade mig och lyckönskade mig, och rätt vad det var hade jag mr Smith bredvid mig. Han hade tagit av sig sina glasögon och såg med ens riktigt mänsklig ut.

– Jag är ledsen att jag var tvungen att gå så hårt åt dig, sa han, men han såg inte särskilt sorgsen ut. Faktum var att han log för första gången på hela dagen.

– Jag trodde jag skulle knäcka dig, fortsatte han obekymrat, men jag måste säga att du var tuffare än jag trodde.

Han tog min hand och skakade den.

– Lycka till, Maria Eriksson. Du är stark, du kommer att klara dig fint i det här landet.

Och så knäppte han ihop sin ämbetsmannaportfölj och lämnade rättssalen.

Klockan var nästan sju innan vi kom ut ur domstolsbyggnaden. Snöfallet hade upphört, en lätt vind drog in från sydväst. Stjärnorna sprakade på vinterhimlen, det var mörkt och klart och milt.

– Ja du, Maria, sa Carl Barrington, det här var väl en riktig resa.

Jag bara skrattade lite lågt.

– Efterarbetet kommer att ta tid, sa advokaten. Det måste gå minst ett år innan du kan ansöka om grönt kort, men den här gången kan INS inte ta tillbaka sitt beslut. Jag håller dig underrättad.

Vi tog i hand igen, jag kramade om Lindsay.

– Grattis igen, sa Carl Barrington, och lycka till!

Jag vinkade efter dem när de försvann ner till höger på den stora trappan.

Anders ställde sig bredvid mig, drog upp axlarna mot vinden.

– Vad vill du göra nu? sa han.

Jag såg upp på honom, på den man som rest med mig till helvetet och tillbaka. Han var faktiskt storartad, på sitt sätt. Men jag visste, där och då, att vi inte skulle tillbringa resten av våra liv tillsammans. Vår tid var ute, han skulle gå åt sitt håll och jag åt mitt, men på något sätt skulle vi alltid höra samman. Både genom våra erfarenheter, och naturligtvis genom våra fantastiska barn.

– Jag vet precis vad jag vill göra, sa jag. Jag vill åka hem.

Epilog

MARIA ERIKSSONS FALL blev det första någonsin där en europeisk kvinna beviljades asyl i USA på grund av kvinnomisshandel.

Idag är makarna Eriksson skilda. Maria har flyttat till en annan delstat i USA och bor i en nybyggd villa utanför en större stad. Hon är omgift med en amerikansk företagsledare.

Emma och Robin bor tillsammans med Maria och hennes nya man, båda studerar. Emma vill bli läkare, Robin satsar på en utbildningsplats som dataprogrammerare vid NASA.

Även Anders bor kvar i USA.

Den första boken om Marias liv har sammanlagt sålt över en miljon exemplar i ett tiotal länder.

Mannen som förföljer Maria bor fortfarande kvar i hennes hemstad.

LÄS MER

Extramaterial om boken och författaren

Om *Gömda* och *Asyl*

av Liza Marklund

Jag började arbeta som journalist i Luleå mitten av 1980-talet. En av mina arbetsuppgifter innebar att gå ner till åklagarmyndigheten varje eftermiddag klockan tre och kolla de nya stämningsansökningarna, alltså de åtal och förundersökningar som åklagaren offentliggjort. Där var sorgliga historier om bedrägerier och snatterier och droghandel och rattfyllor, och så var det de sönderslagna kvinnorna. Vecka ut och vecka in, berättelser om förföljelse och skräck, bilder på krossade käkben och avslagna revben, knivhugg i bröst och sparkar mot könsorgan, och så ansiktena, de förskrämda och sönderslagna.

Jag hade ingen aning.

Jag visste inte att det var möjligt.

Hur kunde människor göra så här mot varandra? Folk från min egen hemtrakt, sådana jag vuxit upp med, som jag träffade på Storgatan varje dag, hur kunde det få förekomma?

Jag ställde samman en bunt med några av de senaste fallen och gick upp till en av åklagarna för att få svar: Har du sett vad som händer? Hur kan detta inträffa, i vår lilla stad?

Åklagaren suckade tungt.

– Jag vet, sa han, det är för jävligt. Alla dessa hysteriska kärringar.

Jag minns fortfarande hur jag satt som förstenad, hade jag hört rätt?

Var det *kvinnorna* som var problemet? De sönderslagna brottsoffren, var det *dem* vi skulle ta itu med?

Jag frågade karln om han menade allvar.

Han suckade igen.

– Ja, sa han, jag fattar inte vad vi ska göra åt dem.

Resten av intervjun är borta ur mitt minne. Det enda jag minns är min fullständigt överskuggande blodröda ilska, min fruktansvärda insikt:

Det är helt normalt att slå kvinnor.

Det är helt i sin ordning att hota kvinnor.

Det är helt okey att förfölja, trakassera och förnedra kvinnor.

I myndigheternas ögon uppstår problemen när kvinnorna protesterar, hamnar på sjukhus eller dör.

Samtalet med åklagaren blev startskottet för ett engagemang jag fortfarande bär med mig.

Då, den där hösten i mitten av 1980-talet, satte jag igång att läsa allt jag hittade om våld mot kvinnor, dess mekanismer, vad man kunde göra åt det.

Och jag intervjuade. Intervjuade och intervjuade. Pratade och lyssnade. Konfronterade och blev utskälld.

Jag frågade ut åklagare och poliser. Jag besökte häkten och fängelser och pratade med männen som slår. Jag träffade de såriga barnen, deras dagispersonal och morföräldrar.

Och jag pratade med kvinnorna, de våldtagna och sönderslagna, den ena efter den andra, och det som gjorde djupast intryck på mig var deras totala samstämmighet.

Alla berättade precis samma historia. Variationerna var små och inskränkte sig till de yttre förutsättningarna: kvinnorna kom från olika bakgrund, hade olika utbildning och målsättning i livet, men berättelsen om

I KORTA DRAG

NAMN
Eva Elisabeth Marklund

FAMILJ
Man och tre barn

BOR
Har hus i Stockholm, på landet samt i södra Spanien.

FÖDD
I Piteå, uppvuxen i den lilla byn Pålmark drygt två mil utanför stan.

våldet var alltid densamma.

Idag har jag intervjuat flera hundra misshandlade kvinnor.

Genom hela mitt yrkesliv har jag skrivit artiklar om de här frågorna. Ingen har någonsin velat ha dem. Det har inneburit att jag skrivit dem på fritiden och sedan tjatat in dem i tidningen någon natt när nyhetschefen haft särskilt svårartad nyhetstorka.

En gång fick en stackars redaktör nog och kastade mina artiklar i bordet med en smäll.

– Du och dina *jävla* kvinnor! Att du aldrig *ger* dig! Det säljer inte, ingen bryr sig. Vad fan ger du inte *upp* för?

Och jag svarade, med en dåres envishet:

– Jag tror du har fel, jag tror folk bryr sig. Och jag tänker inte ge upp.

Böckerna Gömda och Asyl är en del i det här arbetet: att få människor att lyssna. De är alltså två beståndsdelar i ett uttalat politiskt projekt.

Min teori löd så här redan från början: jag är en enkel själ. Om jag blir upprörd borde andra bli det. Om jag kan låta en kvinna få berätta sin historia och tala till punkt, då kommer människor att lyssna.

Hösten 1993 hade jag äntligen tid. Jag var barnledig med mitt tredje barn och skrev på kvällar och helger. Att historien kom att handla om karaktären jag valt att kalla Maria Eriksson var egentligen en slump, den hade lika gärna kunnat beskriva erfarenheterna hos någon annan. Det var detta som var själva poängen med projektet, att berätta en så allmängiltig historia att alla kunde känna igen sig.

Min ambition var att beskriva hela händelseförloppet *inifrån* en misshandlad kvinna, så att säga. Jag ville att läsaren skulle känna vad hon kände, gå igenom de trauman hon tvingades genom, få följa henne genom förföljelse och flykt, rädsla och ensamhet.

Märkligt nog var det inte obehagligt att skriva boken, snarare tvärtom. Det var närmast en lättnad att slutligen få gestalta allting på ett riktigt äkta, närvarande sätt.

Gömda kom första gången på Bonniers på hösten 1995. Den sålde ingenting då, men när vi själva släppte den i pocket på Piratförlaget i början av 2000 smällde det till. Vid det laget hade jag skrivit några kriminalromaner som legat etta på bestsellerlistan, vilket innebar att jag redan hittat en grupp människor som var beredda att ta del av det jag berättade – och det gjorde man, även när jag talade med en misshandlad kvinnas röst. Äntligen tog de till sig de hemska erfarenheterna och reagerade på samhällets oerhörda flathet.

Jag upplever att diskussionsklimatet i frågan förändrats de senaste åren, och om Gömda bidragit till detta på något enda litet vis har min ambition förverkligats.

Eftersom Gömda blev en försäljningssuccé började jag snart få förfrågningar om att skriva en uppföljare. Jag var väldigt tveksam. Att skriva en bok till om samma sak, bara för att tjäna pengar, var aldrig aktuellt.

Beslutet att, trots allt, skriva Asyl växte fram under flera år. Den avgörande faktorn var att de amerikanska immigrationsmyndigheterna slutligen fattade det unika beslutet att ge en svensk kvinna asyl i USA på grund av förföljelse i Sverige. Detta visade, på ett kristallklart sätt, hur det svenska rättssystemet misslyckats med att skydda sina egna medborgare.

Här fanns alltså ett politiskt skäl att faktiskt skriva en uppföljare.

Karaktären Maria Eriksson, vars yttre erfarenheter berättelsen grundar sig på, heter förstås något helt annat. Hon är hemmafru i USA och lever ett medelklassliv utanför en större stad, städar, lagar mat och kör barnen till skolan.

Några fler böcker om just henne kommer jag inte att skriva. I stället har jag försökt bredda debatten och beskriva problematiken med kvinnovåldet på andra sätt, och jag tycker jag ser en förändring i det allmänna medvetandet. Människor bryr sig, människor säger ifrån.

Hösten 2004 sände TV4 dokumentärserien "Lite stryk får dom tåla", där jag intervjuat misshandlade kvinnor, mördade kvinnors vänner, män som försökt döda och likgiltiga poliser och åklagare. Bara det faktum att en stor, kommersiell tv-kanal visar sådant på bästa sändningstid är ett klart trendbrott. Att serien både prisnominerades och slog tittarrekord visar att något har hänt, och det är faktiskt allas vår förtjänst.

Enda sättet att få slut på våldet mot kvinnorna är att vi tillsammans säger ifrån.

Stockholm i mars 2006
Liza Marklund

Om research

av Liza Marklund

Jag gör alltid mycket research när jag skriver mina romaner. Asyl var inget undantag. Jag har också alltid försökt hitta variationer i språket, så att varje bok fått sin egen röst. Det kunde jag däremot inte göra med Asyl. Jag hade ju redan skrivit en bok i samma ämne, Gömda, och var tvungen att använda samma tilltal och samma ton. Det var ju meningen att läsaren skulle känna igen sig.

När jag satte mig ner för att skriva Asyl, hösten 2003, hade det gått tio år sedan jag skrev Gömda. Det tog ett tag att hitta tillbaka till det uttryck jag använt för att gestalta "Maria Eriksson", hela hösten fick jag styrka och skriva om.

När språket och tonen i boken till slut hade satt sig gick det bitvis ganska lätt att skriva.

Delen av berättelsen som utspelar sig i Sverige hade jag inga problem med. Jag gjorde som jag alltid gör när jag skriver romaner: jag åkte runt och besökte och iakttog de miljöer jag skildrar. Exempelvis gick jag runt i Smedjebacken på skyltsöndagen 2003.

USA-biten var också lätt. Jag har bott en del i Los Angeles (min första man var amerikan) och jag kunde använda mina vänner och bekanta som förebilder för karaktärerna i boken.

Problemet uppstod i Sydamerikadelen.

Jag hade aldrig varit i vare sig Chile eller

BIBLIOGRAFI

Annika Bengtzon-serien
Sprängaren (1998)
Studio sex (1999)
Paradiset (2000)
Prime time (2002)
Den röda vargen (2003)
Nobels testamente (2006)
Livstid (2007)
En plats i solen (2008)

Böckerna om Maria Eriksson
Gömda (Bonnier Alba 1995, nyutgåva på Piratförlaget 2000)
Asyl (2004)

Liza Marklund & Lotta Snickare
Det finns en särskild plats i helvetet för kvinnor som inte hjälper varandra (2005)

Argentina och pratade inte ett ord spanska. Hur skulle jag klara av att beskriva något jag aldrig hade sett? Hur kan man ta reda på saker om ingen fattar vad man säger?

Jag var medveten om problemen redan innan jag satte igång att skriva, så sommaren 2003 satte jag mig på skolbänken och hårdpluggade spanska. *Ahora hablo, comprendo y escrito español, mas o menos.* Sedan åkte jag runt tillsammans med min man i Chile, Argentina och Brasilien för att få någon sorts känsla för kontinenten.

Båda utrikesdelarna är skrivna på plats. Jag satt i några veckor på ett golfhotell i en amerikansk förort och beskrev händelserna som utspelar sig i USA. Bredvid mig hade jag den tjocka mapp med handlingar som låg till grund för den amerikanska immigrationsmyndighetens beslut att ge de tre svenska medborgarna, Maria Eriksson och hennes två barn, asyl i USA på grund av förföljelse i Sverige. Mycket av innehållet i mappen var bekant för mig, jag samarbetade tidvis ganska nära ”Lindsay” när hon förberedde målet. Genom åren kom jag att samla ihop och skicka över en hel del av den dokumentation som asylansökan grundade sig på.

Sydamerikadelen är skriven på olika hotell i Chile, Mendoza och Buenos Aires. Jag åkte buss längs den svindlande vackra vägen mellan Santiago och Mendoza och tog bilder för att dokumentera och komma ihåg vad jag sett. Några av dem kan ni se på följande sidor.

Många har frågat mig om namnen på karaktärerna i böckerna. Maria Eriksson valde jag eftersom det är en av Sveriges allra vanligaste namnkombinationer (Maria Johansson är den allra vanligaste). Jag vet att det finns många kvinnor som heter Maria Eriksson i Sverige, och alla är inte glada över att jag döpt min karaktär till just det namnet. Förlåt! säger jag bara. Det är inte mycket att göra åt.

Andra namn har jag hittat på med mer personliga bevekelsegrunder. Advokaten mr Barrington är döpt efter gatan där min förra svärfar bor i västra Los Angeles. Hans mer fysiska gestalt har jag lånat av advokat Peter Althin, en mycket klok och stilig man.

Valerie och Dolores är döpta efter amerikanska kvinnor jag känner. Andra namn är tagna ur veckotidningar eller telefonkataloger.

Ibland har jag helt undvikit att namngiva karaktärerna i boken. Den våldsamme mannen som förföljer "familjen Eriksson" heter exempelvis ingenting. Jag ville att detta skulle vara kvinnans berättelse, enbart berättat ur hennes perspektiv. Därför undvek jag att personifiera mannen med en identitet.

Ett problem i boken uppstod när jag insåg att jag var tvungen att skriva om mig själv. Jag försökte hitta vägar att komma runt min egen inblandning i berättelsen, men det var inte möjligt. I så fall var jag tvungen att ändra alltför mycket i själva grundhistorien, och det kändes inte rätt. Lösningen blev att jag döpte om mig själv till Hanna Lindgren. Varför det blev just det namnet har jag ingen närmare förklaring till. Det lät lite lagom norrländskt, tyckte jag.

Böckerna Gömda och Asyl har givit mig insikter jag inte skulle kunnat få på något annat sätt än genom att skriva de här historierna. De har tagit mig till platser och människor som jag annars aldrig hade besökt. Jag studerar exempelvis fortfarande spanska varje vecka, jag har lärt mig uppskatta golfhotell och jag har hittat en favoritstad i Buenos Aires.

Jag är väldigt glad att jag skrivit dem, och att så många velat läsa dem.

Liza Marklund i mars 2006

Smedjebacken

Recoleta i Santiago

Marknaden vid Mapochofloden i Santiago

Kåkstad i Huecheraba i Santiago

Presidentpalatset i Santiago där Salvador Allende hittades död efter Pinochets bombanfall

Vy från El Arrayan i Chile

Gränsen mellan Chile och Argentina uppe i Anderna

Pressröster

”Jag beundrar Liza Marklund. Hon har gjort det igen: gett ut en sådan där oglamorös bok som ’bara’ handlar om hotade kvinnor, barn, och flyktingar och om de svenska myndigheternas oförmåga att skydda dem.”

Susanne Pagold, Dagens Nyheter

”Boken är så bra att den är omöjlig att lägga ifrån sig.”

Ann-Sofie Sannemalm, VLT

”Som en svensk ’Inte utan min dotter’ fast utan rasismen.”

Mattias Bergman, Stockholm City

”Det listigaste greppet i Liza Marklunds böcker om Maria är dubbelexponeringen av den misshandlade kvinnan och flyktingödet.”

Ulrika Knutson, Expressen

”Marklund väcker viktig debatt.”

Margareta Wiman, Östgöta Correspondenten

”Alla som vill förstå något om ytterligheterna i det svenska samhället och hur kvinnor och barn kan ha det i välfärdens högborg ska läsa boken.”

Eva Gidlund, Örnsköldsviks Allehanda

”Journalistiskt arbete av yppersta rang”

Lars Andersson, Norra Västerbotten

”Liza Marklund har lyckats skriva en riktig bladvändare.”

Camilla Carnmo, Smålandsposten

”Asyl är utan tvekan en lika stark och omskakande bok som Gömda.”

Olov Baudin, Västerbottens Folkblad

”Garanterad sträckläsning, kan jag lova.”

Lotta Tholin, Kristianstadsbladet

”Asyl är en gripande bok, den är tragisk, den är spännande och välskriven. Har ni läst Gömda är Asyl mer eller mindre ett måste.”

Ulf Hammarlund, Länstidningen Södertälje

”Precis som med Gömda grips man direkt av berättelsen. Med pulserande språk beskrivs flykten runt i världen.”

Kerstin Särneö, Tara

LÄNKTIPS

www.piratforlaget.se
Piratförlagets hemsida. Nyheter om författarna, intervjuer, tävlingar och mycket annat. Liza Marklund har en egen sida med mycket material här.

Piratförlagets författare i pocket

Dabrowski, Stina Lundberg: Stinas möten
Dahlgren, Eva: Hur man närmar sig ett träd
Ebervall, Lena & Per E Samuelson: Ers Majestäts olycklige Kurt
Edling, Stig: Vingbrännare
Edling, Stig: Det mekaniska hjärtat
Fant, Mikael: Grundläggande genetik – en roman om blåögdhet och halva sanningar
Forssberg, Lars Ragnar: Fint folk
Fredriksson, Marianne: Älskade barn
Fredriksson, Marianne: Skilda verkligheter
Giolito, Malin Persson: Dubbla slag
Guillou, Jan: Det stora avslöjandet
Guillou, Jan: Ondskan
Guillou, Jan: Coq Rouge
Guillou, Jan: Den demokratiske terroristen
Guillou, Jan: I nationens intresse
Guillou, Jan: Fiendens fiende
Guillou, Jan: Den hedervärde mördaren
Guillou, Jan: Vendetta
Guillou, Jan: Ingen mans land
Guillou, Jan: Den enda segern
Guillou, Jan: I Hennes Majestäts tjänst
Guillou, Jan: En medborgare höjd över varje misstanke
Guillou, Jan: Vägen till Jerusalem
Guillou, Jan: Tempelriddaren
Guillou, Jan: Riket vid vägens slut
Guillou, Jan: Arvet efter Arn
Guillou, Jan: Häxornas försvarare – ett historiskt reportage
Guillou, Jan: Tjuvarnas marknad
Guillou, Jan: Kolumnisten
Guillou, Jan: Madame Terror
Guillou, Jan: Fienden inom oss
Guillou, Jan: Men inte om det gäller din dotter
Haag, Martina: Hemma hos Martina
Haag, Martina: Underbar och älskad av alla (och på jobbet går det också jättebra)
Haag, Martina: Martina-koden
Haag, Martina: I en annan del av Bromma
Hergel, Olav: Flyktingen
Herrström, Christina: Glappet
Herrström, Christina: Leontines längtan
Herrström, Christina: Den hungriga prinsessan
Holm, Gretelise: Paranoia
Holm, Gretelise: Ö-morden
Holm, Gretelise: Krigsbarn
Holt, Anne: Död joker
Holt, Anne & Berit Reiss-Andersen: Utan eko
Holt, Anne: Det som tillhör mig
Holt, Anne: Bortom sanningen
Holt, Anne: Det som aldrig sker
Holt, Anne: Presidentens val
Janouch, Katerina: Anhörig
Janouch, Katerina: Dotter önskas
Janouch, Katerina: Sommarbarn
Janouch, Katerina: Bedragen
Kadefors, Sara: Fågelbovägen 32
Lagercrantz, David: Himmel över Everest
Lagercrantz, David: Ett svenskt geni – berättelsen om Håkan Lans och kriget han startade
Levengood, Mark & Unni Lindell: Gamla tanter lägger inte ägg och Gud som haver barnen kär har du någon ull
Lindell, Unni: Ormbäraren
Lindell, Unni: Drömfångaren

Lindell, Unni: Sorgmantel
Lindell, Unni: Nattsystern
Lindell, Unni: Rödluvan
Lindell, Unni: Orkestergraven
Lindell, Unni: Honungsfällan
Lindqvist, Elin: tokyo natt
Lindqvist, Elin: Tre röda näckrosor
Marklund, Liza: Gömda
Marklund, Liza: Sprängaren
Marklund, Liza: Studio sex
Marklund, Liza: Paradiset
Marklund, Liza: Prime time
Marklund, Liza: Den röda vargen
Marklund, Liza: Asyl
Marklund, Liza: Nobels testamente
Marklund, Liza: Livstid
Marklund, Liza: En plats i solen
Marklund, Liza & Lotta Snickare: Det finns en särskild plats i helvetet för kvinnor som inte hjälper varandra
Mattsson, Britt-Marie: Bländad av makten
Mattsson, Britt-Marie: Snöleoparden
Mattsson, Britt-Marie: Maktens kulisser
Nesbø, Jo: Fladdermusmannen
Nesbø, Jo: Kackerlackorna
Nesbø, Jo: Rödhake
Nesbø, Jo: Smärtans hus
Nesbø, Jo: Djävulsstjärnan
Nesbø, Jo: Frälsaren
Nesbø, Jo: Snömannen
Roslund & Hellström: Odjuret
Roslund & Hellström: Box 21
Roslund & Hellström: Edward Finnigans upprättelse
Roslund & Hellström: Flickan under gatan
Skugge, Linda: Akta er killar här kommer gud och hon är jävligt förbannad
Skugge, Linda: Men mest av allt vill jag hångla med nån
Skugge, Linda: Ett tal till min systers bröllop
Syvertsen, Jan-Sverre: Utan onda aningar
Syvertsen, Jan-Sverre: I det fördolda
Tursten, Helene: En man med litet ansikte
Wahlöö, Per: Hövdingen
Wahlöö, Per: Det växer inga rosor på Odenplan
Wahlöö, Per: Mord på 31:a våningen
Wahlöö, Per: Stålsprånget
Wahlöö, Per: Lastbilen
Wahlöö, Per: Uppdraget
Wahlöö, Per: Generalerna
Wahlöö, Per: Vinden och regnet
Wattin, Danny: Stockholmssägner
Wattin, Danny: Vi ses i öknen
Öberg, Hans-Olov: En jagad man
Öberg, Hans-Olov: Mord i snö
Öberg, Hans-Olov: Dödens planhalva
Öberg, Hans-Olov: Klöver Kungar